우리 문화재 수난일지 6

우리 문화재 수난일지 6

2016년 11월 27일 초판 1쇄 인쇄
2016년 11월 30일 초판 1쇄 발행

글쓴이 정규홍
펴낸이 권혁재

편집 김경희
출력 CMYK
인쇄 한일프린테크

펴낸곳 학연문화사
등록 1988년 2월 26일 제2-501호
주소 서울시 금천구 가산동 371-28 우림라이온스밸리 B동 712호
전화 02-2026-0541~4
팩스 02-2026-0547
E-mail hak7891@chol.net

책값은 뒷표지에 있습니다.
잘못된 책은 바꾸어 드립니다.

ISBN 978-89-5508-359-0 94910
ISBN 978-89-5508-353-8 (SET)

우리 문화재 수난일지

6

정규홍

학연문화사

목차

우리 문화재 수난일지

1924년 4월~

1924년 4월

고적급유물등록대장초록 등재 유물

「고적급유물보존규칙古蹟及遺物保存規則」은 1916년 7월 4일에 조선총독부령朝鮮總督府令 제 52호로 제정制定 공포公布하였으며, 전 8조와 부칙으로 구성되었다. 제 1조에는 고적과 유물의 종류를 정하고 있으며, 제2조는 별기別記 양식에 따른 고적 및 유물대장을 비치하여 제1조에 정한 고적 및 유물 중에서 보존의 가치가 있는 것을 조사하고 이를 등록하도록 하였다.

1924년 4월 현재『고적급유물등록대장초록』에 등재된 유물은 다음과 같다.

*「고적급유물등록대장초록」에 등재된 유물(1924년 4월 현재)[1]

	고적 및 유물명	소재지	소유	비고
1	원각사지10층석탑	탑동공원	국유	頂部를 잃고 상단3층은 가까이 아래에 있음
2	원각사비	탑동공원	국유	
3	보신각종	종로 2정목	국유	
38	월광사원랑선사대 보선광탑비	경복궁 조선총독부박물관	국유	비 중앙부 파손,원 충청북도 제천군 한수면 송계리 월광사지에 있던 것을 1922년 3월 박물관으로 이건
159	봉림사지진경대사 보월능공탑비	총독부박물관	국유	원 경남 창원군 상남면 봉림사지에 있던 것을 1919년 4월에 박물관으로 옮김

---

1 朝鮮總督府,『古蹟及遺物謄錄臺帳抄錄』, 1924년 4월 현재.

	고적 및 유물명	소재지	소유	비고
20	보리사지대경대사 현기탑비	총독부박물관	국유	원 경기도 양평군 용문면 연수동 보리사지에 있던 것을 박물관으로 옮김
102	태자사 낭공대사 백월서운탑비	총독부박물관	국유	처음 봉화의 태자사에 있었음, 후년 영주군 영주면 영주리 영주군청에 옮겨 짐, 1918년 박물관으로 옮김
14	고달사지원종대사 혜진탑비	총독부박물관	국유	원 경기도 여주군 북내면 상교리에 있던 것을 비신은 박물관으로 옮기고 귀부와 이수는 사지에 현존
67	개태사지철부	총독부박물관	국유	원 충남 논산군 연산면 천호리 개태사지에 있다가, 수년 전 연산읍내로 옮겨지고 다시 1919년 박물관으로 옮김, 상부에 결손된 個所가 있음
136	경원여진자비	총독부박물관	국유	上部 缺損, 원 함북 경원군 동원면 화정동에 있었음, 1918년 박물관으로 옮김
4	장의사지당간지주	고양군 은평면 신영리	국유	
5	북한산신라 진흥왕순수비	고양군 은평면 구기리 비봉	국유	비의 좌측면에 김정희의 訪記가 각해 있음
6	중초사지당간지주	시흥군 동면 안양리 석수동	국유	
7	중초사지3층석탑	시흥군 동면 안양리 석수동	국유	
8	중초사지마애종	시흥군 동면 안양리 석수동	국유	
12	창성사지진각국사비	수원군 상광교리 광교산 창성사지	국유	
22	서봉사지현오국사 탑비	용인군 수지면 신봉리 서봉사지	국유	
31	강화종각종	강화군 부내면 궁청리	국유	
32	강화하점면5층석탑	강화군 하점면 장정리	국유	
21	파주호미리 2체석불상	파주군 광탄면 용미리 (호미리)	국유	
30	선죽교	개성군 송도면	국유	

	고적 및 유물명	소재지	소유	비고
137	연복사종	개성군 송도면 남대문 내	국유	연복사는 고려 태조 초년에 창건하여 일찍이 폐함
29	개성첨성대	개성군 송도면 만월정	국유	
23	영통사지대각국사비	개성군 영남면 현화리 영통동	국유	고려 인종3년에 건립
14	영통사지5층석탑	개성군 영남면 현화리 영통동	국유	노반이상 실
25	영통사지동3층석탑	개성군 영남면 현화리 영통동	국유	
26	영통사지서3층석탑	개성군 영남면 현화리 영통동	국유	노반이상 실
27	현화사비	개성군 영남면 현화리 현화동	국유	
28	현화사지7층석탑	개성군 영남면 현화리 현화동	국유	受花 以上 失
11	삼전도청태종공덕비	광주군 중대면 송파동	국유	조선 인조17년에 건립, 1917년 9월에 다시 세움
9	광주구읍5층석탑	광주군 서부면 춘궁리	국유	露盤 以上 失, 기단에 破損의 個所가 있음
10	광주구읍3층석탑	광주군 서부면 춘궁리	국유	제2층을 잃고, 제1층과 제3층이 存함
13	고달사지원종대사혜진탑	여주군 북내면 상교리 고달사지	국유	
15	고달사지승탑	여주군 북내면 상교리 고달사지	국유	
16	고달사지구탑	여주군 북내면 상교리 고달사지	국유	頭部 破損
17	고달사지석불좌	여주군 북내면 상교리 고달사지	국유	
18	여주 하리3층석탑	여주군 주내면 하리	국유	頂飾 失함
19	여주 창리3층석탑	여주군 주내면 창리	국유	頂飾 失함

	고적 및 유물명	소재지	소유	비고
			국유	
33	용두사지철당간	충북 청주군 청주면 본정 청주경찰서구내	국유	
40	괴산 신풍리마애 2체불상	괴산군 연풍면 원풍리	국유	
41	괴산 미륵당리석불상	괴산군 미륵리	국유	
42	괴산 미륵당리5층석탑	괴산군 미륵리	국유	覆鉢 이상 失
39	사자빈신사지4층석탑	제천군 한수면 송계리	국유	4층 이상 失
36	충주남문외철불상	충주군 충주면 충주읍내	국유	雙手 折損
34	충주 탑평리7층석탑	충주군 가금면 탑평리	국유	受花 以上 失, 기단에 붕괴의 個所가 있음
35	정토사지법경대사 자등탑비	충주군 동량면 하천리 정토사지	국유	
37	억정사지대지국사비	충주군 엄정면 괴동리 억정사지	국유	
			국유	
66	개태사지3체석불상	충남 논산군 연산면 천호리	국유	
43	부여읍남5층석탑 (정림사지탑)	부여군 부여면 동남리	국유	1916년 2월에 파손된 개소를 수리
44	부여읍남석불상	부여군 부여면 동남리	국유	
45	유인원기공비	부여군 부여면 관북리 부소산	국유	1916년 4월에 단석을 접합하고 비각을 설함
46	부여읍내석조	부여군 부여면 구아리	국유	
48	보광사중창비	부여군 임천면 가신리 보광사지	국유	
68	서천 봉남리3층석탑	서천군 서남면 봉남리	국유	頂飾 失
57	성주사지낭혜화상 백월보광탑비	보령군 미산면 성주리 성주사지	국유	

	고적 및 유물명	소재지	소유	비고
58	성주사지5층석탑	보령군 미산면 성주리 성주사지	국유	覆鉢 以上 失
59	성주사지중앙3층석탑	보령군 미산면 성주리 성주사지	국유	覆鉢 以上 失
60	성주사지서3층석탑	보령군 미산면 성주리 성주사지	국유	受花 以上 失
63	춘양읍내3층석탑	청양군 청양면 읍내리	국유	受花 以上 失
64	춘양읍내3체석불상	청양군 청양면 읍내리	국유	
65	정산 서정리9층석탑	청양군 정산면 서정리	국유	상층정상 失
49	강당사지법인국사 보승탑	서산군 운산면 용현리	국유	
50	강당사지법인국사 보승탑비	서산군 운산면 용현리	국유	
51	강당사지철불상	서산군 운산면 용현리	국유	兩手 缺損
52	강당사지5층석탑	서산군 운산면 용현리	국유	露盤 以上 失
53	강당사지당간지주	서산군 운산면 용현리	국유	
54	강당사지석조	서산군 운산면 용현리	국유	
55	안국사지3체석불상	서산군 정미면 수당리	국유	좌방 1체 두부 실
56	안국사지석탑	서산군 정미면 수당리	국유	기단 및 탑신 1석만 存
61	봉선홍경사갈	천안군 대흥리	국유	
62	천흥사지당간지주	천안군 성거면 천흥리	국유	
69	미륵사지당간지주	전북 익산군 금마면 고도리	국유	
70	미륵사지석탑	익산군 금마면 고도리	국유	1915년 12월에 총독부에서 응급수리
72	익산 고도리쌍석불상	익산군 금마면 고도리	국유	

	고적 및 유물명	소재지	소유	비고
71	익산 석불리불상	익산군 삼기면 연동리	국유	
138	익산 왕궁리5층석탑	익산군 왕궁면 왕궁리	국유	
73	만복사지석불상	남원군 남원면 왕정리	국유	
74	만복사5층석탑	남원군 남원면 왕정리	국유	상부 1층 失
75	만복사지석좌	남원군 남원면 왕정리	국유	
76	만복사지당간지주	남원군 남원면 왕정리	국유	
139	만복사지2왕석상	남원군 남원면 왕정리	국유	
77	용담사지석불상	남원군 주천면 용담리	국유	상부 결손
78	용담사지7층석탑	남원군 주천면 용담리	국유	露盤 以上 失
79	용담사지석등	남원군 주천면 용담리	국유	
80	나주 북문외3층석탑	전남 나주군 나주면 과원정	국유	나주북문 외에서 현위치로 옮겨옴
81	나주 동문외석당간	나주군 나주면 북문정	국유	
82	나주 서문내석등	나주군 나주면 금정	국유	나주군 서부면 서문내에 있던 것을 현위치로 옮김
83	개선사지석등	담양군 남면 학선리 개선동	국유	
85	광주읍서5층석탑	광주군 광주면 향산리	국유	頂飾 失
86	광주북문외석불상	광주군 광주면 수기옥정	국유	
84	광주읍동5층석탑	광주군 서방면 동계리	국유	露盤 以上 失
87	광주읍내철불	광주군 서방면 동계리	국유	
88	무열왕릉비 이수 및 귀부	경주 서악리	국유	

	고적 및 유물명	소재지	소유	비고
89	성덕대왕신종	경주 동부리 경주고적보존회 진열	국유	처음 봉덕사에 걸려 있던 것을 영묘사로 옮기고, 후에 경주 노동리 봉황대 아래 종각에 옮기고, 1915년 10월에 종각과 함께 현재의 장소로 옮김
90	첨성대	경주 인왕리	국유	
141	경주읍내석수	경주면 동부리 경주고적보존회	국유	내동면 낭산 부근 전포 중에 있던 것을 옮김
140	흥덕왕릉석수	경주면 강서면 육통리 흥덕왕릉	국유	
91	굴불사지석각불상	경주 천북면 동천리 금강산	국유	
92	석빙고	경주 인왕리 월성	국유	
93	무장사지미타전비 이수 및 귀부	경주 내동면 암곡리	국유	碑身斷石 3片 총독부박물관
94	무장사지석탑	경주 내동면 암곡리	국유	轉倒
95	고선사지3층석탑	경주 내동면 덕동리	국유	
96	경주 읍내석불상	경주 동부리 경주고적보존회	국유	脚部以下 缺損, 처음 경주남산록 배리에 있다가, 후에 첨성대 부근으로 옮기고, 다시 현재 장소로 옮김
97	망덕사지당간지주	경주 내동면 배반리 망덕사지	국유	
98	정혜사지13층석탑	경주 내동면 배반리	국유	
99	경주서악리3층석탑	경주 서악리	국유	頂部 失
143	경주 서악리마애불상	경주 서악리		두부 결손
100	경주남산리3층석탑	경주 내동면 남산리	국유	露盤以上 失
101	경주나원리5층석탑	경주 견곡면 나원리	국유	
	태자사낭공대사 백월서운탑비	총독부박물관	국유	2편 절단, 1918년에 총독부로 옮김

	고적 및 유물명	소재지	소유	비고
103	숙수사지당간지주	영주군 순흥면 내죽리	국유	
104	영주 사현정리당간지주	영주군 순흥면 읍내리	국유	
105	영주 영주리석불상	영주 영주면 영주리	국유	膝部以下 土中에 埋沒 전장 약 7척, 광배를 가지고 있는 우수한 입불상임, 원래 헌병분대 앞에 있었는데 영주공립보통학교 앞 도로 큰 나무 아래로 이치했다.
106	개심사지5층석탑	예천군 예천면 남본동	국유	覆鉢以上 失
107	동사지4층석탑	예천 예천면 동본동	국유	
108	동사지석불상	예천 예천면 동본동	국유	두부 절단
109	상주 화달리3층석탑	상주군 사벌면 화달리	국유	露盤以上 失
110	상주 지사리전탑	상주 외남면 지사리	국유	六層 存
111	문경 내화리3층석탑	문경군 산북면 내화리	국유	
112	고령 쾌빈동3층석탑	고령궁 고령면 쾌빈동	국유	1916년 5월 洞內鄕射堂 南에서 公立尋常小學校 前에 옮김
113	고령 지산동당간지주	고령군 고령면 지산동	국유	
114	청도 송서동3층석탑	청도군 풍각면 송서동 탑평	국유	
144	영주 사현정리3층석탑	영주군 순흥면 읍내리	국유	화강석의 방형3층탑, 고12척 등록 후에 어떤 자가 도괴, 현재 1층이 남아 있고 상층은 분리되어 반이 지하에 매몰 1931년 이후의 기록에는 빠져있다.
145	영주 석교리2체석불상	영주군 순흥면 석교리	국유	
146	안동 신세동7층전탑	안동군 안동면 신세동	국유	頂飾 失, 1916년 3월에 총독부에서 수리

	고적 및 유물명	소재지	소유	비고
147	안동 동부동5층전탑	안동군 안동면 동부동	국유	1916년 3월 총독부에서 수리하고 철조망 설치, 頂飾 失
148	안동 조탑동5층전탑	안동군 일직면 조탑동	국유	1916년 3월 총독부에서 수리, 頂飾 失
149	안동 옥리동3층석탑	안동군 안동면 옥리동	국유	
150	안동 안기동석불상	안동군 안동면 안기동	국유	頭部 失 1931년에는 누락되었다가, 1934년에 다시 등재
151	안동 이송천동석불상	안동군 서후면 이송천동	국유	
152	상주 증촌리석각불상	상주군 함창면 증촌리	국유	
153	상주 증촌리석불상	상주군 함창면 증촌리	국유	
154	상주 복룡리석불상	상주군 상주면 복룡리	국유	頭上部 損傷
155	봉화 서동리3층석탑	봉화군 춘양면 서동리	국유	覆鉢以上 失, 覺華寺址로 전함
115	창녕신라진흥왕 척경비	경남 창녕군 창녕면 교상동 28번지	국유	
156	창녕 술정리동3층석탑	창녕군 창녕면 술정리	국유	頂飾 失
158	창녕 교동석불상	창녕군 창녕면 교동	국유	後背에 元和5年의 銘文이 있다.
157	창녕 송현동석각불상	창녕군 창녕면 송현동	국유	
160	하동 신흥리수중석각	하동군 화개면 범왕리 신흥	국유	신라 崔致遠의 書로 전함
161	반야사지원경왕사비	합천군 가야면	국유	
117	월광사지3층석탑	합천군 치로면 월광리	국유	轉倒
162	함안 대산리3체석불상	함안군 함안면 대산리	국유	

	고적 및 유물명	소재지	소유	비고
163	단속사지동동구석각	산청군 단성면 청계리	국유	
164	단속사지동3층석탑	산청군 단성면 운리	국유	受花以上 失
165	단속사지서3층석참	산청군 단성면 운리	국유	覆鉢以上 失
116	통도사국장생석표	양산군 하북면 답곡동	국유	
166	남해 양아리석각	남해군 이동면 양아리	국유	
119	광조사지진철대사 보월승공타비	황해도 해주군 금산면 냉정리 수미창	국유	
120	해주백세청풍비	해주군 영동면 청풍리	국유	
167	해주읍내석빙고	해주군 해주면 상정	국유	
121	해주다라니석당	해주군 해주면 남욱정	국유	
118	봉산 지탑리3층석탑	봉산군 문정면 지탑리 상탑동	국유	
122	평양성벽석각	평안남도 평양부 산수정 평안남도청	국유	1913년 평양시가 수방공사 때 평양부 경제리 대동강안 지하 3척에서 발견하여 현재 장소로 옮김
123	평양기자정	평양부 약속정	국유	
124	평양정차장전 7층석탑	평양부 홍해정	국유	처음 대동군 한이정(일명 동문) 가까이에 있었는데, 1906년 현재의 장소로 옮겼다고 한다.
125	평양종각종	평양부 리문리	국유	조선 영조2년 6월 주조
126	점선현기산비	용강군 해운면 용정리	국유	1914년 비각을 건립
127	자복사지5층석탑	성천군 성천면 상부리	국유	露盤 以上 失
142	성천 처인리3층석탑	성천군 성천면 상부리	국유	道安寺址라 한다.
128	용천다라니서당	평부 용천군 읍동면 동부동	국유	

	고적 및 유물명	소재지	소유	비고
130	용천읍내2체석불상	용천군 읍동면 동부동	국유	
131	용천읍내쌍석수	용천군 읍동면 동부동	국유	
129	용천서문외석당	용천군 동하면 사흥동	국유	
132	풍천원석등	강원도 철원군 북면 홍원리	국유	頂飾 잃음
183	춘천 요선당리7층석탑	춘천군 춘천면 요선당리	국유	노반 이상을 잃음
184	춘천 전평리당간지주	춘천군 춘천면 전평리	국유	
185	춘천 우두리석불상	춘천군 신북면 우두리	국유	
192	홍천 희망리3층석탑	홍천군 홍천면 희망리	국유	頂飾 잃음
193	홍천 희망리당간지주	홍천군 홍천면 희망리	국유	
180	거돈사지원공국사 승묘탑비	원주군 부론면 정산리	국유	
181	흥법사지3층석탑	원주군 지벙면 안정리 흥법동	국유	頂飾 잃음
182	평창 류동리5층석탑	평창군 평창면 류동리	국유	노반 이상을 잃음
170	한송사지석불상	강릉군 강릉면 강릉군청	국유	頭部 및 右手 결손, 군내 덕방면 남정리 월호평 한송사지에 있던 것을 현재 군청으로 옮김
171	강릉 수문리당간지주	강릉군 강릉면 옥천정 (원 수문리)	국유	
172	강릉 수문리석불상	강릉군 강릉면 옥천정 (원 수문리)	국유	
177	강릉 대창리석불상	강릉군 강릉면 옥천정 (원 수문리)	국유	
178	강릉 대창리당간지주	강릉군 강릉면 옥천정 (원 수문리)	국유	

	고적 및 유물명	소재지	소유	비고
175	굴산사지석불상	강릉군 구정면 학산리 금광평	국유	
176	굴산사지석불상	강릉군 구정면 학산리 금광평	국유	
173	굴산사지석탑	강릉군 구정면 학산리 석촌동	국유	頂飾의 일부를 잃음
174	굴산사지당간지주	강릉군 구정면 학산리 금광평	국유	
169	신복사지석불상	강릉군 성남면 내곡리 심복동	국유	
168	신복사지석석탑	강릉군 성남면 내곡리 심복동	국유	
179	영랑비초석	강릉군 강동면 하시동리	국유	
188	서림사지석불상	양양군 서면 서림리	국유	頭部는 절단되어 지상에 轉落
187	서림사지3층석탑	양양군 서면 서림리	국유	露盤이상 잃음
190	회암 현리3층석탑	회양군 난곡면 현리	국유	
191	안풍사지5층석탑	회양군 안풍면 가동리	국유	頂飾 잃음
189	장연사지3층석탑	회양군 장연면 장연리	국유	頂飾 잃음
133	황초령 신라진흥왕 순수비	함경남도 함흥군 하기천 면 진흥리	국유	
134	북청여진자석각	북청군 속후면 창성리 해안	국유	
135	백두산정계비	함경북도 무산군 삼장면 농사동 백두산 동남부	국유	

1924년 5월 8일

경주 금령총과 식리총 발굴 조사

1921년의 경주 금관총 발굴로 화려한 금관을 비롯한 엄청난 부장품이 발견되어 세인의 이목을 집중시키자, 이후에는 중요한 유물을 발굴하려는 풍이 강하게 작용하여 풍부한 유물이 있을 것으로 예상되는 고분을 집중적으로 발굴함을 볼 수 있다. 1924년의 금령총, 식리총 등이 이에 속한다.

이 두 고분은 고분은 봉황대 남방 노동리에 있는 2기의 반파괴된 고분으로 금관총과 가까운 위치이다. 1923년 도로수축공사를 하면서 봉토가 많이 깎이어 운반되었다. 이에 경주 측에서는 본부에 수차 발굴을 요청했으나 긴축재정으로 인해 예산관계상 시행되지 못했다.

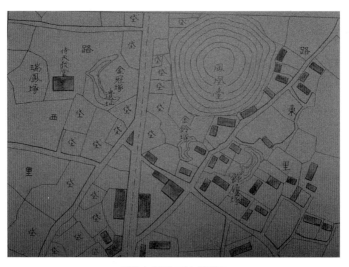

경주 노동리 고분 위치도

1924년 4월에 사이토 미루노齋藤實 총독이 경주를 순시할 때 경주 고적보존회의 촉탁으로 있던 모로가 히데오諸鹿央雄가 열심히 발굴조사를 건의하여 금령총金鈴塚과 식리총飾履塚을 발굴하게 되었다.

발굴은 우메하라 스에지梅原末治, 사와 슌이치澤俊一, 고이즈미 아키오小泉顯夫가 담당하였으며 별도로 발굴을 건의한 모로가와 군청직원 2명의 원조를 받아 조사를 하였다. 우메하라 등은 5월 8일 경성을 출발 밤에 경주에 도착, 익일 실지를 시찰하고 11일에 동시에 2기의 고분 발굴을 개시했다.[2]

당시 출토유물로는 금령총에서는 황금제관, 금구슬, 유리구슬 달린 목걸이, 금제팔지, 금동제관식, 다량의 토기, 마구류, 기마인물형토기 등 750여 점이 출토되었다. 식리총에서는 금동으로 장식된 신발 등을 비롯한 500여 점이 출토되었다.[3]

1924년 5월 8일부터 6월 20일까지 조사한 두 고분의 복명서는 같은 해 8월에 제출되었는데, 복명서에는 '조선의 최근 고고학상의 발견'이라는 우메하라 스에지梅原末治의 발굴보고서와 사진이 첨부되어 있다. 이 보고서에는 조선에서의 고적조사 현황과 발견 유물, 유적 상태, 고고학적 견해 등이

금령총 발굴 장면

2 梅原末治, 「朝鮮に於ける最近の考古學上の發見」, 『朝鮮』, 朝鮮總督府, 1924년 10월, p.3.
3 梅原末治, 「慶州 金鈴塚 飾履塚 發掘調査報告」, 『大正13年度 古蹟調査報告』 第1冊, 朝鮮總督府, 1932; 梅原末治, 「朝鮮に於ける最近の考古學上の發見」, 『朝鮮』, 朝鮮總督府, 1924년 9월.

기재되어 있다.[4]

당시 신문에는 다음과 같은 기사를 남기고 있다.

경주고분 발굴 착수

일전에 경주 읍내에서 붕괴된 고분 1기를 발견하여 총독부 고적과에서 조사한 결과 그 연대는 일절 불명하나 발굴할 가치가 있음을 인정하여 12일부터 경성박물관원이 출장하여 발굴에 착수하였는데 그 결과는 다대한 고물을 얻으리라 한다(『매일신보』 1924년 5월 16일자).

경주고분에서 고대진품을 발굴. 왕관과 금방울 한 쌍.

얼마 전 경주 남문 밖에서 세계적 대발견이라 하여 학계를 놀라게 한 순금으로 만든 왕관과 그 외 귀중품을 발굴한 적석총에 인접한 곳에서 다시 신라시대 분묘로 파봉된 분묘 두 곳을 총독부에서 조사정리하기로 하여 본월 초순에 총독부에서 매원말치 일행이 경주에 와 10일부터 발굴에 착수하였는데 19일에 이르러 서편에 있는 분묘를 약 15척 가량 팠을 때 관옥과 순금으로 만든 귀걸이, 금가락지 등 여러 가지 토기를 발견하였으나 예상했던 큰 발견은 되지 못함으로서 다시 계속 발굴을 계속하여 22일 정오에 광채가 찬란한 황금으로 만든 부속품을 위시하여 순금방울 한쌍 등 여러 가지 금으로 만든 장식품과 의상인 듯한 비단 등을 발견, 이번에 발견한 물품은

---

4 「大正13년 5, 6월 경주 고분 조사 보고」, 『국립중앙박물관 소장 조선총독부박물관 공문서』, 목록번호 : 96-139.

몇 해 전에 발견한 금관과 흡사하나 반대로 이번에 발견한 것은 금은을 병용하여 만든 것이며 그 제작 솜씨가 오히려 그 전기 금관보다는 한결음 더 진보한 점이 있다는데 계속 조사 중이다(『매일신보』 1924년 5월 28일자).

대구기자구락부원 11명은 지난 7일 경주에 도착한 뒤 발굴 중인 고분을 시찰코자 봉황대 아래에 다달은 즉 아직 발굴공사 중임으로 입구에 통행금지라는 편을 지나 경내에 들어가게 되었다. 제록씨의 안내로 먼저 발굴을 종료한 서편 고분에 대하여 설명을 듣게 되었는데 이 고분을 발굴케 된 동기는 강월江月이라는 기생의 가옥이 이 고분의 총두塚頭에 있어 매일 출입하는 유랑객이 많았는데 일찍부터 이 가옥의 헌하軒下가 고분의 적跡이라는 전설이 있었던바 매년 풍우에 가옥의 서편에 있는 작은 언덕이 조금씩 붕괴되어 1921년 가을에 발굴한 금관총과 흡사한 토질이 노출함으로 제록씨는 군수 및 경찰서장과 상의하여 총독부에 이를 발굴하기를 누차

금령총 기마인물형토기 출토 상태

간청하였으나 종시 허가치 아니하였다.

선반 정무총감과 학무국장이 경주에 왔을 때 실지를 안내한 후 구두로 간청한 결과 처음 발굴키로 결정되어 마침 경성에 체재 중인 경도공과대학 교수 빈전박사의 조수 매원말치와 총독부박물관 촉탁 소천현부, 택준일의 3씨에게 의뢰하여 지난 5월 11일부터 발굴에 착수하여 5월 19일까지 지면으로부터 약 1장을 파들어가도 유물을 얻지 못하여 낙심하였던바 22일 정오에 이르러 순금대금구純金帶金具를 발견하고 오후에 금관 및 수하구 기타 이식 등을 발굴하였는데 <중략>

동편 고분은 금월 3일부터 공사에 착수하여 지난 6일 오후 2시경에 비로소 환두식대도, 금동제신발 등을 발견하여 목하 공사 중인데 전기 서편 고분 이상의 나올 모양이라 한다.

(김병하,「鷄林古都의 고분시찰기」,『매일신보』1924년 6월 12일자)

경주고분 발굴품 공개 관람

18일 경주 동서 양고분에서 출토된 발굴품 왕관 등 수십종을 경주고적보

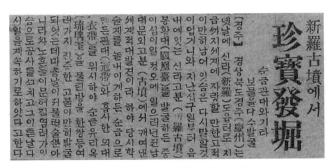

『시대일보』1924년 5월 26일자 기사

존회관에서 일반에게 공개 관람케 하였다(『매일신보』1924년 6월 20일자).

매원말치씨 강연 17일 오후 8시 경주사담회 및 고적연구회 주최로 금반 고적발굴 사무를 맡고 있는 경도제대 매원말치를 초빙하여 고분에 관한 강연을 공개하였다(『매일신보』1924년 6월 21일자).

이는 완전한 신라고분의 대발굴이라 할 수 있다. 유물의 발굴에 집중한 나머지 그 보고서에 관한 것은 대단히 소홀하였다. 엄청난 발굴품은 총독부 박물관으로 옮겨 1925년에 우메하라梅原, 고이즈미小泉, 샤와 슌이치澤俊—가 함께 일부 정리와 더불어 일부는 박물관에 진열하였다. 그런데 이에 따른 보고서는 바로 나오지 않았다. 우메하라梅原은 1925년에 구미에 유학을 떠나면서 고이즈미小泉에게 일을 맡기고, 고이즈미小泉는 보고서작성은 뒤로 미루고 타지방의 조사에 착수하여 이 조사보고서는 1932년에 와서야 겨우 나오게 된다.[5] 이런 엄청난 발굴 유물을 발굴이래 8년 가까이 그대로 방치해 두었던 것이다.

식리총 적석 채굴작업 장면

5 梅原末治,「慶州 金鈴塚 飾履塚 發掘調査報告(序說)」,『大正13年度 古蹟調査報告 第 1 册』, 朝鮮總督府, 1932.

발견한 금동보살좌상

1924년 5월 12일

전라북도 임실군 발견 금동보살좌상

1914년 7월 8일부 전라북도지사가 경무국장에게 보낸 '유물 발견에 관한 건'에 의하며,[6] 전북 임실군 지사면 영천리 진수연은 1924년 5월 12일 택지를 평평하게 고르던 중 지하 1척 가량에서 금동보살좌상을 발견하여 한동안 보관하고 있다가 6월 15일에 신고했다.

1924년 5월 31일

경기도 진위군 발견 도기류(陶器類)

1924년 6월 17일자 경기도경찰부장이 경무국장에게 보낸 '매장물 발견에 관한 건'에 의하면,[7] 경기도 진위군 북면 봉남리 류정기는 5월 31일 오전11시경

---

6 「大正13년도 전라북도 임실군 발견 금동보살좌상」, 『국립중앙박물관 소장 조선총독부박물관 공문서』, 목록번호 : 97-발견07.

7 「大正13년도 경기도 진위군 발견 陶器類」, 『국립중앙박물관 소장 조선총독부박물관 공문서』, 목록번호 : 97-발견07.

봉남리 21번지 산야에서 송충이 구제 중 도기파편이 부근에 산란한 것을 보고 혹 지하에 어떤 물건이 매장되어 있지나 않을까 하고 지중을 팠는데 고려자기 17점, 토인형土人形 1개, 시匙 2개 등의 유물을 발견하여 당국에 신고를 했다.

『동아일보』 1924년 6월 18일자에는 다음과 같은 기사가 있다.

다수고물 발굴

진위군 류하면 봉남리 류정기는 지난 7일에 봉남리 뒤 장산에서 고려기高麗器를 발굴하였는데 다수는 파손되었고 완전한 고물 18점을 탐득探得하여 진위경찰서에 보관하였는데 해지 평가에 의하면 수천원에 달한다고 하나 전문가의 평가가 아님으로 정확한 가치는 아직 알 수 없다더라

1924년 5월

한국 금불 가격이 50만불

상해 골동상점에 한국 금부처가 하나 있는데 그 부처는 1천8백 년 전에 만든 것이라 매우 미술답게 절묘하게 꾸미였다 하였다. 고물의 발굴가가 그 부처의 값을 50만달라라고 정하였다는데 그는 오사카에 사는 사람이 동일한 부처의

값을 5만달라를 주고 매수한 바에 기인하여 평가하였다한다. 오사카에 있는 금불은 이 부처보다 조금 적은 중에 몇 곳이 파손되어 황금의 가치로 이것만 못할뿐더러 미의 가치도 많이 손실됨으로 5만달라에 지나지 못한다고 한다.[8]

공주보승회 설립 계획

공주군내에는 사적 명승 등이 적지 않음에 대하여 이를 조사 보존 및 소개의 목적으로 공주보승회라는 것을 설립하자는 협의가 있어 공주군청에서 입안 중이다.[9]
『매일신보』 1924년 5월 5일자에는 다음과 같은 기사가 있다.

공주보승회 설치계획
공주보승회 설치 계획이 유함에 대하여 시내 모 유지는 좌와 같이 말하더라.
공주의 명승과 고적이 그 얼마나 역사상 가치가 있으며 풍취상 절경이 됨은 널리 반도의 동포는 숙지하는 바인고로 이제 다시 찬미함을 굳히는 바이외다. 과연 우리는 산성의 쌍수정에 올라 양양한 금강안 절벽에 원립한 공북월파의 누정을 바라보며 영은고사靈隱古寺의 저녁종소리를 들을 때에 우리의 정신을 미화하며 역사의 감각을 새로이 하였음은 무한하였을 것이오 그런고로 명승과 고적을 영구히 보존함은 공주 인사에 대하여 필요할 뿐 아니라 전 조선인에 취하여도 등한히 하지 못할 일이라 생각하는 바이

---

8 『신한민보』 1924년 5월 29일자.
9 『東亞日報』 1924년 5월 5일자.

公州保勝會 設置計劃

오. 그러함에 불구하고 이제 공주의 명승과 고적을 보면 대부분 퇴락하여 겨우 구일舊日의 자취를 규지함에 불과하여 다만 형태에 잔존한 현상에 있음은 매우 유감으로 생각하는 바이오. 이것을 본 자로서 누구가 탄식치 아니한 자가 있으며 그 수선의 긴급함을 느끼지 아니한 자가 있으리오.

그리하여 명소고적의 보존 수선은 공주 인사의 깊이 논의하던 바이었는데 이제 부 당국에서 그 보존 수선의 적실 긴급함을 인식하고 공주보승회를 설치할 계획을 세우고 현재 진행 중에 있음은 실로 경하에 불감하는 바이오. 바라건대 명승고적의 수선 보존을 완전무결히 하여 그 명승과 보존을 영구히 보존하도록 하며 따라서 그 소개와 선전을 충분히 하여 공주의 발전에 공헌하는 한편 조선의 인사와 같이 이 명승고적을 감상하도록 함을 꾀한다더라.

공주보승회는 1925년 6월에 그 성립을 보았으나,[10] 이러한 기운은 곧바로 시행되지 못했다. 1935년 공주고적보존회가 설립되어 고적조사와 유적보존에 힘을 썼으나 그 기능을 10분 발휘할 수는 없었다.

---

10 『朝鮮』 제121호 1925년 6월 '彙報.'

평남 대동군 대동면 석암리에서 동리 박두찬 외 6명이 자기소유 밭에서 파경, 철창, 잡종금물, 금속파편, 지환, 철정, 엽전 등 다수한 고적물을 발견하였는데 이는 낙랑유물이라 한다.[11]

1924년 6월 2일

석불 발견

1924년 8월 7일부 김해경찰서장이 조선총독에게 보낸 '석불 발견에 관한 건'[12]에 의하면, 경상남도 김해군 김해면 동산동 조인창은 김해면 동산동 구 성벽 관유지에서 김해읍내 어시장 건설용 석재를 채취하던 중 지난 6월 2일 약 5백년전에 읍내 외곽으로 축성한 성벽에서 불상을 발견했다.

---

11 『東亞日報』 1924년 5월 28일자.
12 『국립중앙박물관 소장 조선총독부박물관 공문서』, 목록번호 : 97-발견07.

1924년 6월 13일

청동제종(靑銅製鐘) 외 43점 발견

1924년 6월 27일 안동경찰서장이 조선총독에게 보낸 '매장 유물 발견에 관한 건'[13]에 의하면, 본년 6월 14일 안동군 안동면 신세동 안동형무소지소의 서북방 산록 관유전지로부터 안동형무소지소장이 종 외 43점(도자기 1점 청동제종 1개, 불상 3구 외 銅鐵器)을 발견하여 신고했다.

발견지는 이전에 산록의 原野로 4, 5년 전부터 땅을 고르는 작업을 해왔는데 금회 다기 땅을 평평

발견한 종

하게 하여 형무소운동장을 만들기 위해 공사 중 지하 1척으로부터 발견했다고 한다.

1924년 6월

불상 40여 개 매각한 주지 성토

전주 위봉사 주지 문제로 복잡한 가운데 위봉사 주지 곽법경이 옥구군에 있

---

13 『국립중앙박물관 소장 조선총독부박물관 공문서』, 목록번호 : 97-발견07.

는 보천사 기지 건물과 불상 40여 개를 일본인 모에게 매각하여였다 하여 총독부 이하 관계 각당국에 진정서 혹은 고발서를 누차 제출하였으나 아무런 처분이 없자 그 성토회를 가졌다.

『동아일보』 1924년 6월 8일자에는 다음과 같은 기사가 있다.

불량주지배척

불상 40여 개까지 매각

전주군 송광사에 거주하는 승려 유창준 외 3인의 발기로 지난 3일 오후 1시 전주 청수정 불교 포교당에서 불량 주지 곽법경郭法鏡 성토회를 개최하였는데 전주 남고사南固寺 외 7개 말사로부터 출석인이 25인이오.

성토의 이유는 곽법경이 다년간 전주군 위봉사(대본산) 주지의 요직에 재함을 기회로 본말사 소유의 재산 1만여 원을 자기의 고탕한 생활에 횡령소비 하던 중 심지어는 옥구군 단수면에 있는 고찰 보천사寶泉寺 기지 건물과 불상 40여 개를 일본인 모에 매각하는 등 무수한 불법 행위는 불교를 위하는 승려가 아니요 그 요직을 이용하여 불교를 멸망하자는 주의이니 그대로 용인을 할 수 없는 고로 총독부 이하 관계 각 당국에 진정서 혹은 고발서를 누차 제출하였으나 지금까지 하등 처분이 없음은 무슨 연고인지 알 수 없으며 하루라도 속히 이를 배척하여 불교계의 해독을 면하자면 철저한 운동을 실행하자함인데 이미 당국에 대하여 진정한 바가 있으니 장차 당국의 처치 여하를 보아서 최후의 수단을 쓰기로 만장일치 가결하고 동 4시에 폐회하였다고(전주).

경찰서에서 취조

위봉사 주지 곽법경에 대하여 성토회가 있었다함은 별항과 같거니와 지난

6일 전주경찰서에서는 전기 곽법경을 호출하여 석천石川 사법계 주임의
손으로 목하 취조 중인데 아마 보천사 기지건물과 불상매각 기타 사재 횡
령에 대한 고발 사건인 듯하다고(전주).

정도사지5층석탑 이건

정도사지5층석탑은 원지로부터 반출되어 상당 기간 오야 곤베이大屋權平의
사택에 있다가 그 후 기부형식을 취해 1924년 6월에 총독부박물관 정원으로
이건하였다.

「대정13년도고적조사사무보고」의 '정도사 석탑 이건'에 관해 다음과 같이 설
명하고 있다.

경북 칠곡군 약목면 복성리에서 한때 경성부 고시정古市町 철도국장관 오야 곤
베이大屋權平 개인 정원 내에 반입되었던 것을 1924년 본관 정원으로 이건함.
위는 다이쇼2년(1913)경 경북 칠곡군 약목면 복성동에서 옮겨, 부내 남대
문통 철도 사택 내에 있었는데, 선년 구보久保 만철경성철도국장에 청하여
기부를 받아, 다이쇼13년(1924) 6월 이건하였다.[14]

석탑 이건 1924년 6월 이지만 이보다 몇 년 앞서 협상이 오갔던 것으로,

---

14 金禧庚, 『韓國塔婆硏究資料』 考古美術資料 第20輯, 考古美術同人會刊, 1969.

1922년 5월에 이곳을 조사한 고이즈미 아키오小泉顯夫의 조사보고[15]에,

　　고려시대의 정두사5층석탑은 지금은 옮겨져 경성부내 만철경성관리국장

　　사택에 있는데 가까운 시일 내 본부박물관내로 이건 계획 중에 속한다. 이

　　탑 속에서 나온 정도사5층석탑형지기는 거란의 태평11년太平十一年의 연호

　　年號를 가지고 있어 이것의 조성유래造成由來를 상기詳記하고 있다.

라고 하여 1922년 5월 이전부터 석탑 이건을 추진해 왔던 것으로 보인다. 오야
곤베이大屋權平가 사용하던 사택은 오야가 1917년에 퇴임한 후,[16] 구보久保 만철
경성철도국장이 사용하게 되어 총독부에서 구보久保와 협상이 이뤄져 박물관
정원으로 이건하게 된 것이다.

　이 석탑이 처음 오야 곤베이大屋權平의 사택으로 옮겨간 시기에 대해
「대정13년도고적조사사무보고」에는 '1913년경'이라 하고, 마에마 교사쿠前
間恭作는 약목 정도사 석탑조성기에 대해 설명하면서,

　　메이지말明治末 경부간철도공사京釜間鐵道工事를 할 때 폐사의 석탑 중에서

　　불사리佛舍利를 납納하는 유합鍮盒내에서 발견했다.[17]

15　小泉顯夫, 「慶尙北道 忠淸南道 古蹟調査報告」, 『大正11年度 古蹟調査報告』, p.32.
16　『純宗實錄』1917년 7월 31일자에는 다음과 같은 기사가 있다.
　　전 철도국 장관 오야 곤페이(大屋權平)에게 은제화병(銀製花甁)과 비단 주머니를 하사
　　하였다. 서남 지방(西南地方) 순행 때의 노고하였기 때문인데, 지금 철도국(鐵道局)이
　　폐지되면서 관직에서 물러났다.
17　前間恭作, 「若木石塔記の解讀」, 『東洋學報』第15卷 第3號, 東洋協會學術調査部, 1924년

라고 하여 '메이지말(1912)'에 석탑 해체공사가 이루어진 것으로 보고 있다.

세키노關野의 기록에는,

> 원 경상북도 인동군 약목면 정도사폐지에 있었으나 현재 경성으로 운반하
> 여 오야大屋 철도관리국장관저 내에 있다. … 현재 최상층最上層의 상륜相輪
> 은 실失하였다.[18]

라고 하며, 1912년에 보고한『조선고적조사약보고朝鮮古蹟調査略報告』에 실려 있
는《조선고적사진목록》(1911년 촬영)에도 "정도사5중석탑大屋權平氏官邸"라 기
록하고 있어 이미 개인의 손에 넘어갔음을 밝히고 있다. 따라서 최소한 1911년
이전에 오야 곤베이大屋權平의 사택에 옮겨졌음을 알 수 있다. 하지만 정확한 시
기는 명확하지 않다.

이나다 슌스이稻田春水이도

> 금석문으로 역사에 보충될만한 것으로, 제3은 경부철도건설 당시에 발견
> 된 경북 약목의 정도사5층탑이니 탑의 내부로부터 출토한 문서에 의하여
> 요遼의 태평太平12년(서기 1031년)의 조성됨을 알게 하였으니, 이것보다도
> 그 고문서가 이두를 함께 싣고 있으니 그 당시의 사상을 들어다 볼 수 있

12월, p.363.

18 關野貞,『朝鮮の建築と藝術』, pp.559-560.

1924년 35

음에 족할 점으로는 필요한 자료가 되겠고 ...[19]

라고 하며 '정두사5층석탑형지기'가 경부철도공사 당시에 발견되었다고 하는데, 경부선철도는 1905년에 개통을 하였기 때문에 '정두사5층석탑형지기'의 발견시기도 1905년 이전에 있었던 것이라야 맞는데 의문이다.

석탑 역시 1905년 이전에 오야 곤베이大屋權平의 사택으로 옮겼다는 기록이 보이지 않는다.『고종실록』 5월 28일자에는 "1905년 5월에 경부선 철도의 개통과 관련하여 철도국장 야마우찌 가즈쯔구山內一次, 철도 기사鐵道技師 오야 곤베이를 비롯한 관련자들에게 표창"한 기록이 보인다. 경부선철도 개통 당시에는

오야의 사택 소재의 모습　　　　　　　　대구박물관 소재의 모습

19　稻田春水,「朝鮮石塔の硏究」,『朝鮮佛敎界』 제2호, 1916년 4월, p.66.

철도기사의 신분인 오야로서 경성에 사택을 가지고 석탑을 옮길 수 있는 위치
는 아니었던 것으로 보인다. 오야가 통감부 철도관리국장관으로 승진한 것은
통감부 설치 이후부터 1907년 12월 이전이 되므로,[20] 경부철도공사 당시에 관
사에 석탑을 옮긴다는 것은 여러 조건이 맞지 않는다.

그렇다면 경부선철도 개통 이후, 세키노關野의 기록대로 1911년 이전에 석탑
을 옮겼다면 정도사탑의 이전은 철도로 인한 부득이한 철거가 아니라 계획적
인 유적의 철거였음을 알 수 있다.[21]

이후 이 탑은 경복궁으로 옮겨졌다가, 1994년 대구박물관이 개관되면서 현
재 대구박물관으로 옮겨졌다.

* 「정도사오층석탑조성형지기(淨兜寺五層石塔造成形止記)」

경북 칠곡군 약목면 정도사 폐지에 있던 탑이 옮겨질 당시에 탑 내부에서 황
동黃銅의 합盒, 녹유사리병綠釉舍利瓶, 석탑조성형지기石塔造成形止記 문서가 발견
되어 고려 현종22년에 건립되었음을 밝히고 있다.[22] 탑 내부에서 발견된 문서
「정도사오층석탑조성형지기淨兜寺五層石塔造成形止記」의 내용은, 현종10년(1019)
거란이 침입이 끝나 군민이 평안해 지자 약목군若木郡 백성인 광현光賢이 오층

---

20 『순종실록』1907년 12월 26일자에는 "통감부 철도 관리국 장관(統監府鐵道管理局長官)
　　오야 곤베이(大屋權平)를 특별히 훈(勳) 1등에 서훈(敍勳)"한 기록이 보인다.
21 許興植, 『韓國의 古文書』, 民音社, 1899, p.64.
22 關野貞, 『朝鮮藝術之硏究』, 朝鮮總督府, 明治43년, p.17; 奧平武彦, 『朝鮮出土의 支那陶
　　瓷器 雜見』, 『陶瓷』第9卷 第2號, 1939년 5월.

정도사오층석탑조성형지기

석탑 건립의 뜻을 세웠으나 현종13년(1022)에 죽자 그의 형인 부호장部戶長이 탑의 조성사업을 계승하였다. 현종14년(1023) 6월에 약목군사若木郡司의 장리長 吏들이 중심이 되어 탑을 정도사에 세울 것을 결정하고 같은 해 11월부터 현종 22년(1031)정월에 9년여 동안 돌을 운반하고 다듬어 오층석탑을 완성했다. 현 종21년(1030) 11월 1일에는 관음방주인觀音房主人 정보장로貞甫長老가 모셔온 사 리17구를 유리통琉璃筒과 유합鍮盒에 넣어 형지기와 함께 다른 유합에 안치시켰 다는 등의 내용을 기록하고 있다.[23]

* 오야 곤베이(大屋權平)

오야 곤베이大屋權平란 자는 1903년 12월에 한국에 들어와 경부철도속성공사

---

23 申虎澈,「高麗 顯宗代의 淨兜寺5層石塔造成形止記 註解」,『李基白선생 古稀紀念 韓國 私學論叢』, 이기백선생 고희기념한국사학논총 간행위원회, 1994.

부서공사장을 맡은 이래 일본의 식민지 개척상 가장 필요한 철도정책을 실행하였던 자이다. 1908년 통감부관방인사과統監府官房人事課에서 편찬한『통감부급소속관서직원록統監府及所屬官署職員錄』을 보면, 오야 곤베이大屋權平의 관직官職은 통감부철도관리국장관이면서 문관보통시험위원, 문관보통징계위원으로 나타나 있다. 또한 그의 작업지시 방법은 "회사식속성작업會社式速成作業을 종래의 육군식 속성작업으로 통일 정리하여 대난사大難事를 성취했다" 하는 것으로 보아 상당히 저돌적이고 거칠게 작업지시를 한 것으로 보인다.[24] 그가 철도관리국장관으로 있을 당시의 자료사진첩에는 철도선로 방해자의 사형집행 장면까지 있다. 이런 사정으로 보았을 때 오야大屋가 사지로부터 석탑을 옮기는데 누구도 제지할 수 없었을 것이라는 것은 쉽게 짐작할 수 있다.

＊ 칠곡 약목면 복성동의 또 다른 석탑

고이즈미小泉의 보고에, "복성동福星洞의 취락 배후聚落背後의 구상丘上에 약목공원若木公園이라 칭하는 소유원지에 탑 1기가 서있다. 이미 위치가 변하였고 탑재의 상하가 전도되어 있다"[25] 라고 하는 것으로 보아 또 다른 탑도 피해를 입은 것으로 보인다.

24 有馬純吉,『人物評論眞物と物』, 朝鮮公論社, 1917, p.116
25 小泉顯夫,「慶尙北道 忠淸南道 古蹟調査報告」,『大正11年度 古蹟調査報告』, p.32.

국립중앙박물관 소장 유리건판에는 '칠곡 약목공원 석탑'이라 하여 1매의 사진이 남아 있는데, 작은 언덕 위에 옥개석 3개와 탑신석이 순서가 바뀌어 쌓아져 있다.

현재 그 행방이 의문이다.

1924년 7월 9일

황해도 장원군 도택면 학림사學林寺를 폐지하다.[26]

1924년 7월

불상 발견

전남 임실군 지사면 영천리의 어떤 자가 집을 짓기 위하여 밭을 파던 중 높이 열자 가량 되는 불상을 발견했다. 이 불상은 종래 각처에서 파낸 것과 달라 매우 오래된 것인 듯하다 하여 도청에서는 총독부의 감정을 청하고자 하여 지난 1일에 불상의 사진을 박아 경무국으로 발송하였다.[27]

26 『朝鮮總督府官報』 1924년 7월 9일자.
27 『每日申報』 1924년 7월 4일자.

한석봉 필적을 팔아먹다.

『매일신보』 1924년 7월 16일자에는 다음과 같은 기사가 있다.

전고傳古의 명승고적을 외인에게 매끽賣喫, 한석봉의 필적 있는 고적을 중국 석공에게 팔아먹었다.

경기도 개성군 고려정 채하동에 있는 남봉암南峯巖이라는 바위는 개성의 주산인 송악산 좌록의 주봉일 뿐 아니라 이목은, 한류항韓柳巷, 정포은 등 세 선생이 모여 놀던 곳이며, 또 그 바위에는 한류항 선생의 후손인 명필 한석봉의 친필로 세 선생의 사적을 기록하여 새겨 있음으로 오늘날까지 고적의 하나로 전하여 오던바, 근래 그 산 밑에 거주하는 어떤 지각없는 자들이 역시 그곳에 사는 김기순과 부동한 후 전기 남봉암을 중국인 석공에게 돈 3백원을 받고 팔아서 두 사람이 분식하였는 고로 방금 그 바위를 떨어내는 중인데 돈 기백원에 욕심을 못이겨 수백 년 전래하는 명승고적을 파멸시키는 것은 그 선생들의 자손의 기탄함은 물론이고 일반에서도 모두 통분히 생각하고 그 자들을 비난한다더라.

1924년 8월 5일

제4차 조선사편수회 위원회

제4차 조선사편수회 위원회는 1924년 8월 5일 개회되어 사료전람회와 이나바稻葉 간사의 사무보고와 편찬보고가 있었다. 주요 발언 내용은 다음과 같다.[28]

이나바稻葉 간사

편찬 사무에 대해 보고하겠습니다.

편찬은 전년도의 계속으로 현재 사료 목록을 정리하고 있습니다. 이것은 대부분 완성되었습니다만, 또 내지에서는 동경, 경도 두 대학을 비롯하여 각 학교 도서관 및 지나 방면에서도 역시 점차 목록의 기증을 받고 있기 때문에 순서대로 정리하고 있습니다. 이 목록의 작성은 본년도 안으로 완성시킬 방침으로 현재 극력 정리에 임하고 있습니다.

다음은 사료 수집인 도서의 구입, 고기록의 등사 및 부본의 작성에 대해서인데, 이것은 당분간 경비를 수반하는 문제이어서, 도서는 미리 필요한 것을 정해서 구입하며 차입한 고기록은 등사를 하고 특히 귀중한 문서는 부본의 작성에 착수하고 있습니다. 하지만 경비 문제도 있기 때문에 지지부진한 점은 매우 유감이지만 승정원일기와 비변사등록은 부본의 작성을 서두르고 있는 형편입니다.

---

28 朝鮮總督府朝鮮史編修會, 『朝鮮史編修會事業槪要』, 1938(시인신서 편집부 옮김, 1986).

이 밖에 작년 이후 지방에서 차입한 고문서에 대해서는 이것 또한 등사를 하고 있습니다.

사료의 채방은 작년 경상북도 안동 방면에 출장하여 중요한 사료를 많이 수집하였습니다. 이는 전회의 위원회에서 진열하여 둘러보았으므로 이미 아시리라 생각합니다. 또 이번에 급히 조사할 필요가 생겨서 홍 위원께서 안동, 의성 방면으로 출장하였는데 이것도 예기한 이상으로 성과를 거두어 아래층에 진열되어 있는 것과 같은 사료를 차입해왔습니다. 작년의 하회 및 이번의 안동·의성 방면의 사료 수집에 대해 경험 한두 가지를 말씀드리겠습니다.

첫째로 본 위원회의 취지가 보급되었다는 것인데, 내선 공동의 사업이며, 따라서 내지인이 제 마음대로 기술하여 일당일파의 역사를 만드는 것이 아니라는 이해를 가지게 되었습니다. 실제로 문록文祿 전쟁 관계의 문서도, 위원회가 취지를 철저하게 한 이래, 기우였음이 밝혀져 자발적으로 사료를 제공하여 사무의 진행을 용이하게 하였습니다.

둘째로는 민간의 사료가 풍부하다는 점입니다.

종래에는 금석류 또는 땅속에서 발견된 묘지墓誌와 같은 것에 국한되어서 경주나 평양에서 나오는 고대의 것에 한정되어 있었는데, 이것 이외에 명문 구가에서 소장하고 있는 것도 적지 않음을 알게 되었습니다. 실제로 오늘 아래층에 진열하고 있는 사료는 겨우 1주일 이내에 채방한 것으로, 이런 사실은 종래의 경험을 뒤집는 것입니다.

셋째로 사료의 산일입니다.

시대는 날로 변해 가기 때문에 어제의 명문 구가도 오늘은 영락하는 세상입니다. 특히 조선은 이런 현상이 심한 듯하므로 사료는 채방이 하루 늦어

지면 늦어진 만큼 흩어져 없어지게 됩니다.

이 점에 대해서는 지난 번 도지사회의 때에도 특별히 유의해주기를 희망해 두었습니다.

지금 아래층에 진열된 금성일 문서와 같은 것도 꽤 산일되어 당시 백 수십 책이었던 것이 오늘날에는 겨우 열 몇 책만 남아 있습니다. 말이 나온 김에 말씀드리겠는데, 내지의 각 학교 도서관에서 도서목록을 기증받았습니다. 감사의 뜻을 표합니다.

사료전람회

5일 오전 10시에 위원회에서는 최근 조선 내 및 중국 방면에서 채방한 사료 중 수 점을 진열하여 전람회를 하였는데, 이 같은 사료는 종래 세간에서 쉽게 볼 수 없는 진귀한 것이라는데 그 목록을 보면 다음과 같다.[29]

서목	소장처	해설
高句麗唐特進 泉男生墓誌 拓本 (歐陽通 書)	조선사편찬위원회	수당 2조의 대병을 맞아 격퇴한 고구려의 명장 천개소문의 장자 남생의 묘지이다. 남생은 당의 정관13년 평양에서 출생하여 의봉(儀鳳)4년 정월 안동부의 관사에서 몰하나 중국 낙양의 북망산에 장하니라. 묘지는 만근(輓近)에 출현한 것으로 기사 중 泉 씨의 조선(祖先)에 관한 조는 종래의 소전(所傳)을 더함에 족하며 삼국사기와 병고(並考)할 것이다.
恭愍王敎書(1통)	경상북도 안동군내 大師廟 장	공민왕9년 여주(안동군)목사에게 사한 교서

29 『每日申報』 1924년 8월 6일, 8일자.

서목	소장처	해설
고려 禹倬 紅牌(1통)	경북 안동군 임북면 강질동 禹圭勳 藏	고려 공민왕의 대학진사 우탁에게 급제를 사한 홍패이니 탁은 당시 명신으로 반도 역학의 원조이다.
金誠一 遺墨	경북 안동군 서후면 金龍煥 씨 장	김성일의 手書로 應製詩로 2상, 2하 혹은 3하 이상은 능제를 정한 것
朝天日記(1책)	경북 안동군 서후면 金龍煥 씨 장	선조10년 김성일이 명나라로 奉使한 때에 당시의 사정을 기록한 문서이다.
海槎錄(1책)	경북 안동군 서후면 金龍煥 씨 장	김성일이 선조 22년 일본으로 봉사한 시에 기록한 것으로 임진란 중에 잃어버리고 시문 약간 수만 잔여된 것을 粗帖한 것이다. 김성일의 9대손의 발문에 그 시말을 자세히 게재한 것이다.
退溪史傳草 (1책)	경북 안동군 서후면 金龍煥 씨 장	김성일이 퇴계 이황의 史傳을 찬한 원고이니 선조실록에 載錄하기 위하여 起草한 것이다.
龍蛇事蹟(1책)	경북 안동군 서후면 金龍煥 씨 장	김성일이 임진란 시에 군무에 종사한 제반의 전말에 관한 기록
文忠公手束(1책)	경북 안동군 서후면 金龍煥 씨 장	성일이 그 자식에게 寄한 書牘을 편집하여 裝置한 것임
蠹石事蹟(1책)	경북 안동군 서후면 金龍煥 씨 장	임란 시 진주 전투에 관한 諸家의 찬술을 수집한 것임
草記(1책)	경북 안동군 임북면 도목동 裵淵載 씨 소장	선조13년 및 선조18년의 기록으로 광해조의 선조실록을 편찬할 때에 참고할 원본 중 현존한 것
黃海道日記(1책)	경북 안동군 임북면 도목동 裵淵載 씨 소장	裵三益이 황해도감사로 재직하며 기록한 일기
宣祖御禮(1통)	경북 안동군 임북면 도목동 裵淵載 씨 소장	배삼익이 선조20년 명나라로 가 宗系辨誣에 관한 大明會典을 騰本하여 來啓한 공을 褒獎한 것이니 배삼익이 졸거한 후 선조의 賜祭한 원본을 이에 附見한 것이다.
征蠻錄原本(2책)	경북 의성군 의성면 지곡 李東弼 소장	임진란 이래의 군사 사정에 관한 당시의 원고
征蠻錄整理本(2책)	경북 의성군 의성면 지곡 李東弼 소장	임진란이 평정된 후 事蹟을 정리한 것
日本牘(1첩)	조선총독부 장	숙종왕대에 통신사로 江戶에서 얻은 일본 제자의 문자를 모은 것

* 고구려 천남생묘지(泉男生墓誌)

　1923년 중국 하남성 낙양 북망에서 출토된 고구려 말기의 대대로인 淵蓋蘇文의 맏아들 남생男生의 묘지墓誌이다. 고구려가 망한 후의 천남생에 대한 기록을 찾을 수 없었다. 그런 중 묘지가 발굴되어 묘지 탁본을 　나이토 고난內藤湖南이 구하여 조선사편찬위원회의 이나바 기미야마稻葉君山에게 기증함으로써 제4회 조선사편찬위원회 사료전람회에 진열하게 된 것이다.

　이와 관련하여 다음과 같은 신문 기사가 있다.

　　새로 발견된 천개남생묘지泉蓋男生墓誌

　　조선 옛날 삼국三國시대의 역사중 백제百濟와 고구려高句麗의 사적은 종래세상에 알려진 것이 극히 적으며 그 중에 고구려는 환도단비丸都斷碑와 및호태왕비好太王碑 등 뿐으로 다른 것은 아주 막연하였던 바 이번 지나支那하남성 낙양河南省 洛陽 북망산北邙山에서 고구려의 말기에 수隋나라와 당唐나라 등의 큰 적군을 대적하여 능사로히 격퇴한 천개소문泉蓋蘇文의 장자

남생長子 男生의 묘지墓誌가 발굴되었다는데 천개남생의 사적은 삼국사기 이외에 알길이 없고 나라가 망한 후에 어느 곳에 가서 죽었는지도 모르던 것이 이 묘지의 발견으로서 명료하게 되었으며 그 문체文體는 보통이나 글씨는 당나라의 명필 소구양小歐陽이 쓴 것인즉 향지에 발견한 부여융扶餘隆의 묘지에 비할 것이 아니라 하여 조선사편찬위원朝鮮史編纂委員 모씨는 매우 기뻐하며 말하였다(『매일신보』 1924년 6월 17일자).

고구려 사료발견

천남생泉男生의 묘지墓誌

이번에 중국 하남성 낙양中國 河南省 洛陽에 있는 북망산北邙山에서 고구려 말기高句麗 末期에 수당隋唐 양조의 대적을 받았을 때 대승하여 적군을 격퇴한 천개소문문泉蓋蘇文의 맏아들인 남생男生의 묘지墓誌가 발굴된 바 경도대학 교수京大敎授 내등호남內藤湖南 박사가 그 탁본拓本을 얻어서 요사이 한첩을 조선사편찬위원회朝鮮史編纂委員會의 도엽군산稻葉君山씨에게 기증하였다는데 이제 도엽씨의 말을 듣건대

천남생泉男生의 사적은 삼국사기三國史記 이외에 나타난 데가 없는 고로 어디서 죽었는지도 모르는 터에 이번에 이 묘지가 발견되기 때문에 분명히 알게 되었습니다. 문장는 보통의 선체選體이나 글씨로 말하면 당나라 시대에 제일 능필인 소구양小歐陽이 쓴 것입니다. 전에 발견한 부여릉扶餘隆자의 묘와는 비교할 수 없이 진기한 것이외다(『시대일보』 1924년 6월 17일자).

중국 하남성 낙양 북망산에서 고구려말기에 수당 량국을 대적하고 싸워 대

高句麗의
史料發見

승하여 적군을 격퇴한 천개소문의 장남인 「남생男生」의 묘지가 발굴된바 왜인 내등호남內藤湖南이가 그 척본을 얻어 그 중 일첩을 조선사편찬위원회에 기증하였다는데 천남생의 사적은 삼국사기 이외에 나타난 데가 없는 고로 어디서 사하였는지 모르든 중 이번에 이 묘지가 발견되기 때문에 분명히 알게 되었으며 그 척본의 문장은 보통의 선체이나 글씨로 말하면 당국시대에 제일능필인 소구양小歐陽의 필이며 이전에 발견한 부여 륭자의 묘와는 비교할 수 없이 진기한 것이라고 한다(『독립신문』 1924년 7월 26일자).

1924년 8월 11일

낙랑시대의 고경(古鏡), 환도(環刀) 발견

1924년 8월 11일에 대동군 대동강면 오야리 일본인 소유 벽돌 굽는 흙을 파는 터에서 항아리 3개와 환도, 고경 2개. 고리(環) 외 철기 등 여러 가지 유물을

발견하였는데 이 발견품은 평양경찰서에 보관하였다.[30]

1924년 8월 12일

문경군 발견 철제금고(鐵製金鼓)

철제금고

1924년 8월 21일부로 경상북도 문경경찰서장이 조선총독에게 보낸 '유실물 발견에 관한 건'[31]에 의하면, 문경군 산북면 서중리 48번지 채한진蔡漢鎭이 1924년 8월 12일에 전지의 경작 중에 철제금고를 발견하여 8월 14일에 당국에 신고를 했다.

금고가 발견된 문경군 산북면 서중리 채한진의 경작지는 신라시대 영원사鴒原寺라는 거찰이 있던 곳이라는 전설이 있었다고 한다. 이곳에는 모두 전답으로 변하고 겨우 3층 석탑 3개가 잔존해 있으며 발견된 금고은 부패되어 있었다고 한다.

문경 서중리의 철제금고를 발견한 채한진의 경작지는 문경경찰서장이 조선총독에게 보낸 '유실물 발견에 관한 건' 에는 '신라시대 영원사鴒原寺' 라는 거찰

30 『每日申報』 1924년 8월 15일자.
31 「대정13년도 경상북도 문경군 발견 鐵製金鼓」, 『국립중앙박물관 소장 조선총독부박물관 공문서』, 목록번호 : 97-발견07.

이 있던 곳이라고 하는데, 어디에 근거한 것인지는 알 수 없다. 당시 주민들 사이에 전해오는 이야기를 전달한 것이 아닌가 생각된다.

1916, 1917년경에 조사한 『조선보물고적조사자료』에 의하면 "웅창부락 북방 금강변의 전중에 3기의 석탑이 있고, 모두 고 3칸의 좀 굉장하다. 신라 도천사 유물이라 부른다" 라고 기록하고 있다. 이 사지는 현재 도천사지로 알려져 있다.[32]

이곳 3기의 석탑은 현재 직지사로 옮겨져 복원했다.

1924년 8월 17일

경주 노동리 277번지 고분 조사

고적조사과 촉탁 후지타 료사쿠藤田亮策와 고적조사위원 고이즈미 아키오小泉顯夫는 1924년 8월 17일부터 26일까지 경상북도 경주 노동리에서 발견된 노동리 277번지 고분(제4호분, 玉圃塚)을 조사하고 은제과대, 요패, 경식, 이식, 관모, 마탁, 지륜, 대도 등 상당수의 유물을 수습했다.[33]

고분을 조사한 후 같은 해 9월 2일에 보고서를 제출했는데, 조사 보고서에는 업무 진행 상황, 유적 상태 등을 보고한 복명서와 발견 유물의 이름, 상태, 수량

---

32 道川寺 : 古址在慶尙北道聞慶郡山北面熊倉部落北方錦江邊田中 有塔三座 -寺塔古蹟攷.
33 有光敎一, 「慶州邑南古墳群について」, 『朝鮮學報』 제8집, 朝鮮學會, 1955년 10월.

등이 기록된 목록 그리고 조사일기가 포함되어 있다.[34]

발굴 일지를 보면 대략 다음과 같다.

8월 12일 경주로 출장

8월 14일 고분 소재지 부근 실측

8월 15일 고분현상 실측

8월 17일 발굴 개시

8월 18일 곽상의 토석 제거

8월 19일 적석제거, 곽의 상부 전부
노출, 외곽으로부터 철편 2, 철창 4,
철봉 1 등 발견

8월 20일~25일 은제패금구, 대금
구, 금은지륜, 태도, 마탁, 동완, 토
기, 각종 유물 발견

8월 26일 조사완료

8월 27일~29일 매립공사

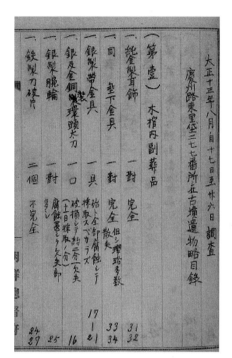

출토 유물 목록

34 「경상북도 경주군 노동리 고분 조사 보고 」, 『국립중앙박물관 소장 조선총독부박물관 공
　문서』, 목록번호: 96-139.

1924년 8월 18일

전라북도 금산군 진산면 청림사青林寺를 폐지하고 청림사 주지의 신청에 따라 사찰 재산을 처분하다.[35]

1924년 8월 22일

경기도 개성군 진봉면 학소암鶴巢庵을 폐지하다.[36]

1924년 8월

귀주사 태조서원

태조 어필 분실

함흥의 대본산 귀주사歸州寺는 고려 문종 때 창건한 사찰로, 조선을 건국한 태조 이성계가 유년 시절에 공부한 인연이 있는 사찰이기도 하다.

---

35 『朝鮮總督府官報』1924년 8월 18일자.
36 『朝鮮總督府官報』1924년 8월 22일자.

1922년 11월 23일 밤에 화재를 입어 대웅전을 비롯한 주요 건물들이 모두 불타 버렸다. 이로 인해 귀주사에서는 1923년 10월에 본말사주지총회를 개최하여 귀주사중건위원회를 조직하고 조선총독부의 허가를 받아 각지의 기부금으로 1924년 초부터 중건공사에 들어갔다. 8월에 들어서 각 건물들이 새로이 신축되면서 신축상량식을 거행하는 등 분망한 중에 이 사찰에 보장한 태조어필을 분실했다.

『매일신보』1924년 8월 21일자에는 다음과 같은 기사가 있다.

5백년 전래하던 이태조어필 분실, 대본산 귀주사에서
지난 4일에 함흥군 대본산 귀주사에서는 5백년 동안 이 절에 유일한 귀중품으로 일반 탐승객에게도 종람을 시키지 않고 엄중히 봉안하여 오던 '逸少當年氣幾何 / 余今望人一枝柳 / 自醒翁七十三揮毛' 라는 수천여 원의

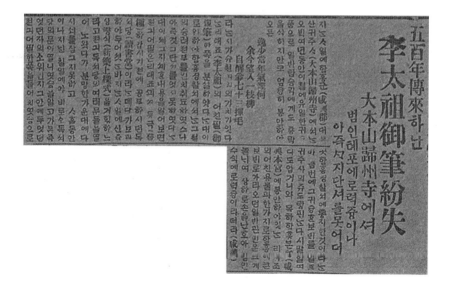

가치가 있다는 이태조의 어친필御親筆 한 폭을 분실하였다는데 이로 인하여 함흥경찰서에서는 그 절의 승려 전부를 취조하였으나 아직 단서를 찾지 못하였다는데 이제 그 자세한 내용을 알아보면, 전기 어필은 이태조께서 등극하기 전에 공부하던 독서당讀書堂이라는 곳에 보관하여 두었는데 4일에 신축상량식을 거행하느라고 독서당의 여러 문들을 열어놓았다가 분망한 가운데 다시 자물쇠를 잠그지 못하고 사흘 동안이나 지난 7일에야 비로소 독서당의 문을 잠그지 않았다는 것을 알고 가본즉 어떤 자의 소행인지 그 안에 두었던 어필 한 폭을 가져갔으므로 경찰서에 신고를 하였다.

탑 속에서 고물 발견

경북 달성군 옥포면 송촌동 배모는 그 동네 앞에 있는 자기 소유의 논 가운데 있는 탑 1개를 깨트린 즉 그 속으로부터 향로 1개와 유리구슬 8개를 발견하였는데 원래 그 탑의 소재지는 지금으로부터 5백 년 전 심융사尋隆寺라는 절터로 알려져 있어 대구경찰서에서는 이것을 감정한 후 과연 심융사 시대의 고물일 것 같으면 경주고적보존회에 보관하기로 했다.[37]

---

37 『每日申報』 1924년 8월 10일자.

1924년 9월 23일

고불 발견

경주군 내남면 탑리 부근 산록에서 9
월 23일 높이 5척2촌 되는 석불을 발견
했는데 신광사神光寺라는 절터라 한다.

『매일신보』 1924년 10월 8일자

1924년 9월

전북 익산군 왕궁리 발견 유물

1924년 10월 18일자 전북도지사가 경무국장에게 보낸 '유물발견의 건'[38]에
의하면, 관하 익산군 왕궁면 왕궁리에서 미륵불상 두부 1개, 와편 2개, 동라銅鑼
1개 등의 유물을 발견, 발견자가 보관 중인 것을 소할 경찰서에서 이를 탐지하
여 조사해 이 유물은 고고자료로 인정되어 보고하였다.

발견 장소는, 미륵불상 및 와는 익산군 왕궁면 왕궁리 류예관이 1921년(월일
不詳) 자택 정원의 땅을 평평하게 고르다가 땅속에서 발견하고, 동라銅鑼는 동
네 공동우물을 청소하다가 발견했다고 한다. 유물이 발견된 왕궁리는 왕궁탑

---

38 『국립중앙박물관 소장 조선총독부박물관 공문서』, 목록번호 : 97-발견07.

이 존하고 조사한 내용은 다음과 같다.

왕궁탑 북방 약 2정의 곳은 제석帝石이라 부르는 기암이 있고, 원래 이 지방
은 제석면이라 불렀는데 부군폐합이 되면서 현재의 면명으로 변경되었다.
금회 발견된 고와에는 제석사帝釋寺의 문자가 있어 제석帝石과 제석帝釋은
동음同音으로서 이 지방이 옛날 제석면이고 사찰의 존재를 밝히고 있다.

다음과 같은 관련 기사가 있다.

마한시대 고대유물. 금불관 발견
익산군 왕궁면 왕궁리 공동우물을 청소하다가 이상하게 생긴 동라銅鑼 한
개와 금부처관金佛冠 한 개를 발견하고 또 그 동리 류씨의 집뒤 뜰을 수선
하다가 옛기와 두 장을 파내었던 바 기와에는 제석사帝釋寺라 새긴 것이 분
명한데 그 동리 노인의 말에 의하면 이 동리는 본래 제석면 궁평리라는 곳
으로 지금까지 옛 광채를 내고 있는 왕궁탑 부근 일대는 옛적 마한시대의
내궁內宮터로 그 우물도 그때부터 지금까지 내려오는 것이라는데 이 고물
은 역사 자료품임으로 영구보존하기로 목하 관계당국에서 조사 중이라더
라(『동아일보』 1924년 9월 30일자).

금불 고와의 출현
익산군 왕궁면 왕궁리 류예관씨의 정내 지중에서 금불의 수 1개, 고와 2매
를 발견한 것을 해군에 신고하여 현품을 도청으로 발송하고 그 감정을 구

하는 중이라는데 동지는 원래 제
석면 궁평리라 칭하는 유명한 왕
궁탑의 소재지임으로 부근의 구릉
일대는 마한왕성의 지趾로 전래하
는 터인데 금회에 발견한 고와에
는 제석사帝釋寺란 문자가 있고 또

발견 장소되는 궁평리는 마한시대의 내궁지內宮趾라더라(『매일신보』 1924
년 10월 8일자).

이마니시 류今西龍는 1928년 8월 11일에 이곳 왕궁리 일대를 답사했는데 당
시의 조사기록인 「전라북도 서부 지방 여행 잡기」에서, 익산 지방의 다른 사
람의 탐방기를 인용하여 "왕궁리 궁평의 제석사라는 사원의 존재는 1924년 이
곳 흙 속에서 발견된 기와와 불상에 의해 알게 되었다"[39]라고 하고 이다. 이 같
은 기록은 바로 위의 신문기사에서 전하는 1924년 9월 제석사라는 문자명의
기와와 불상 등의 발견을 말하는 것으로, 이로써 처음으로 왕궁리에 제석사가
있었다는 것이 밝혀지게 되었다.

그러나 1921년에 발견한 동라銅鑼와 1924년 9월에 발견한 불두와 고와의 소
재는 알 수 없다.

39 今西龍, 「全羅北道西部地方旅行雜記」, 『百濟史研究』, 1934, p.572.

1924년 10월 4일

강원도 고성군 서면 백천낙리 백련암白蓮庵과 득도암得道庵이 폐지되다.[40]

1924년 10월

한미미술상점 설치

김현구, 최웅천 두 사람의 동업으로 한미미술상점을 설치하였는데 한국에서 미술품을 미국으로 수출한다고 한다.[41]

평양 대동강면 조왕리, 석왕리고분 발굴

1924년 10월에 오바 쓰네키치小場恒吉, 후지타 료사쿠藤田亮策, 고이즈미 아키오小泉顯夫, 후지타 세이스케藤田整助에 의해 대동강면 조왕리와 석암리 고분이 발굴되어 엄청난 유물을 출토시켰다. 이를 정리하면 대략 다음과 같다.[42]

---

40 『朝鮮總督府官報』1924년 10월 4일자.
41 『新韓民報』1924년 10월 16일자.
42 濱田耕作, 『考古學研究』, 座右寶刊行會, 1939, p.306; 梅原末治, 『東亞考古學槪觀』, 星野書店, 1947, p.41; 小泉顯夫, 『朝鮮古代遺跡の遍歷』, 六興出版, 1986; 樂浪漢墓刊行會,

1924년 10월	평양 대동강면	小場恒吉, 藤田 亮策, 小泉顯 夫, 藤田整助	조왕리 제1호분 (甲墳), 석암리 제200호분(乙墳)	乙墳-銀指環, 陶壺, 銀製金具, 銅鐎斗, 銅鉇, 銀飾金具, 永始元年銘漆盤, 漆合子, 玉類, 陶器 그 외 다수
1924년 10월	평양 대동강면	小場恒吉, 藤田 亮策, 小泉顯 夫, 藤田整助	석암리 제194호분(丙墳)	永始元年銘漆槃, 始元二年銘漆耳杯, 陽朔二年銘金銅釦漆扁壺를 비롯한 다수의 漆器, 土器 10여개, 花紋鏡, 銅鉇, 鐎斗, 銅壺, 銀製指輪 10개, 琉璃小玉飾
1924년 10월	평양 대동강면	小場恒吉, 藤田 亮策, 小泉顯 夫, 藤田整助	석암리 제20호분(丁墳)	석암리20호분(丁墳)-銀製指環 8개, 土器, 銅鋺, 漆杯, 漆盤, 四神鏡, 環頭太刀,
1924년 10월	평양 대동강면	小場恒吉, 藤田 亮策, 小泉顯 夫, 藤田整助	석암리 제52호분(戊墳)	鐵劍, 銅鏡, 指環, 帶具, 漆器, 陶器 등

이 발굴 조사와 관련하여 『매일신보』에는 다음과 같은 기사가 있다.

세계의 시청을 집중하는 낙랑고분을 발견

평양부에서는 10월 중순부터 등전 총독부박물관장에게 의뢰하여 낙랑고분을 발굴 중인데 평양의 일반인들이 발굴현장을 견학하기를 원하는 사람이 많아 목하 발굴 중인 네곳의 고분을 견학케 하고, 현장에서 그간의 경과를 다음과 같이 말했다.

대동군 대동강면 석암리에 산재한 고분은 세계적으로 큰 자랑거리가 될만한 것이 많다. 이전에 관야 박사가 고분에서 발굴한 고기도보古器圖譜 백여부를 구미의 역사가나 고고학자에게 반포하여 비상한 환영을 받아 오늘날

『樂浪漢墓』, 1974; 梅原末治,「漢代漆器紀年銘文集錄」,『東方學報』京都第5冊, 東方文化院京都研究所, 1934.

에 이르기까지 낙랑고분의 연구결과를 영문으로 번역하여 출판하기를 간청하는 자가 적지 아니하다. 이 같이 세계적으로 주의가 집중되는 이 고분에 대하여 조선 사람으로서는 아직까지 이에 대하여 하등의 취미를 가지지 아니하고 냉연한 태도를 취하는 것은 참으로 유감으로 생각한다.

이번에 캐어낸 고분은 4기인데 모두 나무로 에워싼 것으로 종래에 발굴한 것은 모두 그 나무가 썩어서 그 윤곽이 선명치 못하였으나 이번의 것은 목곽의 사방에 기둥을 세우고 두터운 널쪽으로 에워싸고 그 속에 침목을 가로지르고 그 위에 관이나 또는 부장품을 안치하고 그것에 목탄이나 점토로 바른 것이다. 이번에 발굴한 도기, 토기, 동기, 도검 등은 그 제작한 기술의 고상하고 아름다운 품이 도리어 현대의 공예미술품은 발꿈치도 못 닿을 것 뿐이다. 그리고 발굴한 기물의 한편에 연호年號와 비슷한 문자가 있는데 이 글자가 무슨 글자인지 알게 되면 이만치 큰 발견이 없을 것이다. 또 관곽의 가운데 있는 모필로 '장張'이라 글자가 있는 것이 있다. 이천년 전의 모필로 쓴 문자는 아마 이것이 세계에 하나뿐일 것이다. 운운(『매일신보』 1924년 11월 4일자).

낙랑고분의 진품, 20일까지 조사의 전부를 마치고 양일간 일반에게 공개한 후 경성에

평양부의 낙랑고적의 조사는 근근히 끝을 마치고 조사 결과를 세상에 발표할 예정인데 그 속에서는 천하의 진품이 뒤를 이어 나타나서 고고학상 일대 기원을 지었다.

각종의 진품은 금 보옥과 비단 등속과 호피 외 철기도 있다. 그 발굴된 각종의 고대 진품은 은으로 만든 가락지며 수정으로 만든 구슬을 비롯하여

청동의 재갈, 거울, 허리에 차는 총, 호랑이 발톱, 호피, 비단의복, 칠기자루가 달려 있는 인두, 흰 바탕에 묽은 빛과 푸른 빛과 회색의 세 가지 줄을 친 구슬 등으로 아직 그 자세한 수효는 몰으나 뒤를 이어 나오는 고물의 가지가 모두 진귀한 것뿐이라 한다.

용도龍圖의 칠기, 그 중에 가장 진귀한 것은 옻으로 새긴 네 글자 그 중에도 제일 진귀한 것은 '무호戊號'의 무덤에서 발굴한 칠기의 상반인데 그것은 표면에 용을 아로새기고 그 위에 '양씨대길陽氏大吉'이라는 네 글자를 옻漆으로 쓴 것인데 이로 미루어보아 무호의 무덤은 양씨의 무덤인 듯하다하며 호랑이의 발톱은 병호丙號의 무덤에서 발견한 것인데 그 속에는 호피인 듯한 것이 발견되었고 금으로 장식한 함 속에는 비단의복이 꼭 차있는데 이 비단은 한 겹씩 떼어 내이게 된 극히 완전한 것인데 이것이 조사연구의 진척에 따라 고대 비단의 무늬를 알 수 있을 것이다.

부민에 공개. 20일까지 조사를 마치고 부민에게 공개하여 진귀한 고대 진품은 소천 조사원의 손에 수리되는 중인데 늦어도 20일까지는 전부 조사를 마치고 양일간 평양상품진열소에서 일반 부민에게 공개한 후 이것을 경성에 운반하여 박물관에 보관할 예정이라더라(『매일신보』1924년 11월 19일자).

종묘에 보장한 어보 도난 사건이 있은 후에도 이왕직의 관리는 허술하기 짝이 없었으며, 관계자들은 이왕직의 재산으로 자기들의 뱃속 채우기에 바빴다. 『동아일보』1924년 10월 29일자에는 다음과 같은 기사가 있다.

유실되는 5백년래 보물

내전창고에 비장하였던 무수한 금은보화 세상이 낡아 감에 주인 잃고 누구의 손으로

기괴맹랑奇怪孟浪한 이왕직 내의 '복마전伏魔殿'

언제든지 아름답지 못한 소문을 가진 이왕가에는 요사이 이르러서 이왕직 내부에 까지 좋지 못한 풍설이 차차 높아가는 중이라는데, 그 내막을 들은즉 근래의 복마전이라는 좋지 못한 이름을 듣는 내전內殿에 관련된 사건으로 전부터 문제가 많은 덕수궁 장물분실 사건과 '네가 가지느니 내가 가지느니' 말썽 많은 친용금親用金 문제인데, 덕수궁 장물이라는 것은 이미 세상에 다 아는바와 같이 고종태왕께서 살아계실 때에 쓰던 보물과 영친왕 전하의 혼례용으로 보존하였던 금은보화가 고종태왕이 돌아가시자마자 땅으로 새었는지 하늘로 올라갔는지 간 곳이 없어지게 되었으므로 재작년에 비로소 잃어버리고 남은 물건을 보관한다 하여 창덕궁으로 옮겨다가 창고 안에 넣어두고 재고품 목록을 만들었지만 여전히 하나 둘씩 귀한 보물이 자꾸 줄어들어가고 지금 남은 것은 커서 못 내어 가는 상아象牙 다섯 개와 좀먹어 쓰지 못할 비단 몇 필과 장식품 같은 것이 얼마간 남아 있을 뿐이오. 태왕께서 입으시던 3만원 가격이 가는 해룡피외투며 진주 보석은 다 없어지고 옥이 얼마간 남아 있을 뿐이라 하여 이왕직 관리들도 매우 의심을 하는 중이나 내전 일이라 이왕직 관리로서는 어쩔 수 없고 오직 그 창고의 열쇠를 맡아 가지고 있는 장시사장掌侍司長 한창수韓昌洙 씨에게 오직 의심의 눈동자를 향할 뿐이라고 하는데 해룡피외투가 그것인지 모르되 한창수 씨가 가지고 있다하여 더욱 의심을 품는다고 한다. '친용금

9만원도 이리저리로' 이밖에 문제 많은 친용금이라는 것은 양 전하의 용처 🪙돈으로 왕전하 앞으로 1년에 6만원 왕비 전하 앞으로 3만원 도합 9만원인데 이 돈의 명칭은 비록 친용금이나 쓰는 사람은 내전에 정대 세력을 가진 윤덕영 씨와 그 사돈인 한 장시사장 뿐이라 한다. 본래 윤덕영 씨가 지금부터 6년 전 자기가 차지하고 있던 장시사장의 자리를 한창수 씨에게 물려주었으나 한창수 씨는 윤덕영 씨를 위해 세상의 의심받는 친용금은 이만하면 어떻게 없어지는지 알 수가 있으나 이보다 더 심한 것은 오랜 일이지만 고종께서 영친왕 혼례에 주실 작정으로 3천7백여 개의 금가락지를

이왕직 관리 허술을 개탄하는
『시대일보』 1924년 5월 10일자 기사

엽전같이 꿰어 두었던 것이 혼례 당시에 곳간을 열고 보니 간 곳이 없었고 왕전하가 입을 옷 몇 벌만 남아 있었다는데, 자기는 겉으로는 들어앉았지만 자기 사돈을 대신 세우고 시키면 손으로 이왕가를 내려 눌러 마음대로 배를 채우는 윤덕영 씨도 역시 당세의 호걸이라 할른지 그러나 지금까지 내전으로 물건을 사들이면 들어간 형적이 있을 따름이지 나간 곳은 없다 하니 한창수 씨의 요술은 그리 오래 가지 못할 것이 염려스럽다더라.

1924년 11월

『매일신보』 1924년 11월 9일자

상주의 요지 발견

아사카와 노리다카淺川伯敎가 상주에서 수일간 체재하면서 가동면 선교리 부근과 내서면 북장리 사벌면 덕담리 부근에 요적을 발견하였다.

김천의 미술전람회

11월에 김천협찬회 주최로 김천 금릉청년회관에서 미술전람회를 가졌다. 이때 출품된 것은 김천군 내의 고찰 청암사, 쌍계사, 직지사 등에 비장한 것으로 평소 보기 힘든 불상, 거대한 괘불 등이 많이 진열되었다.

이 전람회와 관련하여 다음과 같은 기사가 있다.

인기의 집점이 될 협찬회의 사업 중에서 제일 장거할 만하고 일반에게 가치를 얻을 만한 것은 미술전람회라 할 수 있다. 김천군 내의 고찰 청암사, 쌍계사, 직지사 등의 무진장인 보물을 이 기회에 따라서 일반 관람객에게 공개되었으므로 인기의 전부를 미술전람회가 독점하리라 하여도 과언이 아닐 듯싶다. 높이 60척의 마천루각을 신축하고 수백년 전의 조각, 불상의 진보를 비롯하여 명화와 고기류를 수집하여 일반에게 공개하여 호사가의 기발한 경영인 대회장은 금릉청년회관이라 한다(『매일신보』 1924년 11월 11일자).

희유의 대괴불大掛佛, 신라시대 미술품평회에 진열

김천군 증산면 쌍계사는 거금 천여 년 전 신라말엽에 건축된 고찰로 480년 전에 화재가 나서 주요건물은 절반이나 소실되고 잔존한 건물 중에 볼만한 것은 법당뿐인데 법당은 순신라식 건축술로 전조선 31본산 제사찰 중에 제일 웅대함으로 이 사의 가치를 자랑할 수 있으며 사중에 비치한 괴불은 고식미술품으로 유명한 불화인 바 장48척, 폭25척이나 되어 이같이 웅대한 괴불은 실로 세계 제일이라 해도 과언이 아닌데 겸하여 금번 김천품평회를 기회로 일반이 열람할 수 있게 회장에 진열할 터인바 역사적 참고에 상당한 재료가 될 터이며 기타 경주지방에 있는 고대물품도 다수 진열한다고(『동아일보』 1924년 11월 11일자).

김천미전에 석가초상 진열 중 장거

금회의 품평회 및 공진회에 대한 김천협찬회의 사업으로 가장 대중의 눈을 끌게 된 것은 군내 고찰 청암사, 쌍계사 직지사 기타 기타의 보물을 수집 진

열한 금릉학원의 누상 및 부속관에 있는 미술품전람회이니 그 중요한 것은

상주 출품의 명화웅필 고기류 30점, 쌍계사의 종 48척 폭 25척의 석가대초상,

아미타존상 1체 및 7척의 나한상 10체, 직지사의 종 37척 폭18척의 불화 기타

향로 등인데 그 중에도 쌍계사, 직지사의 양대폭은 고18척 오행奧行 36척이라

하는 것은 원래 대석가폭은 전개할만한 장소가 없어 지방민에게도 관람시키

지 못하던 바 이번의 공진회의 기회를 이용하여 특히 별관을 설치하고 일반

에게 관람케 되어 대장관을 가졌다더라(『매일신보』1924년 11월 14일자).

1924년 12월 3일

평양부 낙랑조사위원회는 3일부터 평양부청 누상에서 개최하였다.

이 날 협의된 내용은 평양복심원 세키구치關口 검사장으로부터 부에 보관을

위임한 130여 점의 낙랑 유물 보관에 대한 안건이었다. 그 외 안건으로 평양부

에 박물관을 설치하자는 의견이 많아 결국 3만원의 예산으로 평양부박물관을

설치하자고 했다. 이에 대하여 사토佐藤 내무과장은 도서관도 아직 설치하지 못

했으니 우선 도서관을 설치하고 그 일부를 박물관으로 사용하였으면 좋겠다는

의견을 내놓았다.[43]

---

43 『每日申報』1924년 12월 7일자.

1924년 12월 11일

가토리 히데자네香取秀眞 1924년 12월 11일자로 도쿄예술대학 예술자료관에 아래와 같은 유물을 기증했다.[44]

輻線蓮花文軒丸瓦(考古-245)	고구려시대	太王陵 出土
条塼(考古-246)	고구려시대	太王陵 出土,「願太王」陽刻
条塼(考古-248)	고구려시대	太王陵 出土,「山固如」陽刻

1924년 12월 23일

제5차 조선사편수회 위원회

제5차 조선사편수회 위원회가 1924년 12월 23일에 중추원에서 개최되었다. 이 날 이나바稻葉 간사의 주요 발언은 다음과 같다.[45]

이나바稻葉 간사

지금부터 사료 채방에 대한 경과를 보고하겠습니다.

경북 안동의 배裵씨에게서는 종래 귀중 사료를 얻었습니다. 이번에 그의 조

---

44 東京藝術大學藝術資料館,『東京藝術大學藝術資料館 藏品目錄』, 1992.
45 朝鮮總督府朝鮮史編修會,『朝鮮史編修會事業概要』, 1938(시인신서 편집부 옮김, 1986).

상 배삼익裴三益의 일기 및 선조실록의 원고 일부가 도착하였습니다. 참고하기 위해 간본 선조실록을 진열하였으니 보십시오. 선조실록은 광해조에 편찬한 것을 인조조에 다시 고쳐서 지금은 2통이 있습니다. 지금 이 원고에 의거하여 생각해 보면, 2本 모두 상당히 차이가 있습니다. 이 원고는 분량으로는 얼마 되지 않으나 현재로는 실록 원고 중 가장 오래된 것이라 생각됩니다.

문정공 안유安裕의 화상에 대해 한 마디 하겠습니다. 이 화상은 영주의 소수서원에 보존되어 있었는데, 지난 가을 고 백원栢原 위원과 홍 위원의 일행이 채방하러 갔을 때 우연히 발견한 것입니다. 안유는 유학을 중흥한 학자로서, 얼마 전에도 동궁전하의 경사에 즈음하여 제자료祭粢料를 하사하였습니다. 전 조선에 걸쳐 안자묘安子廟가 설치되고 화상은 몇 개나 있으나 그것들은 모두 후세의 복본複本이며 이번에 전람을 청한 것이 당시 충숙왕의 명을 받들어 그린 진본眞本입니다. 원나라 사람이 그렸다고 일컬어지는데, 연우延祐5년부터 올해까지 꼭 607년이 됩니다. 그림의 시말은 화면 위에 있는 안우기安于器의 찬에 쓰여 있으므로 보시기 바랍니다.

1924년 12월 25일

고적조사과 폐지

1924년 12월 25일 조선총독부령 제34호로 조선총독부 사무분장규정을 다음

과 같이 개정하였다.[46]

1. 총독관방에 비서과, 심의실, 외사과, 문서과, 회계과를 둔다.

2. 내무국에 지방과, 사회과, 토목과, 건축과를 둔다.

3. 관세과를 폐한다.

4. 법무국에 법무과, 행형과를 둔다.

5. 고적조사를 종교과에 병합

이 같이 고적조사과는 설립 2년이 지난 1923년의 대지진으로 인하여 일본은 물론이고 조선총독부의 재정긴축으로 인하여, 전임속前任屬 1명, 촉탁 2명을 줄이고, 1924년 12월에 다시 고적조사과를 폐하여 과장, 감사관, 촉탁 4명을 감減하여 게 되고 고적조사사업의 본체本體는 근본적인 괴멸에 이르게 되었다.[47]

1924년 고적조사과가 폐지되자 고적, 고건물, 명승천연기념물 조사 보존의 사업은 박물관과 함께 학무국 종교과로 옮겨 종교과장의 관리 하에 수 명의 촉탁과 2명의 기수로 이 사업을 계속하여 1930년까지 지속했다.[48] 따라서 박물관 및 고적조사사업은 종교 행정과 근본적인 성질이 달라 학술적 연구를 기초로 행할 수가 없었으며 이 시기에 출현한 유적에 대하여 임시적인 조사 외에는 계

---

46 『朝鮮總督府官報』 1924년 12월 25일자.
47 藤田亮策, 「朝鮮に於ける古蹟の調査及び保存の沿革」, 『朝鮮』, 1931년 12월.
   1923년에는 전임속(前任屬) 1명, 촉탁 2명을 줄이고 다음해 1924년 말에는 과장, 감사과, 촉탁 4명을 감하여 겨우 수인으로 박물관을 유지하는데 그쳤다.
48 藤田亮策, 「朝鮮の古蹟調査と保存の沿革」, 『朝鮮總覽』, 朝鮮總督府, 1933, pp.1031~1032.

획적인 조사 수행이 불가능하였다.

다른 한편으로는 지방경제의 타계를 위한 식림植林, 개간, 경지정리 등으로 인해 급속히 고적이 파괴되고 석탑, 석등의 도략이 현저히 증가하였으며 이미 번져나간 도굴의 풍은 더욱 기승을 부렸다.[49]

후지타 료사쿠는 1920년대의 고적조사에 대해 "1922년 고적조사과 창설에서 폐지 이후 오늘에 이르기까지 고적조사사업은 일종의 정리시대라 할 수 있다. 한편 1916년 이래 발굴 수집한 막대한 유물을 정리하고 완전하게 조사보고를 간행, 한편으로 세계학계를 향해 조선의 고고학사업의 효과를 선전하는데 주안점을 두었다"[50]고 평하고 있다.

후지타의 1920년대 고적조사사업의 평은 그의 편견일 뿐이다. 일종의 정리시대라고 하면서 마구잡이식으로 발굴한 가야고분의 출토유물에 대한 정리는 전혀 이루어지지 않았다. 뿐만 아니라 1924년에 발굴한 금령총과 식리총의 엄청난 발굴 유물은 총독부 박물관으로 옮겨 1925년에 우메하라, 고이즈미, 사와 등의 일부 정리와 더불어 박물관에 진열하였다. 그런데 이에 따른 보고서는 바로 나오지 않았다. 우메하라는 1925년에 구미에 유학을 떠나면서 고이즈미에게 일을 맡기고, 고이즈미는 보고서 작성은 뒤로 미루고 타지방의 조사에 착수하여 이 조사보고서는 1932년에 와서야 겨우 나오게 된다.[51] 이런 엄청난 유물을 발굴 이래 8

---

49 1923, 1924년에 걸쳐 행해진 낙랑유적지대의 도굴은 쏟아지는 출토품에 의하여 세상의 주의를 높이는 기연으로 되고 그 전후에 있어서 경주에서의 풍부한 황금제 유품의 출토와 함께 반도 유물에서 관심을 높임에 이르렀다. 그리하여 전자의 도굴에 관한 선후책으로서 동 유적의 발굴이 계획되었다(藤田亮策, 梅原末治 共著, 『朝鮮古文化綜鑑』第1卷, 1947, '綜說').
50 藤田亮策, 「朝鮮に於ける古蹟の調査及び保存の沿革」, 『朝鮮』, 1931년 12월.
51 梅原末治, 「慶州 金鈴塚 飾履塚 發掘調査報告(序說)」, 『大正13年度 古蹟調査報告 第 1

년 가까이 그대로 방치해 두었던 것이다. 서봉총의 경우에도 직접 발굴을 담당한 고이즈미는 서봉총에 대한 자세한 보고서도 발표하지 않았다.[52] 우메하라는, "남선南鮮 각지의 고분군은 가히 광범위하게 발굴 조사되었으나, 금일 일반적으로 기술된 것은 극히 일부분에 지나지 않는다. 최초의 조사를 실은『조선고적도보 제3권』외에 이마니시今西, 하마다濱田의 조사보고, 고이즈미小泉의 '양산부부총', 대정12년의 대구 달서면의 고분 등이 보고되었고 전반적으로 제대로 조사를 거친 것은 근소하다"[53]라고 하고 있다. 또한 출토양에 비하여 근소한 보고서도 1918년에서 고적조사사업에 관여한 하마다가 조사와 정리 및 보고서의 간행이 불가분하다는 것을 강조하고 우메하라로 하여금 그것을 독촉하는 임무를 맡게 함으로써 일부 보고서류가 만들어졌다고 한다.[54] 나머지 보고서가 발간되지 않은 막대한 출토 유물은 완전히 사장死藏되어 있고 자연적인 손상이 진행되었다.

　　冊』, 朝鮮總督府, 1932.
52 해방이 되자 小泉顯夫는 바로 떠나지 못하고 1년간 박물관에 남아 신 박물관장 황오(黃澳)의 박물관 운영을 도우다가 1946년 8월 13일 미발표 조사 자료를 몽땅 들고 평양을 탈출하여 38선을 넘어 의정부–서울–부산으로 하여 일본으로 떠났다.
53 梅原末治,『朝鮮古代の墓制』, 國書刊行會, 1972, p.86.
54 梅原末治,『朝鮮古代の文化』, 國書刊行會, 1972, pp.11-12.

1924년 12월 26일

낙랑유물 전람

12월 26일에 경복궁박물관에서는 평양 대동강 면에서 발굴한 낙랑 유물을 전람했다.

『매일신보』 1924년 12월 27일자

1924년 12월

1924년 12월에 나카오 만조中尾萬三, 아사카와 노리다카淺川伯敎, 아사카와 다쿠미淺川巧, 고모리 시노小森忍는 전남 강진군 대구면 요지를 조사했다.[55]

고려자기의 요적(窯跡) 발견

요업시험소 고모리小森 기사가 계룡산 내에는 고려자기의 요적이 산재하다는 소문을 듣고 1924년 12월 중에 수일간을 소비하여 탐색한 결과 동학사 근방에서 수십 개소를 발견하였다. 『시대일보』 1925년 1월 11일자에는 다음과 같은 기사가 있다.

---

55 小山富士夫, 「高麗の古陶磁」, 『陶磁講座』第7卷, 雄山閣, 1938.

고려자기의 요적窯跡 발견

계룡산에서 탐사해 고고학

상의 호자료

계룡산 내에는 고려자기의

요적이 산재하다는 전설이

유하던 바 요업시험소 소삼

小森기사가 지난해 12월 중에 수일간을 소비하여 탐색한 결과 동학사 근방에서

수 십 개소를 발견하였는데 처음에는 형적이 흐려 찾기 어려웠으나 유심히 주

의하여 관찰한바 자기의 파편이 계속 출현함으로 확실히 색득索得하였다는데

진귀한 고물을 발견하는 동시에 고고학상에 일종 유익한 자료가 되겠다 한다.

같은 해

조선공사관통역관으로 활동한 마에마 교사쿠前間恭作는 1924년에 동양문고

에 조선본 442부 1761책과 함께 조선고판 지도 및 구탁본 일괄을 기증했다.

그 후 1924년 이래 수집한 장서(한적 419부 688책, 화서 4부 15책, 양서 8부

11책)를 1941년에는 그의 아들이 동양문고에 기증했다.[56]

『조선고문화종감朝鮮古文化綜鑑』 제3권에 의하면, 도판136으로 제시하고 있는

---

56 前間恭作,『古鮮册譜』 제1권 序文, 東洋文庫, 1944, 序.

'거섭원년내행화문경'은 1924년 가을 지방민이 석암리의 한 고분에서 도굴하여 도미타 신지富田眞二의 손에 들어 간 것인데, 후에 도미타富田는 교토의 모리야 코죠守屋孝藏에게 팔았다.

또 도판234로 제시하고 있는 옥승玉勝은 1923,4년경 낙랑고분군의 대난굴시대에 도굴한 것으로 처음 다전춘신의 손에 들어갔다가 후에 역시 교토의 모리야 코죠守屋孝藏에게 넘어갔다.[57]

57 梅原末治, 藤田亮策 共編著,『朝鮮古文化綜鑑』제3권, 養德社, 1959, p.15.

朝日修好條規

大日本國與

大朝鮮國素敦友誼歷有年所...

洽欲重修舊好以固親睦...

企權辦理大臣陸軍中將兼...

隆特命副企樞辦理大臣議...

華府朝鮮國政府簡列中樞府...申...

承各遵所添論旨議立條款惘列于左

一 第一款

朝鮮國自主之邦保有與日本國平等之權嗣後兩...

우리 문화재 수난일지

1925년 1월 24일

석조물 반출

『대일청구 한국예술품목록』에는 이케우치 도라키치池內虎吉가 일본 도쿄방면으로 석조물을 이출하기 위하여 1925년 1월 24일자로 학무국장에게 출원한 '석물이출의 건'이 보인다. 여기에는 석조물 4건이 나타나 있는데 다음과 같다.[58]

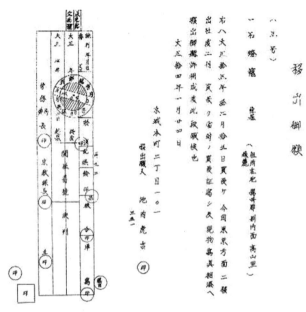

석조물 이출허가원

---

58 大韓民國政府,『對日請求 韓國藝術品目錄』부록편, '池內虎吉에 관한 석물반출의 건', 檀紀 4293년 10월 1일.

고양군 벽제면 벽제리 648번지 이 모씨에게서 매입한 석등롱(1924년 11월 매수)

광주군 중부면 탄리 앞산 석등롱(1924년 10월 3일 매수)

양주군 별내면 고산리 후록 석등롱(1924년 12월 15일 매수)

양주군 별내면 윤모 씨로부터 매입한 석등롱

부피가 크고 무거운 석조물을 반출할 정도이니, 이 외도 많은 고미술품을 반출했을 것으로 보이나 도록으로 남아 있는 것이 보이지 않는다.

이케우치는 1912년부터 이왕가박물관과 거래를 하던 골동상으로[59] 초기 개성 등지에서 올라오는 고려자기를 포함한 각종 도굴품을 취급하였다. 『광복 이후 박물관 자료 목록집』에는 이케우치로부터 유물을 구입한 건이 여러 건 보이고 있다.

1925년 3월 13일

백제시대 산성 등 조사 보고

1925년 3월 13일부터 31일까지 고적조사위원 오하라 도시타케大原利武는 백제 시대 산성 등의 조사를 위해 전라북도, 충청남북도에 출장하여 만경읍성지, 충청남도 부여 청마산성지 등 산성지 외에도 전라북도 김제 벽골제碧骨堤의 소

---

59 박계리, 「朝鮮總督府博物館 書畵컬렉션과 蒐集家들」, 『近代美術 研究』, 2006.

재지, 현재 상태 등을 조사했다. 조사한 결과는 '고적현상보고표'로 작성하여 1925년 4월 14일에 제출했다.[60]

고려자기 발견

　1925년 8월 13일자 충남지사가 학무국장에게 보낸 '매장물에 관한 건'[61]에 의하면, 공주군 정안면에서 고려자기를 발견하여 신고해 왔는데 그 내용은 대략 다음과 같다.

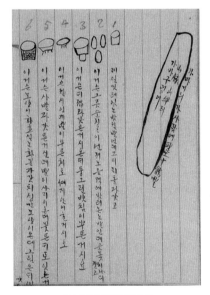

조선고적 발견 통지서

　공주군 공주면 본정 155번지 이재호 외 1명은 고물상으로 본년 지난 3월 13일 고물을 매입하기 위하여 각지를 배회 중 공주군 정안면 어물리 주막에서 식사 중 동리 구자억 소유 산림 중에서 고려소 요적이 발견되어 발굴한 결과 고려소 파편 다수를 발견했다는 것을 듣고, 그곳으로 가 고려소 파편 및 완전한 것 수개를 습득하여 1925년 5월 28일자로 신고

---

60 「백제 시대 산성 등 조사 보고」, 『국립중앙박물관 소장 조선총독부박물관 공문서』, 목록번호 : 96-139.
61 『국립중앙박물관 소장 조선총독부박물관 공문서』, 목록번호 : 97-발견08.

1925년 3월 27일

고기물(古器物) 고분도굴 밀매

1925년 4월 27일부로 경북도지사가 경무국장에게 보낸 '고분에서 도굴된 희대의 진품 대구에 밀매 신문기사에 관한 건'에 의하면, 4월 14일자『부산일보』에 게재된 경주 고분에서 도굴된 진품이 밀매되고 있다는 기사에 따라 조사를 한즉 그 내용은 대략 다음과 같다.

경주군 천북면 동천동 이기우(25세)가 1925년 3월 27일 오후 6시경 동천리 산에서 나무를 해 돌아오는 도중에 속칭 골두령이라는 산령에서 토지로부터 토기파편을 발견하고 그곳에서 고기물을 파내어 경주읍 고물상 구리하라 도요조栗原豊造에게 36원에 매각했다. 구리하라는 다시 3월 28일 대구부 영정 6번지 고물상 오쿠 지스케奧治助에게 60원에 매각했다. 오쿠 지스케는 다시 4월 8일 대구부 본정 1정목 의사 이치다 지로市田次郎에게 80원에 매각하였다.

고기물은 개완蓋碗이라 부르는 신라소로 직경 8촌, 고 6촌5분으로 그 속에는 직경 3촌 고 1촌의 6개의 신라소를 장하였는데 그 중 1개에는 옥 1, 은 괴편 1, 초자옥 16, 봉 3본이 들어 있었다.[62]

62 「대정 14년도 경상북도 경주군 발견 도기 등 고기물(古器物) 고분도굴 밀매, 慶北保 제2634호」,『국립중앙박물관 소장 조선총독부박물관 공문서』, 목록번호 : 97-발견08.

발견자 이기우에 대해서는 경찰서에서 취조 소할 검사에게 송치하였으나, 유물을 어떻게 처리했는지는 알 수 없다.

1925년 3월

세키노의 낙랑 유물 도판 정리

세키노關野는 1916년 발굴 이후 1923년에 이르기까지 조사 수집한 자료를 전부 집대성할 방침으로 보고서를 작성하기 위해 1924년 7월 도판정리를 약성略成하여 그 고본稿本을 총독부에 제출하였다. 그리고 한창 도판정리[63]를 하던 1924년 초여름 경에 당국에서 지방민들의 도굴거盜掘遽를 감지하고 이를 단속하기 위해 그곳으로 갔으나 이미 수십 기의 고분을 파괴하고 달아났으며, 출토유물 대다수가 평양에 있는 수집가들의 손에 넘어 가고 말았다.[64] 그래서 세키노關野는 1924년 10월에 평양에 이르러 수집가들의 손에 넘어간 출토품(도굴품) 대부분을 조사 촬영하고 이 같은 귀중한 자료가 보고서에 누락되는 것을 애석하게 생각하여 보고서에 첨가하고자 했다. 그러나 이미 총독부에 제출한 도판 고본稿本은 지면紙

---

63 "大正五年부터 大正十二年까지 調査한 수집자료를 집대성하고 大正十三年 七月에 圖版을 略成中."

64 「樂浪郡時代の遺物」'序言', 『古蹟調査 特別報告』第四冊, 朝鮮總督府, 1927.
關野는 大正十三年 十月에 평양에 와서 이러한 遺物을 보고 貴重한 資料임을 報告하고 도보에 빠진 것을 애석하게 생각하여 이 遺物들 중에 중요한 것을 조사촬영하여 總督府에 제출 했으나 圖版의 紙數가 制限되어 揭載하지못했다.

面의 수가 제한되어 있어서 게재의 여지가 전혀 없었기 때문에 이미 편집한 고본에서 도면의 일부를 생략하고 그 대신 새로 출토된 것(도굴품) 중에 특별히 중요한 것으로 1925년 3월에 도판 2책을 제작하여 『낙랑군시대樂浪郡時代의 유적遺蹟』이란 제목으로 출판 발행하게 되었다.[65] 이것을 집대성하면서 세키노關野는,

> 평양중학교, 평양진열소, 평양병기제조소, 평양복심법원, 평양경찰서, 동경미술학교의 수집품의 조사촬영을 허락 받아, <중략> 도미타 신조富田晋二, 하시도 요시키橋都芳樹, 시라가미 슈키치白神壽吉, 다마쓰 간이치田增關一, 모로가 에이지諸岡榮治, 기타무라 주지北村忠次, 다다 하루오미多田春臣, 이나바 젠노스게稻葉善之助, 나카무라 신자부로中村晋三郎, 핫타 미노스케八田己之助, 나가니시 요시이치中西嘉市의 제씨는 그 애장한 유물의 촬영과 연구를 쾌히 허락하고 또 제종諸種의 편의를 주었다.

라고 하여 이들의 소장품을 상당수 도판으로 실었는데, 그 목록을 보면 다음과 같다.

품명	출토지	소장처 및 소장자	출처	비고
王扶銅印		向井業昌	樂浪遺蹟1925,[90] 圖版19	
錢范		河原健之助	樂浪遺蹟1925, 圖版61	
藕心錢		河原健之助	樂浪遺蹟1925, 圖版62, 63	
壺		吉川輝次郎	樂浪遺蹟1925, 圖版1219, 1220	

---

65 「樂浪郡時代の遺蹟」, 『古蹟調査 特別報告 第4冊』, 朝鮮總督府, 1927, pp.3-4.
66 『樂浪郡時代の遺蹟』圖版, 朝鮮總督府, 1925.

품명	출토지	소장처 및 소장자	출처	비고
双耳壺		吉竹文野	樂浪遺蹟1925, 圖版1221	
双耳壺		田增關一	樂浪遺蹟1925, 圖版1222	
壺		富田晋二	樂浪遺蹟1925, 圖版1223	
壺		關口牛	樂浪遺蹟1925, 圖版1228	
壺		多田春臣	樂浪遺蹟1925, 圖版1229	
壺		白神壽吉	樂浪遺蹟1925, 圖版1230	
壺		諸岡榮治	樂浪遺蹟1925, 圖版1231	
釜		多田春臣	樂浪遺蹟1925, 圖版1232	
双耳壺		橋都芳樹	樂浪遺蹟1925, 圖版1233	
双耳壺		多田春臣	樂浪遺蹟1925, 圖版1234	
綠釉博山香爐		中西嘉市	樂浪遺蹟1925, 圖版1237	문명상회를 통해 일본으로 반출
綠釉九枝燈架		富田晋二	樂浪遺蹟1925, 圖版1238	
燈架		河原健之助	樂浪遺蹟1925, 圖版1236	
綠釉陶杯		關口牛	樂浪遺蹟1925, 圖版1241	
綠釉井幹		白神壽吉	樂浪遺蹟1925, 圖版1244	
綠釉陶竈		中西嘉市	樂浪遺蹟1925, 圖版1246	
綠釉陶鴦		諸岡榮治	樂浪遺蹟1925, 圖版1247	
綠釉陶鴦		中西嘉市	樂浪遺蹟1925, 圖版1248	
陶鷄		白神壽吉	樂浪遺蹟1925, 圖版1251	
陶鷄		中西嘉市	樂浪遺蹟1925, 圖版1252	
綠釉陶狗		中西嘉市	樂浪遺蹟1925, 圖版1249	
綠釉陶豚		白神壽吉	樂浪遺蹟1925, 圖版1250	
內行花文長宜子孫鏡 5면		橋都芳樹	樂浪遺蹟1925, 圖版1253, 1254, 1256, 1257	

품명	출토지	소장처 및 소장자	출처	비고
內行花文長宜子孫鏡		關口半	樂浪遺蹟1925, 圖版1255,	
內行花文長宜子孫鏡		평안남도청	樂浪遺蹟1925, 圖版1285	
內行花文鏡		白神壽吉	樂浪遺蹟1925, 圖版1259	
內行花文鏡		富田晋二	樂浪遺蹟1925, 圖版1260	
內行花文綠長宜子鏡		橋都芳樹	樂浪遺蹟1925, 圖版1262	
內行花文長宜子孫鏡		關口半	樂浪遺蹟1925, 圖版1263	
內行花文宜君任官鏡		關口半	樂浪遺蹟1925, 圖版1264	
內行花文君長宜官鏡		關口半	樂浪遺蹟1925, 圖版1265	
內行花文長宜子孫鏡 2면		富田晋二	樂浪遺蹟1925, 圖版1266, 1267	
內行花文長生宜子孫鏡		中西嘉市	樂浪遺蹟1925, 圖版1268	
內行花文長生宜子孫鏡 2면		橋都芳樹	樂浪遺蹟1925, 圖版1269, 1270	
內行花文位至三公鏡		橋都芳樹	樂浪遺蹟1925, 圖版1271	
內行花文長宜子孫鏡		關口半	樂浪遺蹟1925, 圖版1273	
內行花文長宜子孫鏡		橋都芳樹	樂浪遺蹟1925, 圖版1274	
內行花文鏡		關口半	樂浪遺蹟1925, 圖版1275	
內行花文十二星鏡		富田晋二	樂浪遺蹟1925, 圖版1279	
內行花文十二星鏡		多田春臣	樂浪遺蹟1925, 圖版1280	
內行花文綠八鳳長宜子孫鏡		橋都芳樹	樂浪遺蹟1925, 圖版1284	
內行花文綠八鳳長宜子孫鏡		多田春臣	樂浪遺蹟1925, 圖版1285	
內行花文綠八鳳長宜子孫鏡		白神壽吉	樂浪遺蹟1925, 圖版1286	
內行花文四鳳長宜子孫鏡		橋都芳樹	樂浪遺蹟1925, 圖版1287	

품명	출토지	소장처 및 소장자	출처	비고
內行花文四鳳君宜高官鏡		橋都芳樹	樂浪遺蹟1925, 圖版1288	
內行花文雲氣鏡		關口半	樂浪遺蹟1925, 圖版1289	
四乳飛禽鏡		關口半	樂浪遺蹟1925, 圖版1290	
四乳飛禽鏡 2면		富田晋二	樂浪遺蹟1925, 圖版1291, 1292	
八乳TLV無銘鏡		白神壽吉	樂浪遺蹟1925, 圖版1298	
八乳尙方鏡		關口半	樂浪遺蹟1925, 圖版1299	
四乳漢有善同鏡		富田晋二	樂浪遺蹟1925, 圖版1302	
四乳鏡		關口半	樂浪遺蹟1925, 圖版1303	
四乳四出鏡		關口半	樂浪遺蹟1925, 圖版1304	
四出鏡		多田春臣	樂浪遺蹟1925, 圖版1305	
龍虎李氏鏡		中西嘉市	樂浪遺蹟1925, 圖版1307	
龍虎宜子鏡		諸岡榮治	樂浪遺蹟1925, 圖版1308	
龍虎錢文鏡		關口半	樂浪遺蹟1925, 圖版1309	
龍虎鏡		關口半	樂浪遺蹟1925, 圖版1310	
双龍鏡		富田晋二	樂浪遺蹟1925, 圖版1311	
四乳神獸鏡 4면		關口半	樂浪遺蹟1925, 圖版1313. 1314, 1315, 1323	
四乳神獸鏡		田增關一	樂浪遺蹟1925, 圖版1316	
四乳四仙鏡		富田晋二	樂浪遺蹟1925, 圖版1317	
四乳龍鳳車馬人物鏡		橋都芳樹	樂浪遺蹟1925, 圖版1318	
四乳四仙鏡 2면		田增關一	樂浪遺蹟1925, 圖版1319, 1320	
四乳四仙鏡		關口半	樂浪遺蹟1925, 圖版1321	
六乳禽獸宜子孫鏡		多田春臣	樂浪遺蹟1925, 圖版1322	

품명	출토지	소장처 및 소장자	출처	비고
四乳仙鳳尚方鏡		富田晋二	樂浪遺蹟1925, 圖版1324	
四乳神獸鏡		多田春臣	樂浪遺蹟1925, 圖版1325	
四乳禽獸鏡 2면		關口半	樂浪遺蹟1925, 圖版1326, 1327	
四乳仙獸鏡		多田春臣	樂浪遺蹟1925, 圖版1328	
七乳禽獸鏡		橋都芳樹	樂浪遺蹟1925, 圖版1329	
六乳仙獸尚方鏡		關口半	樂浪遺蹟1925, 圖版1330	
四乳唐草鏡		關口半	樂浪遺蹟1925, 圖版1334	
半圓半格神獸鏡		富田晋二	樂浪遺蹟1925, 圖版1331	
半圓半格神獸鏡		평양중학교	樂浪遺蹟1925, 圖版1332	
半圓半格栗文鏡		關口半	樂浪遺蹟1925, 圖版1333	
銅劍 2점	대동강면	關口半	樂浪遺蹟1925, 圖版841, 844	
銅劍	대동강면	白神壽吉	樂浪遺蹟1925, 圖版843	

이상의 것은 이들이 가지고 있는 것 중에서 가장 중요한 극히 일부분만 공개된 것이다.

세키노關野는 "이외에도 경와鏡瓦, 전塼, 동검銅劍, 등 일품逸品을 소장한 숨은 사람도 상당히 있는 모양인데 발표도 하지 않고 또한 사계斯界의 사람들이 연구자료로서도 제공提供되지 않고 몰래 소장하고 있다"고 하고 있다. 그 예로 토성내부에서 출토된 동족銅鏃은 수백 개 이상으로 세키노關野 등이 채집한 동철족銅鐵鏃도 수십 개 정도이나, 야마다山田의 수집은 수백에 이른다. 이중 대표적인 것 동족 24종, 철족 11종을 보고서 도판에 등재謄載하고 있다.

* 평양 일대의 발굴품을 가장 먼저 또 가장 많은 양의 유물을 소장하고 있었던 자는 야마다 사이지로山田財次郎이다. 그의 수장품은 나중에 총독부박물관에 넘겼기에 여기서는 목록을 생략한다. 야마다 사이지로山田財次郎의 것은 1922년도《朝鮮總督府博物館 진열품朝鮮總督府博物館陳列品 구입목록購入目錄》에 '야마다 사이지로소장山田釪次郎所藏 낙랑태수봉니 외樂浪太守封泥外 150건 구입購入에 관한 건'이 있으며, 1915년-1922년 조선총독부 진열품 기부문서철總督府博物館 陳列品 寄附文書綴에, '야마다 사이지로山田釪次郎 박물관진열품기부에 관한 건'이 있다.

* 나가니시 요시이치中西嘉市는 당시 평양에서 가장 유명한 골동상으로 평양 일대의 고분에서 나온 도굴품들을 사 모아 일본 반출에 앞장섰다. 평양의 낙랑고분에서 출토된 박산향로博山香爐는 겨우 2점으로 하나는 1916년 세키노 일행이 석암리 제9호분에서 출토하여 당시 총독부박물관소장으로 돌아갔으며, 다른 또 하나가 바로 나가니시中西가 소장한 향로로 대난굴시대大難掘時代에 나온 도굴품이라고 한다.

* 가와하라 겐노스게河原建之助『융희2년(1908) 6월 직원록』(내각기록과)에는 공주지방재판소소장(판사), 칙사로 기록하고 있다.

* 시라가미 슈키치白神壽吉는 평양여학교장으로 근무하다가 후에 대구로 전근하여 대구여자보통학교장으로 근무했다.

* 세키구치 나카바關口半는 1908년 한국정부의 용빙傭聘으로 한국에 건너와 진주지방재판소검사국 검사장을 역임, 1909년에 통감부검사에 임명되어 1912

년 공주지방법원 검사를 거쳐 1916년 평양복심원 검사장을 지냈다.[67] 이 자의 소장품은 후에 거의 평양박물관에 진열하였다.

 * 도미타 신조富田晋二는 1905년에 한국에 건너와 압록강 상류에서 재목을 벌채하여 만주 각 지방에 판로를 개척하고, 1909년에 평양으로 옮겨와 도미타상회富田商會라는 간판을 걸고 평양광업소용 목재납입청부업 및 재목상을 하던 자로 평양부학교조합회의원이기도 했다.[68] 왕광묘王光墓 발굴 선정에도 참가했으며, 1932년 9월에는 남정리119호분 발굴에도 참여하기도 했다. 평양박물관 평의원으로 있으면서 숱한 도굴품을 수집하고 조정한 악질적인 장물아비로, 1908년 개성에서 출토된 '청자진사포도문동자문표형병青瓷辰砂葡萄紋童子紋瓢型瓶'을 통감부의 관리를 부추겨 950원에 이왕가박물관에 넘기기도 했다.

 * 하시도 요시키橋都芳樹가 소장하고 있던 '신선초화문동반神仙草花紋銅盤'은 1936년에 보물 제229호로 지정되기도 했다.

 * 모로가 에이지諸岡榮治는 조선총독부박물관에 상당수의 도굴품을 팔아『해방이전 박물관자료목록집』에는 모로가諸岡로부터 박물관에서 그의 소장품에서 봉니封泥 5점, 청동제대구青銅製帶鉤, 동모銅鉾, 낙랑경樂浪鏡 70여 점을 구입

---

67 『隆熙二年(1908) 六月職員錄』, 內閣記錄課, 1908年; 朝鮮公論社 編纂, 『在朝鮮內地人紳士名鑑』, 朝鮮公論社, 1917.
68 『平壤全誌』, 平壤商工會議所, 1927, p.971, 朝鮮公論社 編纂, 『在朝鮮內地人紳士名鑑』, 朝鮮公論社, 1917, p.98.

한 기록이 있다.

* 나카무라 신자부로中村眞三郎가 소장하였던 낙랑출토 '동증銅甑'은 1934년 문명상회를 통해 일본에서 개최한 「조선공예전람회」에서 출품 매매되었다.[69]

* 기타무라 주지北村忠次는 『조선총독부시정25주년기념표창자명감朝鮮總督府施政25周年記念表彰者名鑑』(1935)에 나타난 경력을 보면, 1912년 6월에 조선총독부고원朝鮮總督府雇員, 1919년 조선총독부군서기로 평안북도에 근무, 1922년 3월 평양중학교 서기로 근무, 1926년 4월 경성의학전문학교 서기로 근무한 것으로 나타나 있다.

그는 1919년부터 1926년까지 평양에서 근무하는 동안 낙랑고분의 도굴을 뒤에서 조종하는 이름난 장물아비의 한 사람이다. 평양을 떠난 이후에도 상당한 장물을 취급하였으며 그 대부분은 일본으로 반출된 것으로 추정된다.

* 무가이 교마사向井業昌는 평양 공소원控訴院 검사장으로, 1910년 9월에 일본 실업가들로 조직한 만한관광단滿韓觀光團 36명이 평양에 왔을 때 환영단장 역을 맡아 환영회를 베풀기도 한 일찍부터 관계, 재계에 널리 알려진 평양의 실력자이다.

1915년에는 시정5주년기념공진회에 금동불상을 출품하였는데 이나다 하루미스稻田春水에 의하면 그가 출품한 삼국시대의 관음상觀音像은 높이가 2寸5分밖에 되지 않지만 그 가격은 실로 1만 수천 원에 평가되었다 한다.[70]

---

69 『朝鮮工藝展覽會目錄』, 國民美術協會, 1934.
70 稻田春水, 「朝鮮에 於한 佛敎的 藝術의 研究」, 『佛敎振興會月報』第1卷7號, 佛敎振興會

* 이나바 젠노스케稻葉善之助는 평양의 이나바병원장으로 청부업을 겸하였다.[71]

불상 도적 체포

경북 달성군 해안면 도동 정진해란 자는 1월부터 각 사찰에 숨어들어 불상을 절취하여 불상을 가마니에 넣어 대구시내를 돌아다니며 매각하다가 대구경찰서 형사에게 체포되어 검사국에 송치되었다.

『매일신보』 1925년 3월 22일자

정진해가 훔친 불상은 다음과 같다.

1925년 1월 1일 오후 5시경에 칠곡군 동명면 송림사에 가서 법당에 진열한 목조불상 2구

1월 12일 오후 9시경에는 영천군 청통면 은해사로부터 불상 2구

1월 17일 오후 6시경에는 달성군 옥포면 파계사로부터 불상 1구

1월 29일 오후 7시경에 경주군 서면 금동사金銅寺로부터 토제불상 1구

2월 24일 오후 9시경에 합천 해인사로부터 목제불상 1구를 훔쳤다.[72]

本部, 1915년 9월.

71 『平壤全誌』, 平壤商工會議所, 1927, p.791; 平壤府議會議員 勝村德一, 『全鮮府邑會議員銘鑑』, 朝鮮経世新聞社, 1931.

72 『每日申報』 1925년 3월 22일자.

* 파계사

팔공산 심복에 있는 동화사 말사로, 신라 성덕왕 때 창건했다고도 하고 애장왕 때 창건했다고도 전하기도 한다. 사찰의 앞쪽에는 맑은 계류가 있어 예부터 피서지로도 유명한 곳이다.[73]

『독립신문』 1899년 4월 4일자에는 "경상도 대구군 파계사 중 월주, 하산 양인이 황태자 전하 탄신에 약과 일궤를 궐내로 진상하였다"는 기사로 보아 한말 당시에도 상당히 번창한 사찰로 보인다. 워낙 산 속에 있고, 사찰의 유물이 많아 자주 도난이나 강도를 당하기도 했다.[74]

낙랑고분 도굴 단속 촉구

1923년 이후 평양 대동강면 일대의 낙랑고분에 대한 도굴이 성행하여 부장품들이 시중에 나돌고 심지어는 일본에까지 건너가 매매가 이루어지고 있다는 소문에 단속을 강화했었다. 그래도 도굴이 근절되지 않자 1925년 4월 1일자로 학무국장이 평안남도지사에게 또 다시 단속을 촉구하는 '낙랑군 고분 보존에 관한 건'을 통보하는데 그 내용은 다음과 같다.

---

73 白基萬, 「大邱大邱大邱, 沿革 名勝古跡」, 『별건곤』 제33호, 1930년 10월.
74 1926년에는 복면강도들이 들이닥쳐 절 사람들을 위협하고 금품을 강탈해 갔는데 1년 후에 그 강도를 잡기도 했다(『東亞日報』 1926년 1월 13일자, 『東亞日報』 1927년 1월 23일자).

<전략> 대정12년 추기秋期부터 부근의 주민 특히 대동강면 석암리 오야리
의 사람들이 성盛히 이것을 도굴하여 매장물을 밀매하고 대정13년 추 한 때
감시가 엄중한 까닭에 중절中絕하였는데 본년 정월 이래 다시 또 공연히 이
것을 도굴하기에 이르러 대동강면 석암리, 오야리 부근의 주요한 고분 약 2
백기 여는 이미 발굴해 버려 만약 이 상태로 추이推移함에 있어서는 본년 중
으로 주요한 고분 전부가 황릉荒陵으로 될 것은 의심할 바 없으므로 <중략>
생각건대 분의 도굴은 적어도 2, 3일 내지 4, 5일을 요하지 않으면 곽저槨底
에 이르기 어렵고 또 그 출토물을 보니 칠기, 소옥경의 파편 등 도저히 야간
에 혈저穴底에서 채집할 수 없는 것이 많은 형편이오니 도굴이 성함은 실로
놀랄만한 일이 있으므로 지급至急히 취체取締를 엄중히 하시기 바라며, 그리
고 또 작금은 연일 매장물을 휴대하여 평양시중의 고물 애완가에 도매盜賣하
는 자가 다수라고 들었는바 우右는 유실물법 제13조에 의하여도 버려둘 수
없는 일로 사료되오니 어떠한 어배려御配慮있기를 바라 이에 통첩通牒함[75]

이 같은 통첩에 따라 단속을 강화하여 낮에는 기마순사가 고분군 일대를 순
시하고, 낮에는 사복차림의 형사들이 미행을 하여 단속을 하게 되는데,『매일신
보』1925년 4월 5일자에는 다음과 같은 기사가 있다.

낙랑도굴단 성행
평양서 엄중경계 중, 낮에는 기마 밤에는 사복으로 부근 일대를 엄중히 경계해

---

75 黃壽永 編,『日帝期文化財被害資料』, 韓國美術史學會, 1973.

만근 수년 이래로 각 전문학자들이 평양으로 왕래하며 낙랑시대의 고분을 발굴하고 낙랑문화의 유물의 가치가 성히 선전되어 평양을 중으로 하고 낙랑열樂浪熱이 매우 왕성하여 가는 중인데 근일에 이르는 일종의 묘기도적이 성히 유행하여 낙랑시대의 고분을 발굴하여 그 속에 들어 있는 고물을 도적하는 자가 빈번하였으므로 평양경찰서에서는 그 묘기도적을 도굴을 근절하기 위해 낮에는 기마순사, 밤에는 사복차림으로 밀행케 하여 부근 일대를 엄중히 경계한다더라.

1925년 4월

경주 지방 도굴 단속 촉구

『경성일보』 1925년 4월 15일자 기사에 의하면 경주지방에서 신라고분 상습 도굴자가 20여명에 달한다고 한다. 그 도굴품들은 주로 일본인 고매자故賣者들에 의해 대구의 호사자好事者에게 매매가 되고 있다고 폭로하고 있다. 최근 도굴품 중에 당삼채호唐三彩壺의 경우에는 수천원에 밀매되기도 했다한다.

이것은 결국 돌아보면 경주 일대의 풍부한 유물의 발굴로 도굴을 조장하는 결과를 낳게 되어 드디어는 조선인 중에서도 일인들의 앞잡이가 되어 상습적으로 도굴을 하는 자들이 상당수에 달하여 신문지상에도 단속을 촉구하기에 이른다.

경주지방은 최근 수십 년간에 걸쳐 고분의 발굴로 귀중한 출토품이 있어 황금의 왕관, 패도佩刀, 기타 고고학상에 심대甚大한 참고자료를 기여하고 있거니와 요즘 괘심하게도 밀굴密掘하는 자가 많고 어떤 소식통이 말하는 바에 의하면 고분 밀굴의 상습자는 선인鮮人만도 약 20명에 달한다고 하는데 그 출토품은 주로 내지인의 고매자故賣者로부터 각각 연줄을 구하여 팔아치워져 상당한 이익을 얻고 있다고 하는데 최근의 현저한 출토품으로서는 당삼채와 같은 호를 밀굴하여 수천엔數千円에 밀매하는 자가 있는 바 그 호壺 속에는 5개의 합자盒子가 있어 대단히 귀중한 것이라고 하며 그 출토물은 내지인內地人(일본인)의 고매자故賣者에 의하여 대구의 호사가에게 팔려지고 있다고 하는데 이와 같이 부정한 밀굴이 금후 거듭 행하여짐에 있어서는 신라왕조의 문화를 연구할 자료를 산일散逸케 하는 까닭이 되므로 당국에서 엄중한 취체取締를 하여 주었으면 좋겠다고 한다.[76]

경주 남산 삼화령 삼존석불을 경주박물관으로 이안하다

삼존석불을 4월에 경주박물관으로 옮기게 되었는데 오바 쓰네기치小場恒吉의 장창곡長倉谷 조사에,

이 부근에는 고신라의 고분 5, 6기를 볼 수 있는바 거의 도략盜掠되어 석재가 산란하고 또는 봉토를 잃은 것도 있다. 이 최북最北에는 최대의 한 고분이

---

76 『京城日報』1925년 4월 15일자.

일찍이 파괴되어서 방方 약 7척의 현실과 남면에 열린 폭 4척, 길이 약 8척의 연도가 노출되어 현실의 중앙에서 석조여래의상石彫如來倚像이 발견되어 1925년 4월 경주분관내로 이안移安되었다. 그런데 이때 쯤 월남리月南里 민가에서 석조2보살상石彫二菩薩像이 은닉되어 있는 사실이 판명되어 이들 또한 박물관으로 옮겨졌다. 그런데 이들은 전기前記 여래상과 양식이 동일하여서 삼존불三尊佛임을 알게 되었다. 무슨 연고로 본존여래만이 산상山上의 고분 안에 안치되어 있었는지는 지금도 의문이 남는 바이지만 혹은 본래 삼존이 모두 일찍이 고분내에 매장되어 있던 것이 고분도굴에 따라 발견되어 가볍고 작은 2구만이 산하山下로 운거된 것인지도 모르겠다. 그러나 어찌하여 고분 내에 불상을 은장隱藏하여 두었는지는 기어이 설명할 수가 없다.[77]

라고 하며, 이 삼존불이 위치하던 바로 그 장소를 오바 쓰네키치小場恒吉는 장창곡이라고 하고 이 삼존불과 결부시키고 있으나 이 불상에 대해 황수영 박사는 신라에서 이름 높던 삼화령미륵세존으로 추정하는 바[78] 『삼국유사』 '생의사 석미륵生義寺 石彌勒' 조에는 다음과 같은 기록이 있다.

선덕여왕善德女王 때 중 생의生義는 언제나 도중사道中寺에서 살고 있었다. 어느 날 꿈에 한 중이 그를 데리고 남산으로 올라가서 풀을 매어 표를 해 놓게 하고 남쪽 골짜기에 와서 말하기를,

77 小場恒吉, 「慶州南山の佛蹟」 長倉谷三尊石佛 條, 『朝鮮寶物古蹟圖錄』 第二, 朝鮮總督府, 1940.
78 黃壽永, 「南山 三花領彌勒世尊」, 『博物館新聞』 1974년 10월 1일자.

「내가 이곳에 묻혀 있으니 스님은 이것을 파내어 고개 위에 편하게 묻어 주시오」했다.

꿈에서 깨자 그는 친구와 함께 표해 놓은 곳을 찾아 그 골짜기에 이르러 땅을 파보니 거기에서 석미륵石彌勒이 나왔으므로 삼화령三花嶺 위로 옮겨 놓았다. 선덕왕13년 갑진(644)에 그곳에 절을 세우고 살았는데 후에 절 이름을 생의사生義寺라고 했다.

따라서 이곳에는 원래 생의사라는 절이 있었으며 이 삼존불은 고분이 아닌 석실 또는 석굴에 안치되어 있었던 것이다. 이곳을 일본인들은 석불 봉안의 석실을 아무런 의심 없이 처음부터 고신라기의 고분으로 단정하고 있으나, 황수영 박사는 이에 대해 처음부터 불상 안치를 목적으로 이루어진 석감石龕으로 보고자 했다. 황 박사는 그사이 수차에 걸쳐 현장을 조사하였는데, 오늘날 이곳에는 『남산의 불적』의 사진에서 보이는 바와는 아주 다른 모습을 보이고 있다

경주 남산령 생의사 출토 삼존불

고 한다. 그 석실의 적석積石은 하나도 찾을 길이 없고 완전히 파괴되어 불적의 설명내용 뿐 아니라 석불의 정확한 원 지점 조차 찾을 수가 없었다고 한다.[79]

불국사 다보탑 해체 수리

불국사 다보탑 해체 수리공사는 1918년 10월부터 실시된 불국사 수리공사의 일환으로[80] 1925년에 다보탑을 비밀리에 전면적으로 해체하고 수리를 하였다.[81] 당시 현장공사는 총독부 기수 다케우치 야수기치竹內保吉가 담당하였다.

이 공사는 1925년 4월에 시작하여 9월에 완료하여 동월 25일 오전 11시에 조선총독부 학무국장, 경주군수, 기타 관민 다수가 참석한 가운데 다보탑중수경찬회多寶塔重修慶讚會를 열었다[82]는 사실 외에는 거의 알려진 것이 없다.

---

79 또 남쪽 산 아래의 탐동부락에서 면회 또는 직접 찾아왔던 古老들의 증언을 들을 수가 있었는데 그 중에는 이 석실에서 경량의 보살입상을 몸소 지게로 운반한 金成介(1968년 당시 67세)씨도 끼어 있었다고 한다. 그 약기를 보면,
  * 이 석실이 있는 지점은 오랜 전부터 부채등(佛背)라 불러 왔다. 그 까닭은 이곳에 부처가 안치되어 있었기 때문이다. 따라서 이 석실은 부처집(佛家)이지 고려장터(古塚址)는 아니다.
  * 처음에 석실에 들어간 김은 동네의 김장촌 씨와 더불어 보살상 한 구씩을 지고 나와 집에 두었는데 얼마 안되어 일인 경관에게 발각되어 자신들이 다시 지게로 경주박물관으로 운반하고 60전을 수령했다. 실내에는 와편이 있었다.
  * 1964년 현장에서 만난 경주시 거주 권씨는 자신도 노출된 큰 석물을 발견하였다고 하면서 석실내 4隅에는 6각이 새겨진 원형 초석이 하나씩 있었다고함(黃壽永,『韓國의 佛像』1989).
80 『光復以前 博物館資料目錄集』(국립중앙박물관, 1997)에 의하면, <大正7年度 文書綴>에는 '불국사다보탑 개수공사 예산조서'와 '불국사다보탑 개수기초공사 평면도'가 철해 있다.
81 『光復以前 博物館資料目錄集』에 의하면, <大正14年度 文書綴>에 '불국사다보탑 파손상태 보고(1925년 1월 21일)', '불국사다보탑 기타 수선에 관한 건(1925년 1월 26일)'이 있다.
82 中村健太郎,「佛國寺より石窟庵まで」,『朝鮮及滿洲』第217號, 朝鮮及滿洲社, 1925년 12월.

당시 그들은 우리나라 사람들의 접근을 막기 위해 현장 주변에 넓게 줄을 매어 놓아 통행을 엄중히 막고 삼엄한 경계 속에서 극비리에 탑을 해체하였다. 그러나 해체된 사진은 물론이거니와 당연히 남겨야 할 보고서나 기록을 남기지 않았으며 보수 당시 겨우 금동보살金銅菩薩 2구를 경주박물관에 인계했다는 인계서만 남아 있을 뿐이다.

"이 탑 속에서 어마 어마한 보물이 많이 나왔는데 일본사람들이 보자기에 싸서 가지고 갔다"고 현장을 멀리서 바라본 사람들의 말이 전해지고 있다. 탑 속에서 사리함을 중심으로 많은 유물이 발견되었을 것이나 여타의 장엄구는 물론이거니와 그때 인계했다는 불상마저도 남아 있지 않다.[83]

그들이 이 당시 한국인의 출입을 막기 위해 엄중한 경계를 하고 있었으나

---

[83] 鄭永鎬, 『韓國佛塔100選』, 硏究論叢 92-10, 精神文化硏究院, 1992; 鄭永鎬, 「佛國寺」, 『韓國의 文化遺産』, 韓國精神文化研究員編, 1997.
이 점에 대해 鄭永鎬 교수는 다음과 같이 서술하고 있다.
현재 국립경주박물관에 남아있는 간단한 인계 서류를 보면 당시 일본인 감독자의 이름으로 "금동불상 2구를 경주박물관에 인계한다"는 내용으로 분명히 다보탑내에 봉안하였던 불상 2구를 경주박물관에 이관하였다는 것인데, 여기서 실제 다보탑내의 사리장치 유물이 이것 뿐 이었을까? 하는 의문은 누구나 다 가질 것이다. 그런데 설상가상으로 또 한 가지 애매한 문제는 당시 2구의 금동불상을 경주박물관에 보관하였다고 문서까지 남겨놓은 그 불상은 현재 찾을 길이 없다. 경주박물관이나 서울의 국립중앙박물관에 수장된 금동불상 중에는 불국사 다보탑 내에서 발견되었다는 불상이 없다. 이것은 두 가지 면에서 생각할 수 있으니 하나는 불상을 인계할 때 그 불상 자체에 '다보탑내 발견품'이라고 명시하지 않았는지, 아니면 문서만을 두고 현품은 인계하지 않았는지 하는 생각이다. 그러나 후자보다는 전자의 경우로 생각하되 앞으로 어떠한 획기적인 자료나 증언자가 나타나서 분명한 '다보탑내 발견품'임을 알 수 있는 기회가 있기를 바라는 마음 간절하다. 그리하여 진귀한 봉안물의 전모를 알 수 있고 더욱이 귀중한 사리장치법도 밝혀져서 이 방면 연구의 새 자료 정리가 조속히 이루어지기를 기대한다(鄭永鎬, 「문화재 약탈」, 『한민족독립운동사』 5, 국사편찬위원회, 1989).

발굴현장에서 멀리서나마 본 사람이 있었음인지 『시대일보』 1925년 6월 6일자에는 다음과 같은 기사가 있다.

금광이 찬란한 이천년 전의 불상
경주 불국사에서 발견하얏다한다.
역사적 유물로 고대조선미술의 찬란한 비츰 세계에 비취여 주는 경주 불국사慶州佛國寺에서는 지난 29일 오후 9시경에 다보탑을 수선하던 중 탑의 북쪽 땅 밑에서 높이 약 1촌 3분 및 3촌 칠분 가량 되는 불상 두 개를 발굴하얏는데 두 개가 모두 정치한 기교로 맨든 조각품이며 부분부분에 금빛이 찬란한데 적어도 이천년 전 신라시대의 작품인바 용이히 엇지 못할 미술품이라고 한다.

다보탑의 수리 광경(『성균관대학교박물관 소장 유리원판전Ⅱ』)
『성균관대학교박물관 소장 유리원판전Ⅱ』을 보면 다보탑 수리를 위한 버팀목 장치 사진이 실

려 있는데 사진 설명을 보면 1925년 4월에 藤田亮策이 촬영한 것이라고 한다. 따라서 다보탑 수리는 1925년 4월에 시작한 것임을 알 수 있다.

1925년 5월 16일

제21회 고적조사위원회

제21회 고적조사위원회는 1925년 5월 16일 본부 제1회의실에서 개최되었다.

1925년도의 고적조사는 "고적조사비를 감소하고 인원을 축소함에 따라 본년도에는 적극적 조사를 개시할 수 없어 주로 지난년도 이래의 조사를 완성하고 조사 결과를 내외에 보고하여 반도의 고적유물의 학술적, 예술적 가치를 선전하는 것이 급무"로 하고 있다.[84]

의안 제1의 '대정14년도 고적조사계획'은 다음과 같다.

제1 고적조사

1. 경주 고분군 및 울산성지蔚山城址 실측조사

   조사기간 18일 소요, 조사원 다나카 쥬조田中十蔵

2. 낙랑군 고분군 실측조사

   조사기간 1개월, 조사원 오가와 게이키치小川敬吉, 노모리 겐野守健

---

84 「제21회 고적조사위원회」, 『국립중앙박물관 소장 조선충독부박물관 공문서』, 목록번호 : 96-277.

3. 고구려 벽화고분 조사

조사기간 약 2주일

4. 경주 금령총金鈴塚, 금혜총金鞋塚 유물 조사

작년 여름 경주 노동리에서 조사를 거쳐 유물은 대부분 창고 내에 격납하여 주임조사원 우메하라梅原 촉탁이 정리를 하고 있는데 본년도 중에 전부 정리하고 보고서를 제작 제출할 예정이다.

기간 2개월, 조사자 우메하라 스에지梅原末治, 사와 슌이치澤俊一, 고이즈미 아키오小泉顯夫

5. 고구려 유물 조사

대정6년래의 고구려유적유물 조사보고 작성하기 위해 경성 및 평양에서 유물을 정리 조사한다. 기간 1개월, 조사원 세키노 타다시關野貞

6. 조선 유사 이전 유물 조사

1910년부터 학무국 편집과에서 사료조사로 해오던 도리이 류조鳥居龍藏의 유사이전의 유적유물은 전부 조사보고를 결하였으므로 금년도에 박물관에 보관 중인 유물을 자세히 조사하여 유사이전의 전반에 관해 보고서를 작성 제출할 계획 조사원 도리이 류조鳥居龍藏

의안 제2의 '등록고적명칭 및 위치변경의 건'은 고적급유물등록번호 제124호 명칭 '평양정차장전7층석탑'은 평양역전에 있어 1917년 3월 15일 이를 등록했었는데 평양역을 확장하면서 철도국에서 이를 이전을 희망해 오면서, 평양부 대동문공원 내에 이건하여 일반의 관람에 제공함과 아울러 보호를 가함으로 이에 등록대장의 명칭과 위치에 있어 다음과 같이 변경했다.

명칭: 평양7층석탑

소재지: 평양남도 평양부 이문리 대동문공원내

조선총독부박물관 공문서

평양칠층석탑은 원래 대동군 고평면 한이정
閑以亭 옆에 있었다. 1906년 평양역 확장을 위해
평양부 홍매정紅梅町의 정거장 앞으로 옮겨졌다
가 재차 역이 확장되면서 철도국이 다른 곳으로
이전하기를 희망하여 1925년 제21회 위원회의
결의로 대동문공원 내로 이건하게 되었으며, 평
양정차전칠층석탑이라는 명칭도 바뀌었다.[85]

의안 제3 보존시설

1. 고구려 벽화고분 수리

2. 대방군 고분 수리

3. 경주읍외 발굴고분 수리 및 건표

4. 창녕 원화비각 수리

---

85 關野貞의 『朝鮮美術史』에서, "平壤六角七重石塔은 평양대동공원내에 있는 육각칠층석
탑으로 元廣寺라 칭하는 寺의 廢址에 있던 것을 보존하기 위하여 지난 해 정거장 앞에
옮겨 놓았다가 그 후에 다시 지금의 곳에 옮겨 놓았다"고 기록하고 있다.
齋藤岩藏, 「平南の名所舊蹟を訪ねて」 『朝鮮』, 1930년 9월, 朝鮮總督府, p.89에, "明治39
년에 평양정차장 부근으로 옮겼다가 大正15년(1926)에 다시 練光亭의 공원내로 옮겨 지
금에 이르고 있다"라고 하고 있다.
그리고 關野貞의 『朝鮮의 建築과 藝術』(1942, 岩波書店, p.566)에서는 [編者註]에 "현재
는 평양박물관 내에 있다"라고 하고 있다.

의안 제4 보고서 출판

1.『낙랑군시대의 유적』2백 부

2.『남선의 한대유적』5백 부

별도로 1925년 3월 16일자로 후지타 료사쿠藤田亮策가 작성한 '1924년도 고적 조사 사무보고'가 첨부되어 있는데, 다음과 같다.[86]

제1. 고적조사

1. 경주 노동리 금령총金鈴塚, 금혜총金鞋塚 조사 촉탁 우메하라 스에지梅原末治, 모로가 히데오諸鹿央雄, 사와 슌이치澤俊一, 고이즈미 아키오小泉顯夫

봉황대 남측에 해당하는 일찍이 봉토의 일부가 삭평, 경주고적보존회의 호의로 대정13년(1924) 5월 8일부터 6월 22일까지 44일간으로 순금제 금관, 순금제대식, 순금제이식, 도제기마인형 등 유물이 발견돈 금령총 및 신 기타 이식, 구옥 등이 발견된 금혜총

2. 경주 노동리 제4호분 조사 위원 후지타 료사쿠藤田亮策, 고이즈미 아키오小泉顯夫

대정13년 7월 전기 금령총의 남방 민가 주택지내에서 토지차용자 기타가 고분을 발굴했다는 경찰로부터 보고가 있어 실지조사 이미 목관부에 달해 있어, 8월 12일부터 27일까지 15일간 다시 이를 발굴조사 순금제이식. 도기, 마구 등 발견

3. 평안남도 대동강면 낙랑고분 조사 위원 후지타 료사쿠藤田亮策 외

대정12년 가을 대동면 선교리 출토 영광3년명 동종이 발견되어 낙랑열이 왕

---

86 「제21회고적조사위원회」, 『국립중앙박물관 소장 조선총독부박물관 공문서』, 목록번호 : 96-277.

성, 대정13년 10월 11일부터 12월 2일까지 50여 일간 오바 쓰네키치小場恒吉 고
적위원 외 3인이 4기의 고분을 발굴

  4. 전라북도, 충청도의 백제 유적 조사 위원 오하라 도시타케大原利武

  5. 경상북도 경주 고분 분포도 조성調成 기수 다나카 쥬조田中十蔵

제2. 보존공사

1. 수원 화홍문華虹門 수리공사

2. 창녕 신라 진흥왕척경비眞興王拓境碑 비각碑閣 채색 및 건비建碑

3. 평양 대동문大同門 석단石壇 수리공사

4. 안주 백상루百祥樓 수선

5. 평안남도 용강군 대대면 매산리 벽화고분 입구문 철조책 등 교체, 수리

6. 평안남도 신령면 신덕리 벽화고분 2기 철조책 기타 수선

7. 평안남도 해운면 점제비粘蟬碑 비문碑門의 문, 자물쇠 등 교체

8. 평안남도 해운면 진지리 벽화고분 2기 철조책 수선

9. 평안남도 강서군 강서면 삼묘리 벽화고분 입구문 기타 수리

10. 평안남도 간성리 벽화고분 철조책 수리

11. 경주 금령총金鈴塚, 금혜총金鞋塚 보존공사

12. 약목 정도사淨兜寺 삼층석탑 이전

이 탑은 대정2년경 경북 칠곡군 약목면 복성리로부터 옮겨져 부내 남대문통
철도사택내에 있다가 선년 구보久保 만철경성철도국장에 청하여 박물관에 기
부를 득하여 대정13년 6월에 박물관 정내庭內에 이건했다. 이 탑 내로부터 일찍
이 태평11년의 형지기 등이 발견

13. 유물 소재지 구입 사천왕사지四天王寺址 일부, 전傳 창림사지昌林寺址 일부

제3. 보고서 출판
1.『경주 금관총과 그 유보』
2.『낙랑군시대의 유적』

동래서화골동회

동래 김 군수를 비롯한 유지들의 발기로 5월 16일 동래읍내 도화공원에서 서화골동진열회를 개최하였다.[87]

부여고적보존회 평의원회 의결

충남 부여군 고적보존회에서는 지난 16일 군청회의실에서 평의원회를 개최하고 고적 선전과 유람객의 편의를 도모하기 위하여 다음과 같이 협의 결정하였다.

1. 강경, 논산, 대전 3역 구내에 고적안내표목 설치 건
1. 고적명승회엽서 및 안내서 각 2,600부를 인출하여 3역에 위탁 발매 건
1. 유람선 및 사비루 수선 건

---

87 『每日申報』1925년 5월 21일자.

1. 군내 유지대회를 개최하여 고적보존의 재단법인을 조직할 건

1. 왕인신사와 흥무왕(김유신)바각 건설 건

1. 개정증보읍지 중간의 건[88]

1925년 5월 18일

조선사료전람회

조선총독부의 조선사편찬위원회에서 18일 19일 양일간 중추원에서 사료전람회를 개최하였다. 전람 사료 중에는 율곡 선생 진필 경연일기經筵日記와 송우암화상宋尤菴畵像, 명의 모문룡문서毛文龍文書와 같은 사료들이 진열되었다.[89]

1925년 5월

대구의 박물관 건설 시도

신라구도 경주와 가까이 있는 대구에 박물관이 없는 것을 유감으로 생각한

---

88 『每日申報』 1925년 5월 23일자.
89 『每日申報』 1925년 5월 18일자.

동지의 유지들은 문화적 사업으로 대구의 뢰경관에 일부 실을 이용하여 진열실을 만들기를 기도했다. 대구의 수집가들로부터 진열품을 기탁 받아 수집 진열하는 것으로 시도를 했으나 실현을 보지 못했다.[90]

도굴품 밀매

모로카 에이지諸岡榮治는 밖으로는 사업을 하는 것처럼 꾸미고 몰래 도굴품을 취급하였다. 1925년 5월 16일자 『동아일보』 기사에는 다음과 같은 내용이 게재되어 있다.

요새 평남 대동군 남곳면 류자리 낙랑고분에는 어떤 자들이 깊은 밤중에 고분을 발굴하고 다수한 고적품을 도적하려는 사건이 빈번하였으므로 평양경찰서에서는 그 범인을 염탐하던 중 수일전에 동리 피진채 외 십 수 명을 피의자로 검거하고 엄중 취조하여 본 결과 그 자들은 면경, 호미, 토기 등 기타 다수한 고적품을 발굴하여다가 모로카諸岡 모라는 일본인 상점에 수십 원을 받고 팔아먹은 사실을 자백하

90 『釜山日報』 1925년 5월 2일자, 5월 15일자.

였다는 바 매장물 발굴죄로 검사국으로 송치하였다더라.

이 같은 경우 대개 도굴범은 처벌을 받았지만 엄연히 도굴품인 줄 알면서도 이를 취급한 골동상들이 처벌을 받았다는 기사는 보이지 않는다.

모로오카 에이지諸岡榮治의 수집품 중 상당수는 총독부박물관에 양도하여 『해방이전 박물관자료 목록집』에는 그의 수집품 가운데 봉니 5점, 청동제대구, 낙랑경 등 70여 점을 구입한 기록이 보인다.

1925년 6월 8일

조선사편찬위원회규정이 폐지朝鮮總督府訓令(第37號)되고 중추원사무분장규정도 개정朝鮮總督府訓令(第38號)되어 「사료의 수집편찬」의 항을 삭제하다.[91]

조선사편수회관제 공포

조선사편수회관제가 다음과 같이 공포(勅令 第218號)되다.

제1조 조선사편수회는 조선총독의 관리에 속하여 조선 사료의 수집 및 편

---

91 『朝鮮總督府官報』 1925년 6월 8일자 號外.

찬과 아울러 조선사의 편수를 장함.

제2조 조선사편수회는 회장 1인 고문 및 위원 약간 인으로써 조직함.

제3조 회장은 조선총독부 정무총감으로써 충함. 고문 및 위원은 조선총독의 주청에 의하여 내각에서 이를 명함.

제4조 회장은 회무를 총리함. 회장이 사고가 있을 경우는 회장의 지명을 받은 고문 또는 위원이 그 직무를 대리함.

제5조 조선사편수회에 간사 약간 인을 치함. 조선총독의 주청에 의하여 조선총독부 부내 고등관 중으로부터 내각에서 이를 명함. 간사는 회장의 지휘를 수하여 서무를 정리함.

제6조 조선사편수회의 사무에 종사시키기 위하여 이에 좌의 직원을 치함.

수사관 전임 3인 주임

수사관보 전임 4인 판임

서기 전임 2인 판임

제7조 수사관은 회장의 명을 승하여 조선사료의 수집 및 편찬 병 조선사 편수의 사무를 담임함. 수사관보는 상사의 지휘를 수受하여 조선사료의 수집 및 편찬 병並 조선사편수의 사무에 종사함.

서기는 상사의 지휘를 승하여 서무에 종사함.

부칙

본령은 공포일로부터 이를 시행함.[92]

---

92 『朝鮮總督府官報』1925년 6월 11일자.

막대한 예산을 들여 제작하는 조선사의 편찬은 식민 통치상의 한 정책으로 행하는 것이라 할 수 있다. 『매일신보』는 1925년 6월 13일자로 '조선사편수회의 의의'란 제목으로 사설을 게재하여 선전을 했는데 그 내용은 다음과 같다.

조선사편수회의 의의

1

금반에 조선사편수회관제가 공포되었다. 동 회는 총독부의 관리에 속하고 조선 사료의 수집 편찬 및 편수를 장사掌司하는 것으로 정무총감이 회장 이 되며 고문과 위원으로 총독의 진청에 의하여 내각에서 이를 임명하고 기타 간사 및 수사관修史官, 서기 등의 직원을 두게 되었다. 동 사업은 물론 지금부터 신착수新着手의 사업은 안이오. 이미 대정11년에 조직된 조선사편찬위원회에서 한참 진행된 것이다. 그러나 관제의 공포公布는 이를 국가적 문화사업으로 되는 까닭이라. 오인은 여사히 진전되는 조선사의 완전을 확실히 기대케 됨을 희행喜幸하여 불기不己한다. 혹자는 조선사의 편찬이라 함을 통치상의 1정책으로 고찰할지 모르나 본 사업은 결코 목전의 정치적 의의를 가진 것이 아니요. 조선의 사실을 있는 그대로 박인방증博

引旁證하여 오직 과학적 진실을 구함에 그 문화적 의의와 가치가 있는 것이다. 저번에(曩者)에 사이토齋藤 총독이 학술적으로 가치 있는 조선사의 편찬 방침을 설명한바 있지만 본 사업에 관계하고 있는 전문사가의 인선을 볼지라도 그 학자적 양심과 과학적 태도와에 신뢰할 것으로 사思한다.

2

오인은 권위 있는 조선사의 편찬에 의하여 조선 자체의 진실을 구한다. 그 진실이야말로 내선인內鮮人으로 하여금 완전한 이해와 배합에 달達케 하는 것이다. 전대의 통치자 중에는 이 진실이 삽폐揷蔽되었으므로 인하여 진위의 결합을 강제强制코자 한 것 같으나 사이토 총독이 단연히 구방침을 버리고 국가적 수사修史의 대사업을 시작한 것은 그 문화 정치의 완벽을 기함에 불외不外한다. 설령 조선사실에는 일본과의 관계상 재미없는 일이 포함되었다 할지라도 그것은 소호小毫도 은폐할 필요가 없으며 또 그와 반대로 내선관계의 근거가 될 사실이 존재할라도 그것을 과장할 것도 아니다.

진실에 입각한 것보다 이상의 호사好事는 없는 것이다. 그러나 금일의 조선인은 완전한 조선사를 얻어야 깊이 그 전통적 문화의 가치와 민족적 심리의 진상을 지知할지오. 또 일본의 위대한 면목과 사명과는 조선사의 광휘에 의하여 일층 선명케 될 줄로 믿는다.

조선사편수회를 통하여 사료의 수집 및 사료집 발간을 담당케 하고, 한편으로 조선사학회를 통하여 일반에게 식민사학의 전파를 담당케 하여 한국인의 역사와 문화를 저열화低劣化시켜 나갔다.

특히 경성제국대학의 오다 세이고小田省吾는 『문교文敎의 조선朝鮮』[93]에 단군檀
君을 부인하는 논문을 싣고, 또 『조선불교朝鮮佛敎』에 「단군전설檀君傳說에 대해」
라는 글을 연재하면서, 단군檀君은 고려가 원元에 복속되면서 처음 전설로 출현
한 것으로 이는 당시에 날조한 것이라고 주장하였다.[94] 이에 동아일보는 최남선
의 단군론檀君論을 장기 연재하고, 또한 이에 대한 사설을 실었다. 그 내용은,

> 단군檀君 부인否認의 논論이 일본학계日本學界에 출현出現하기는 이미 30년의
> 세월을 경涇하였고 <중략> 일본인의 대조선관념對朝鮮觀念이 변이變移되는
> 추세趨勢를 따라서 턱없이 학계의 용인容認을 얻게 되고 더욱 양국 간에 괴
> 상한 정치괸계가 생기면서 그 시상 정책상 필요로 조선인 민족정신의 출
> 발점으로 생각되는 단국국조檀君國祖를 의식적意識的 노력으로써 기어이 말
> 살抹殺하기를 힘써왔다. 곰팡이내 나는 단군승조론檀君僧造論을 끄집어내다
> 가 조선역사의 중에서 그 반증反證을 보이려면 이마니시今西모某와 또 단군
> 전설檀君傳說의 조작造作은 목도目睹한 것처럼 고려 중엽 어느 승도僧徒가 당
> 시의 민족적民族的 감정感情을 기본으로 하여 지어낸 것이라고 단정한 미우
> 라 三浦모某는 실로 다 일본의 최고학부에서 교직을 담당한 자로 조선부서
> 朝鮮部署의 잔록객임殘祿客任을 대帶한 자들이다.[95]

---

93 敎育協會 機關紙, 1926년 2월.
94 小田省吾 「檀君傳說に就いて」, 『朝鮮佛敎』 第23號, 京城朝鮮佛敎社, 1926년 3월, p.12.
95 『東亞日報』 1926년 2월 21일, 22일자.

일본인 학자들은 침략서책侵掠書策 조선사의 입론立論의 기반에 있어서 민족정신民族精神, 민족설화民族說話, 국가의식國家意識 등이 왕성하였던 등, 그 소위 조선사 편찬사업의 벽두劈頭에 지대한 장애障碍가 되는 단군조선檀君朝鮮을 제거除去함으로써 이 나라 사기의 첫머리를 한사군漢四郡으로부터 시작하여 이 나라와 이 나라 사람들은 애당초부터가 독립적獨立的인 것이 아니라 종속적從屬的인 성질의 것이라는 이론을 내세워[96] 식민지 지배의 숙명론을 확립하고자 하였던 것이다.

1925년 6월 26일

조선사편수회 조직 정비

1922년부터 조선사편찬위원회에서 조선사朝鮮史의 편찬사업과 병행하여 조선사편찬을 위한 사료수집의 방법과 기타를 심의 조사를 계속해 오다가,[97] 1925년 6월 8일 칙령 제218호로 조선사편수회관제를 공포하고 독립된 하나의

---

96 文定昌,『軍國 日帝强占 36年史』, 伯文堂, p.468.
97 1922년 12월 4일 朝鮮總督府 訓令 第64號로 '朝鮮史編纂委員會 規程'을 發布하고 同會의 제1회 위원회를 1923년 1월 8일에 개회하여 조선사 편찬의 形式編纂의 區分, 體裁 및 文體, 史料蒐集의 範圍, 委員會議事規程을 의논하고, 제2회는 1923년 6월 12일 개최하여 조선 및 일본의 민간이 소장한 史料蒐集에 대해 협의 한 바 있으며, 제3회는 1924년 4월 2일 개최함과 동시에 제1회 史料展覽會를 開催했다. 제4회는 1924년 8월 5일에 개최하였고, 제5회는 1924년 12월 23일에 개최하였으며, 1925년 5월 19일에는 제2회 史料展覽會를 개최하였다(『朝鮮史學』第1號, 1926년 1월, p.32 參照).

관청을 설치하기에 이른다.[98]

본회는 정무총감을 회장으로 하여 위원회에서 편찬의 방침을 결정하고 수사관, 수사관보 등이 실제 편찬 업무를 담당하기로 하였다. 6월 25일에는 이나바 이와키치稻葉岩吉, 후지타 료사쿠藤田亮策, 홍희를 수사관으로 임명하고, 7월 20일에는 고문을 임명하여 회의 조직을 완비하게 된다. 1925년 9월 22일자로 3명의 고문을 추가하였다.

조선사편수회 임직원 명단은 다음과 같다.[99]

회장	정무총감 下岡忠治
고문	중추원 부의장 侯 李完用, 중추원 고문 侯 朴泳孝, 勳一, 子 權重顯, 도쿄대 교수 黑板勝美, 도쿄대 교수 服部宇之吉, 교토대 교수 內藤虎次郎
위원	중추원 서기관장 生田淸三郎, 李王職 차관 篠田治策, 총독부 학무국장 李軫鎬, 총독부 사무관 小田省吾, 중추원 참의 劉猛, 중추원 참의 魚允迪, 교토대학 조교수 今西龍, 중추원 서기관 山崎眞雄, 총독부 편수관 李能和, 李秉韶, 尹寧求
간사	중추원 서기관 山崎眞雄, 중추원 서기관 金東準, 稻葉岩吉
修史官	稻葉岩吉, 藤田亮策, 홍희
修史官補	촉탁 高橋琢二
서기	중추원 雇員 玄陽燮

98 朝鮮總督府朝鮮史編纂委員會, 『朝鮮史編修會事業槪要』, pp.1-2, p.27; 勅令第218號 '朝鮮史編修會官制', 官報3846號(1925년 6월 12일).
99 朝鮮總督府朝鮮史編修會, 『朝鮮史編修會事業槪要』, 1938.

1925년 6월

후지이藤井제약회사 사장 후지이 에이사브로藤井榮三郎는 다년간 동양의 고전古錢, 화폐貨幣를 수집했는데 무려 1만여 점에 달했다. 이것을 모두 도쿄제국대학에 기증을 했다. 이 속에는 우리나라 건원중보乾元重寶를 비롯한 고전도 상당히 많이 포함되어 있다.[100]

아산군청 금고에서 유물 발견

1925년 6월 4일자 충남 온양경찰서장이 조선총독에게 보낸 '고적유물 발견에 관한 건'에 의하면, 아산군청 금고에서 아미타여래금불(고 3촌의 입상 1체), 동제불상안치궤, 초자硝子파편이 발견되었다.

이 유물들은 충남 아산군 신창면 읍내리에 있던 탑 내에서 출토되어 아산군청 금고에 격납한 것으로 발견연월일 및 사실상황에 대해 하등의 증거기록이 남아 있지 않았다.

아산군청 직원 요코이 도키오橫井時雄의 증언에 의하면 1920년 봄 당지에 온양온천주식회사로부터 온천공원의 신설을 기획할 때 아산군 신창면 읍내리 소재의 고탑은 약 1천년 이상 경과한 유적으로 고가라 하여 그대로 방치해 두면 자연 도난 분실될 염려가 있어 이에 공원에 이치하여 보관을 하면 도난의 염려도

---

100 「近時片片」, 『中央史壇』 제11권 1호, 1925년 7월. p.105.

없고 공원은 한층 풍취를 더하는 이익이 있다하여 공원으로 이치하게 되었다. 온양온천주식회사 중역이 본부에 출두하여 이 석탑의 이치移置의 승인을 얻어 정사庭師 후쿠시마福島 모의 지휘 하에 탑(4중탑)의 이치 작업 중에 내부에 안치한 것을 발견한 것으로, 정사 후쿠시마는 직접 이를 경찰서에 신고하고 발견품을 제출했다. 당시 경찰서장 이노우에井上修는 군청에 인도하는 것이 지당하다고 하여 군청에 인계를 했는데 군청에서는 하등의 수속을 밟지 않고 보관하여 현재에 이르게 된 것이라고 한다. 최근에 이것을 발견하여 보고하게 된 것이다.[101]

이 유물에 대해『박물관진열품도감』제9집(1937)에는 '은제석가여래입상 및 청동제통형용기'를 싣고 있다. "1920년 봄 충청남도 아산군 신창면 읍내리에서 한 석탑을 이건할 때 내부로부터 석가여래입상 1구와 2개의 청동제원통합 1조 및 녹색의 파리제소병파편이 발견" 된 것이라고 설명을 하고,[102] 불상은 은제로

은제석가여래입상 및 청동제통형용기

---

101 『국립중앙박물관 소장 조선총독부박물관 공문서』, 목록번호 : 97-발견07.
102 朝鮮總督府博物館,『博物館陳列品圖鑑』제9집, 1937.

소위 신라불의 양식을 가지고 있으며, 출현 당시의 상태는 불명이나 불상과 소병은 이 합내에 장치되었던 것으로 보인다.

구 경모궁(景慕宮)에 옮겨졌던 영희궁이 헐리다

1899년 8월에 사도세자를 장종莊宗으로 존호를 올리면서 경모궁에 있던 장종의 신위를 종묘宗廟로 옮기게 되자 경모궁은 그 기능을 잃게 되었다. 이로 인해 1900년에는 경모궁 터에 태조, 세조, 성종, 숙종, 영조, 순조의 6성조 어진을 봉안하던 곳인 영희전永禧殿을 옮겨 세웠다. 그 후 선원전의 실화로 어진이 소실되자, 영희전에 봉안한 어진을 1908년 11월에 선원전으로 옮겨졌다.[103]

그 뒤 일제강점 후 구 경모궁 일대에 경성제국대학이 세워지면서 원래의 모

경모궁(한국사데이타베이스 사진유리필름자료)

---

103 『皇城新聞』1908년 11월 27일자.

습을 대부분 잃어버렸고, 일부
의 건물은 대학병원의 간호사의
기숙사로 사용하기도 했다.[104]

헐려가는 영희전(『동아일보』1925년 6월 21일자)

구 경모궁에 옮겨졌던 영희전
은 1925년에 와서 완전히 헐리게
된다.『동아일보』1925년 6월 25
일자에는 헐려가는 영희전 사진과 함께 영희전이 헐리고 있다는 기사는 보이나
그 건축 자재는 어디로 가는 지에 대해서는 언급하지 않고 있다.

1925년의 영희전 일대의 모습(유리건판)

104　長野末喜,『京城の面影』, 內外事情社, 1932.

1925년 7월 5일

유람객이 고적파괴 경주 분황사 북향석문을

7월 5일 청년 남녀 5, 6인이 경주 분황사에 구경을 왔다가 '개폐금지'라는 패가 있음에도 불구하고 9층탑 석문을 함부로 열다가 북향석문 1매를 파손하였다.[105]

1925년 7월

도쿄대학에서 구입한 아가와(阿川)문고본

『동경제국대학 부속도서관 복흥첩復興帖』(1930)에 의하면, 1923년 대지진으로 도쿄대학부속도서관의 장서 대부분이 불타버리고 6년이 경과했다. 그간에 도서관을 새로 신축하고 이에 부흥 사업이 완료를 보고함에 있어 새로 구입한 서적을 열거하고 있는데, "도쿠가와德川 후작이 본 대학 총장을 방문하여 장서 10만 권의 남규문고南葵文庫를 기증했으며, 조남작趙男爵 소장 조선본朝鮮本 및 한적漢籍 책 수 3,000과 아가와 시게로阿川重郎 소장 조선고판본朝鮮古版本 책 수 5,000을 구입했다"고 한다.

아가와문고본阿川文庫本은 원 소유자 아가와 시게로阿川重郎으로부터 구입한 것으로 『조선본아천목록朝鮮本阿川目錄』에 의하면 1,207부 4,908책으로 기재되어

---

105 『每日申報』 1925년 9월 5일자.

있다. 그 중에는 상당수가 귀중서가 포함되어 있다.

아가와문고는 1924년에 부속도서관이 아가와로부터 구입했다고 하나, 공식적으로는 『조선본아천목록朝鮮本阿川目錄』의 말미에 "대정14년大正十四年 이케우치池内 교수에 의해 아가와 시게로阿川重郎씨로부터 구입, 임시 남규문고南葵文庫에 치置" 했다고 밝히고 있다.

아가와문고가 도쿄대학의 소유로 돌아간 것은 도쿄대학 문학부 조선사강좌 교수로 있던 이케우치 히로시池内宏(1878~1952)의 역할이 컸다. 이와 관련하여 '도쿄대학 문학부교수회 결의안'에도 잘 나타나 있다.

1925년 5월 27일에 개최한 도쿄대학문학부교수회의 석상에서 하쓰토리 우노키치服部卯之吉 학부장이 제의한 「산구현 아가와 씨 소장의 조선도서(1,500부 가격 약 2萬円 구입의 건」이 심의에 붙여져, 동양사학과의 이케우치 히로시池内宏 교수가 내용을 설명하고, 아가와와의 교섭은 이케우치 교수가 일임一任하는 것으로 의결했다.[106]

이케우치는 아가와와 수회의 접촉을 거쳐, 7월 8일의 교수회에서 '이케우치 히로시 교수에게 일임한 조선서물 구입의 건'의 교섭 결과는 '구입함'으로 결정했다고 하쓰토리 학부장이 보고하였다. 전체량은 약 5천책 가격은 2만 1천 엔이었다. 이케우치는 아가와 댁을 출입하면서 아가와문고의 전모를 파악하고 있었으며 이를 교수회에서 설명을 하여 구입할 수 있도록 설득을 한 것이다. 구입비 2만 1천 엔은 1923년 9월 1일 일어난 대지진으로 인한 피해 부흥자금復興資金에서 지출하였다.

---

106 吉田光男, 「阿川文庫の成立とその性格」, 『朝鮮文化研究』 第5號, 東京大學文學部朝鮮文化研究室, 1998.

아가와문고는 1925년에 도쿄대학 문학부의 소유가 되었으나, 『아가와가목록阿川家目錄』(도쿄대에서 구입 전 아가와가에서 작성한 목록)의 도쿄대학도서관기증수입의 인印은 '大正十三年'으로 날인되어 있는데, 이는 당시 대지진 후 혼란기로서 전후 수년간 수입본受入本은 모두 '大正十三年'의 도장이 찍혀 있어 오해된 것이라고 한다.

아가와보부터의 구입본은 종합노서관에 배가配架되기 전에 『조선본아전목록』에 기입된 것처럼 임시 남규문고南葵文庫에 치했다는 것은, 당시 도서관이 복구공사 중이었기 때문에 임시로 남규문고에 보관했다고 한다. 아가와문고본에는 내사기內賜記가 있는 것이 26부가 있는데 내사본內賜本 중에는 김병덕金炳德, 김흥근金興根, 김현근金賢根, 이곤수李崑秀, 이돈우李敦宇, 화유옹주和柔翁主, 바종호朴宗鎬, 이승오李承五, 이시수李時秀, 홍희영洪喜榮, 정모鄭某, 이돈익李敦翼 등의 이름이 보인다고 한다.

아가와문고의 서목은 『조선문화연구』 제5호에 실려 있다.

도서명	수량	편찬자	간년
華城城役儀軌	2책		
家禮	2책	朱熹	1658년
御製自省編	1책	洪鳳漢 等	1746

이하생략. 그 서목은 『朝鮮文化研究』 第5號(東京大學文學部朝鮮文化研究室, 1998)에 실려 있음

* 아가와 시게로(阿川重郎)

아가와 시게로는 1870년 야마구치山口 생으로 1897년 도쿄제국대학 공과대학 토목공학과를 졸업했다. 졸업 후 북해도탄광철도주식회사 기사로 입사하여 근무하다가 1902년에 사퇴하고, 조선에 건너와 한성(서울)에서 토목청부회사 아천조阿川組를 창립했다. 대한제국기에는 경부철도, 남만주철도회사, 육군철도감부, 한

국통감부철도국으로부터 수주를 받아 각종 공
사에 가담했으며, 1904년에는 경의선 건설공
사에 가담하여 사업이 순조롭게 발전해 갔다.
1910년 이후에는 조선총독부, 동양척식회사, 남
만주철도회사의 지정으로 철도건설을 중심으로
관영, 반관영의 대토목공사를 맡아 활약했다.

『(조선연구회 3주년기념)조선』(1913)
에 게재된 아가와의 토목청부회사 광고

1921년을 전후하여 고향 야마구치로 돌아
가(조선에 있는 회사는 그대로 유지한 것으로
보인다)고향에서 장기요양을 하는 동안 부사
장이 운영했다고 한다. 1923년 3월에는 아가
와를 회장으로 하여 출자사원 8명, 자본금 80
만 엔으로 합명회사를 조직하기에 이른다. 아천조는 경성부 욱정 1정목(현 서
울특별시 중구 회현동 1가)의 아가와 시계로 저택에 본사옥을 두었다. 합명회
사화 이후에는 만주국 각지에 출장소를 설치하여 그 활동범위를 확대해 갔다.
1935년에는 조선병합25주년 공로자로 선정되기도 했다.

아가와는 서화골동에 조예가 깊고 조선고서에도 조예가 깊어 계통적으로
수집을 했다. 그의 구입은 일괄 구입한 건이 수회 있었으나 거의 불명이다. 아
가와는 아유카이 후사노신鮎貝房之進과 교우를 하면서 한국도자기에 대한 감식
안을 키워 우수한 도자기를 많이 수장하였으며 1922년에 창설한 주식회사 경
성미술구락부 창설자이기도 하다.

그의 수집품은 일찍부터 유명하여『조선고적도보』에는 다음과 같은 것이 수
록되어 있다.

품명	소장처 및 소장자	출처	비고
靑瓷彫刻白星點猿猴附小壺	阿川重郎	古蹟圖譜 8권, 3457	 고려
靑瓷陽刻唐草文壺	阿川重郎	古蹟圖譜 8권, 3500	 고려
白瓷陽刻草花文蓋壺	阿川重郎	古蹟圖譜 8권, 3549	 고려
靑瓷象嵌雲鶴文合子	阿川重郎	古蹟圖譜 8권, 3658	 고려

품명	소장처 및 소장자	출처	비고
靑瓷象嵌牧丹文油壺	阿川重郞	古蹟圖譜 8권, 3669	 고려
靑瓷象嵌菊花星點文油壺	阿川重郞	古蹟圖譜 8권, 3672	 고려
黑釉白繪唐草文瓶	阿川重郞	古蹟圖譜 8권, 3689 野守健1944, p55, 揷圖52	 1940년 보물로 지정 해방 후 국보 제372호로 지정되었으나 장석구가 일본으로 반출, 현재 安宅컬렉션에 포함

품명	소장처 및 소장자	출처	비고
青瓷詩銘蒲柳文酒瓶	阿川重郎	古蹟圖譜 8권, 3694	고려
彫三島盌	阿川重郎	古蹟圖譜 15권, 6105	조선
象嵌三島草花文廣口壺	阿川重郎	古蹟圖譜 15권, 6111	조선
象嵌三島水滴	阿川重郎	古蹟圖譜 15권, 6138	조선
三島手盌	阿川重郎	古蹟圖譜 15권, 6156	조선

품명	소장처 및 소장자	출처	비고
申鈺肖像(金振汝 等 筆)	阿川重郎	古蹟圖譜 14권, 6064	(image) 조선

아가와 시계로가 소장하였던 흑유백회당초문매병은 『조선고적도보』 제8권
(1928)에 도판 3689번으로 수록되어 있으며 '阿川重郎 藏' 으로 기록하고 있다.
노모리 겐野守健의 「고려시대 고분출토의 철채수」에 수록된 도판에도 '경성 阿川
重郎 씨 장'으로 기록하고 있다.

이 '흑유백회당초문매병'은 당시만 해도 조
선보물로 지정된 것으로 해방 직전에 장석구
가 구입하였다. 해방 이후 국보 제372호에 지
정되었다. 장석구는 한 때 경제적인 어려움에
직면하자 국보 제372호를 비롯한 10여점의 고
미술품을 담보로 박태식 씨라는 사람에게 돈
을 빌리고 오래 동안 원금은 물론이고 이자도
갚지 않아 상당기간 박태식이 보관하고 있었
다. 그래서 1950년 4월에 국립박물관 주최로
개최한 '건국기념국보전시회'에는 '흑유백회당
초문매병'(당시 국보 제372호)이 박태식 명의

흑유백회당초문매병
높이 28센치

로 출품되었다. 1959년 문교부에서 발간한 『국보도록』에는 '서울 박태식 씨 소장'으로 하여 "이러한 철채청자기류는 그 수가 매우 드물며 이 작품은 이 중에서도 뛰어난 작품이라 할 수 있다. 이에 유사한 작품 파편이 강진군 대구면 요지에서 발견되고 있는 것으로 보아 아마도 대구면요에서 생산된 것으로 보여 지나 출토지는 전해지지 않았으며 이 병은 원래 아가와 시게로阿川重郎가 소장하고 있던 것을 현소장자가 8·15 이래 이관 소장한 것이다"라고 해설하고 있다.

그 후 어떻게 된 것인지 1956년경에 일본에 있던 장석구가 한국에 건너와 박태식에게 담보로 맡겼던 국보 제372호를 포함한 10여 점을 찾아 일본으로 반출하였다. 이 '흑유백회당초문매병'은 현재 아타카컬렉션에 들어가 있다.[107]

1925년 8월 24일

함경남도 이원군 동면 흥복사 말사 백련암白蓮庵, 내원암內院庵을 폐지하다.[108]

107 佐佐木兆治,『京城美術俱樂部創業20年記念誌』, 株式會社 京城美術俱樂部, 1942; 朝鮮公論社 編纂,『在朝鮮內地人紳士名鑑』, 朝鮮公論社, 1917;『京城の內地人』'業種別'條, 1910; 美術研究所,『日本美術年鑑(1941)』, 1942; 吉田光男,「阿川文庫の成立とその性格」『朝鮮文化研究』第5號, 東京大學文學部朝鮮文化研究室, 1998; 東京帝國大學,『東京帝國大學 附屬圖書館 復興帖』, 1930, p.14; 野守健,「高麗時代 古墳出土の鐵彩手」,『陶磁』제12권 제1호, 東洋陶瓷研究所, 1940년 4월;『朝鮮在住內地人實業家人名辭典』, 朝鮮實業新聞社, 1913.
108 『朝鮮總督府官報』1925년 8월 24일자.

1925년 8월

헐리는 순천의 연자루(燕子樓)

연자루는 원래는 순천읍성 남문루였다. 1909년 근대화 물결로 읍성이 헐리기 시작하면서 1925년 8월에 순천의 역사 깊은 연자루도 순천시가 정비로 인해 헐리게 되었다.『동아일보』1925년 8월 5일자에는 다음과 같은 기사가 있다.

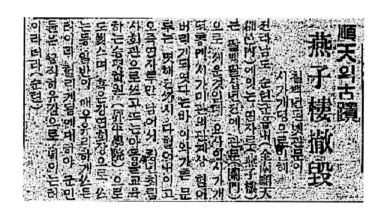

순천의 고적 연자루 철훼

전남 순천군 읍내에 있는 연자루는 관문으로 세운 것인데 요즈음 시가개정 통에 시가 미관상 헐어버리게 되었다는 바 이와 같은 문루는 몇 해 전까지 다 헐어내고 오직 연자루燕子樓만 남아서 사회관으로 쓰고, 아동을 교육하는 승평학원昇平學院으로도 사용했으며 혹은 강연회장으로 사용하는 등 일반이 매우 유용하게 사용하던 터인데 헐리게 됨에 대하여 군민들은 끔찍이 유감으로 여기는 터이라더라.

순천읍성과 연자루(국립중앙박물관 소장 건판, 1914년 鳥居龍藏 일행이 촬영)

순천시 자료에는 1909년에 이병휘 군수가 부임하여 성곽을 철거하기 시작하여 1916년에 헐었다고 하며,『신증동국여지승람』순천도호부 누정조를 보면, "관풍루觀風樓, 망경루望京樓, 주변루籌邊樓 모두 읍내이다. 연자루는 옥천가에 있다"고 하나 연자루를 제외한 나머지는 이미 사라진 상태로 있다가 1925년에는 마지막 남은 건물 연자루도 헐리게 된 것이다.

1914년 제4회 사료조사에서 도리이 류조鳥居龍藏 일행이 촬영한 연자루 일대의 모습을 담은 사진이 있다. 위쪽의 우뚝한 건물이 연자루이다. 연자루 앞의 개천이 옥천玉川이고 그 위의 다리가 옥천교이다.

서거정의 시에 "작아령鵲兒嶺 밖에 한 오수獒樹[109]가 있고 연자루 앞에 팔마비

---

109 『개벽』제64호(1925년 12월)에 실린 「獒樹驛의 유래」에서 獒樹에 대해 다음과 같이 설명하고 있다.
　　任實과 南原 통행 街道에 獒樹驛이 잇스니 (今 任實郡-원문) 其 年代는 未詳하나 居寧 (任實古號-원문) 縣人 金盖仁이 愛犬이 잇섯는데 一日에 시장에 갓다가 歸路에 도중에

八馬碑가 있다"(『신증동국여지승람』)라는 것으로 보아, 지금은 서로 멀리 떨어져 있지만 연자루와 팔마비는 서로 가까이에 있었던 것이다.

『신증동국여지승람』에,

연자루 : 옛날에는 성 남쪽 옥천 위에 있었으며 물을 걸쳐 다리를 놓았는데 지금은 누는 없어지고 다리만 남아 있어, 지금까지 연자루라 일컫는다. 옛날 태수 손억孫億이 관기官妓 호호好好를 사랑했는데 뒤에 안부按部: 관찰사)가 되어 다시 가 본즉, 호호는 이미 늙어 있었다. 통판通判 장일이 시를 짓기를, "서리와 달 처량한 연자루, 낭관郎官 한 번 가자 꿈만 유유하였네. 당시에 같은 자리 앉았던 손을 늙었다고 혐의하지 마소. 누 위의 가인도 역시 머리가 세었네" 하였다.

장일(1207~1276)의 시는 이수광李睟光(1563~1628)의 『지봉유설芝峯類說』에도 전해지는바, "승평昇平은 지금의 순천부順天府이다. 장일이 일찍이 이 고을의 판관이 되었을 때다. 태수 손억孫億이 관기 호호好好를 귀여워하였다. 장일이 부사로 거듭 왔을 때에 호호도 이미 늙어 있었으므로 이렇게 말한 것이다. '낭관郎官'은 손억(1214~1259)을 가리킨 것이다" 라고 하고 있다.

醉臥하얏더니 마참 山火가 襲來하야 盖仁이 燒死할 還에 至한 바 其犬이 川에 往하야 尾毛로 水를 霑來하야 火를 防하고 氣盡하야 死하얏다. 盖仁이 醒覺한 후 其 사실을 知하고 義에 感하야 犬을 厚葬하고 杖을 植하야 標하얏더니 異常이도 其 杖이 芽葉이 生하야 遂히 獒樹라 名하고 自此로 其驛도 亦 獒樹驛이라 名하얏스니 徐四佳順天鷰子 樓 詩에 鵲兒嶺 外 一獒樹가 卽 是다.

고려 때의 건물인 연자루는 처음 건축한 시기는 알 수 없으나 그 명성은 바로 장일張鎰의 '제승평연자루시題昇平燕子樓詩'에서 유래한다. 『신증동국여지승람』이 완성된 1530년 이전에 이미 누가 없어지고 그 후 다시 지었던 것은 정유재란으로 소실되었다가 1619년에 중건하였으며 그 후에도 수 차 중수를 거듭하였다. 연자루는 호호의 이야기도 유명하지만 본래 남문 옥천교 가에 위치해 그 경치가 아주 뛰어나 많은 문장가들이 시를 남기기도 했다.

이 같은 유서 깊은 연자루도 근대화 물결에 견디어 내지 못했다. 1909년부터 성벽이 헐리기 시작하고 1914년에 연자루도 위기를 맞게 되었으나 모면을 하고 청년회에서 이를 관리하다가 결국 1925년 8월에 헐리게 되었다. 연자루가 헐리고 2년이 지나 1927년 12월에 순천의 한태선韓泰善이란 사람이 『동아일보』에 「순천의 연자루」라는 제하의 글을 기고하여 게재하였다. 이 글은 사라진 연자루를 애석하게 생각하여 이글을 기고했는데, 연자루의 유래와 읍의 남문 진남루가 연자루로 간판이 바뀌게 된 내막, 특히 연자루가 헐린 과정 등을 비교적 소상히 기술하고 있어 중요한 참고가 되는 것으로 그 전문을 옮기면 다음과 같다.

순천의 연자루(1)

기생 호호의 절개가 인연

전남 순천에 연자루라고 하면 인근 동리에서 모르지 않는 육백여년이라는 긴 역사를 가지고 홀로 순천을 대표하여 가진 풍상을 다 겪은 듯이 노쇠한 철학자처럼 벼맘 남은 기상이 그래도 늠름하게 오고가는 행객의 발걸음을 대조하고 있다. 그리다가 불행히도 시구개정이라는 조건하에 최후의 운명을 마치고 말았으며 육백여년을 벗을 삼아 기운좋게 흐르던 옥천수는 춘풍추우 수삼 년을 옛 벗을 찾는 듯이 지둔遲鈍이도 흐르고 있다.

그러나 유감천만한 일은 이 연자루의 역대가 미상한 것이다. 여하간 고려중 엽의 건물이라는 것만 사실이다. 46년 전에 김윤식金允植 씨가 순천부사로 오셨을 때에 중창을 한 후에 연대가 미상함으로 고야姑也라 하고 말았다 한다. 여하간 고대의 건물인 동시에 바로 말하면 썩 잘 지은 집이다. 수년 전에 서양 선교사가 이 연자루를 사진 박아가지고 갔더니 어떤 고물상 주인이 조선 돈 6백 원에 팔으라는 것을 지금은 이 집이 없어졌으므로 자기도 귀한 물건으로 안다고 하여 팔지 아니하였다고 직접 기자의 귀로 들은 일도 있다.

순천의 연자루를 소개하려면 먼 저 중국 서주徐州 땅에 있는 연자루를 알 필요가 있다. 이 서주 땅에는 관반반關盼盼이라는 이름 높은 기생이 있었으니 그의 월태화용은 당시 풍류랑의 정신을 황홀하게 하였으니 누구나 그의 웃음을 사기에는 자기의 생명까지도 돌아보지 아니하였다고 한다. 그때에 서주자사로 장씨라고 하는 사람이 오게 되니 관반반의 웃음을 독점하게 되었다. 이때의 관반반은 자기의 일생을 장자사에게 의탁하기로 굳은 약속을 하였지만 단꿈이 삼년을 넘기지 못하여 자사는 벼슬이 높아 내직으로 돌아갈 제 춘향이와 이도령만 연상하면 충분히 관반반의 서름을 짐작할 수가 있을 것이다. 그러나 한 가지 곧 데려간다는 바람결 같은 말만 믿고 화조월석에 간장이 사라지는 눈물만 흘리면서 오늘이나 내일이나 그날그날을 안타까이 도구공방에 철석같은 절개를 지키어 올 때 무정한 세월은 관반반의 홍안을 여지없이 씻어가고 말았다. 옛날의 달콤하던 사랑을 연모하며 무정한 장자사를 원망도 하다가 오히려 자기의 박복함을 한탄할 때에 뜻밖에도 하루는 한 제비白燕가 날아와서 관반반의 비애를 동성하는 듯 자기도 고적하다는 뜻을 하소연하는 듯 처마에서 지저귀다가 실내로 들어오니 하도 이상하여 제비를 어루만져 주었더니 달이 가고 해가 가도 제비는 가지 않고 관반반의 유일한 벗이 되고 말았다. 그러자니 말 못하는 날짐승에게 지만 자기의 과거를 몇 번이나 하소연 하였으랴 청춘의 꽃다운 얼굴도 흔적 없이 사라지고 백발의 기력도 쇠잔타 못하여 죽음의 길을 밟을 때에 제비 역시 간반반의 품에 안기어 최후를 마치고 말았다. 이러한 소식이 서주 땅에 전파되매 관반반을 욕하며 시기하던 사람들도 하늘이 낸 열녀라고 칭찬하여 열녀문을 지어 주었다. 그리고 열녀문을 연자루라고 이름 지었다고 한다(『동아일보』 1927년 12월 20일자).

순천의 연자루(2)

이것은 중원의 옛 이야기이지마는 고금동서에 기이奇異한 인연은 육백여년 전 순천에다가 호호好好라는 기생을 내었다. 당시 고려조에 손억孫億이라는 태수가 승주昇州(順天의 古名)에 도임한 후 호호라는 기생을 수청 들려 삼년이란 시일을 사랑하다가 그 역시 떠나게 되었으니 예나이제나 기생의 풍기야 같은 것이다. 열 사나이마다 할 배 없으니 손태수가 떠났은들 호호의 애인이 없을 배 아니지마는 손태수를 작별한 호호는 기생의 몸을 빠져 읍으로부터 5리나 되는 고지古旨늘라는 동리에 한 칸 초옥을 의지하여 수절을 하여왔다. 그 후 20년을 지나 손태수는 감사로 순시의 길에 승주에 들리게 되니 진남루鎭南樓에 연석을 배설하고 주객이 열좌하여 취흥이 도도하던 중 손감사는 는 20여 년 전 호호로 더불어 이 진남루에 즐기던 일을 잊을 수가 있으랴. 옛 보던 그 집 옛 보던 그 친구는 그대로 있다마는 당시의 애인 호호는 지금에 살았는지 죽었는지 궁금하여 좌중에 물어보았다.

참이냐 거짓이냐 손태수 떠난 후에 고지라는 동리에서 수절을 하고 있다는 말을 들으니 자기의 무정함을 뉘우친 동시에 호호의 불쌍함을 동정하여 곧 사륜교를 보내어 실어온 후 손목을 마주잡아 인도하고 보니 생활고에 얽매인 주름살은 손감사의 옛사랑을 동정하게 하였다. 더욱더욱 솟아나는 가엽은 생각에 과거의 자기의 무정함을 사과하고 같이 떠나기를 무수히 간청하였으나 호호는 끝내 사양하며 박복하 자기 몸을 불시에 영귀한 자리로 옮긴다는 것은 오히려 죄를 받을지 모르오니 첩의 싫어하는 바를 권치 말으소서 하고 물러갔다. 그때 장통판張通判이 글 한 수를 지어 현판에 새기니

상월처량연자루 낭관일거몽유유霜月凄凉燕子樓 郎官一去夢悠悠

당시좌객휴혐로 누상가인역백두當時座客休嫌老 樓上佳人亦白頭

이 일이 끝난 지 수백 년 후이다. 조종현趙宗鉉이라는 이가 승주부사로 왔을 때에 진남루의 현판에 장통판의 글을 보았다. 그뿐 아니라 관반반이나 호호를 연상하는 글이 많이 붙음을 보고 곡절을 물으니 좌중이 호호의 절행節行을 칭찬하며 일일이 전설을 이야기 하였다. 이 말을 들은 조부사는 곧 진남루라는 간판을 뗀 후에 자기 손으로 연자루라고 쓰고 그 밑으로 칠십안사 조종현 서七十按使 趙宗鉉 書라고 썼다. 순천남문 진남루가 연자루가 된 것은 이러한 경로가 있었거니와 이제 흔적 없이 사라졌음에야 근대에 있던 사실까지 기록해 둘 필요를 느끼었다. 그는 다름이 아니라 대정 3년도(1914) 성벽을 헐면서 연자루까지 뜯으려고 할 제 순천의 산 역사이

며 조선의 시인 난파蘭波 김효찬金孝燦 씨가 순천 유일한 고적인 이 집을 헐어서는 안된다는 항의도 한 후 유림儒林단으로 남국사南菊社를 조직하여 동경 내무성에 대부허가를 얻게 되었다. 그 후 수년에 기미운동을 배경삼아 기세당당하게 일어나는 청년회가 연자루의 주인이 되었다. 그러나 뜯고야 말 관헌의 손이 청년회로부터 매수의 수속을 밟아 기어이 뜯고 보니 걸리었던 간판만은 전 부청년회가 보관 중에 있다고 한다. 그러나 연자루의 고적은 아끼지 아니해도 간판만은 알 필요를 느끼겠는지 도청으로부터 간판을 보내라는 명령이 자주 있는 모양이며 그 이유는 고물이니 도에서 보관하겠다는 것이다. 청년회로서는 우리 것이니 우리가 보관할 줄 안다고 거절하였다고 한다. 아 자취 없이 사라진 연자루를 위하여 전설이나마 기록해 두고자 한다(『동아일보』 1927년 12월 21일자).

연자루가 헐리게 된 가장 큰 이유는 1925년부터 시작된 시가개정계획에 따른 것이었다. 그런데 연자루가 헐리기 5개월 전인 1925년 3월 20일에 연자루 근처 중국인 상점에서 불이 나 중국인 상점과 일본인 상점을 전소시키고 한국인 한약방, 대서소 및 일반 가옥 한 채를 전소시켜 바로 옆에 있는 연자루까지 번질뻔 했다.[110] 화재를 입어 흉측한 연자루 주변의 모습은 연자루의 철거를 더욱 부추겼을 것으로 보인다.

연자루가 헐리고 5년 후에는 시가의 모습이 완전히 새롭게 변모하게 되는데 『매일신보』 1930년 5월 2일자의 「문화도시로 일변一變하는 순천시가의 건설」이라는 제하의 기사를 보면 대략 이해를 할 수 있을 것 같다.

---

110 『東亞日報』 1925년 3월 25일자.

문화도시로 일변—變하는 순천시가의 건설

근일 순천의 발전은 실로 급진적이고 장족적이다. 근근 개통을 보게 되는 남선철도는 방금 공사 착수 중에 있는 경전선국철 중앙에 위치를 갖게 된 순천의 발전은 무엇 무엇해도 급진적인 동시에 순천은 신흥기분에 활기가 있는 것은 의심치 못할 사실이다. 전조선 내에 그 류가 없다는 보통학교 교사는 오래전부터 있으나 시내 제일 중앙에 있는 호남은행양옥 앞에서 동외리東外里로 나가는 시가미市街美는 다시 말할 것도 없으나 지방법원 전 광로를 통하여 우편국과 신축낙성식을 어제 가져 마친 신군청사, 신축 중에 있는 동아부인상회의 3층양옥, 그새이로 근근 시내미市內美를 더할 상선구강과 동외리에 기지를 정한 신광원新光園, 예기 긴번藝妓昪番, 옥천교에서 전기회사에 가는 도로변은 경성의 진고개를 상상 아니 할 수 없을 만치 되고 공설시장의 번화, 승주금융조합의 위관 등 이상은 다만 건물을 중심으로 삼아 말할 것이나 자동차의 착발도수와 대수는 전선에도 이 숫자를 넘을 곳이 없다 한다. 1일 정기적으로 착발 수가 96회 대수는 63대 이것은 순천을 중심에 두고 여수, 광양, 진주를 경經하여 광주로 가는 것과 광천을 경하여 광주로 가는 그 선로 구례, 곡성 등 군내 각 면에 통하는 선로 등이다. <중략>

이상의 말한 급속도의 순천 발전의 개요는 순천 우리 사업가의 분수奮樹를 의미함이다.

연자루에 걸렸던 수많은 제시들은 후일 어떻게 되었는지 알 길 없으며, 1972년에 순천시 조곡동 죽도봉공원에 옛 연자루를 모방하여 새로 건축하고 연자루라 한다.

죽도봉공원의 연자루

경주 임해전지 훼손

1925년 8월에 경주 안압지 서에 있는 임해전지의 건조물 주위를 두르고 있었던 것으로 생각되는 석거石渠 일부가 표면에 노출되었다.

그 원인은 1925년 8월에 도쿄제국대학 농학부 하라原 임학박사가 일개인으로 신라시대의 정원을 연구하기 위해 경주에 와서 경주고적보존회나 본부고적조사계에 하등의 통첩도 없이 허가도 받지 않고 임해전지를 발굴하여 석가, 석조가 노출된 것이다. 『동아일보』1925년 8월 25일자에는 다음과 같은 기사가 있다.

고적 진품 발견, 음석으로 만든 도랑

고적을 연구하기 위하여 경상북도 경주군에 있는 일본제국대학 하라原 박

사는 지난 20일경에 경주읍 동편 안압지 부근에서 음석陰石으로 만든 길이
51칸 쯤 되는 도랑을 발견하였다는데 목하 군 당국에서 발굴하는 중이라
하며 그것은 고적 중에도 매우 진귀한 것이라더라.

이미 노출된 유물의 분실이 염려되어 총독부에서는 오바 쓰네키치小場恒吉를
파견하여 조사를 하였는데, 오바의 조사 복명서 내용은 다음과 같다.

"그런데 대정14(1925)년 8월 도쿄제국대학부
하라原 임학박사가 1개인으로 신라시대에 있
어서의 징원 연구를 위하여 경주에 내방함에
경주고적보존회는 본부고적조사계에 하등의
통첩도 발하지 않고 승인을 얻지 않고서 곧
동 박사의 조사에 대하여 인부 채금을 임급
하고 조금도 기술을 해치 못하는 1사무원에
명하여서 함부로 귀중한 전지殿址의 발굴조사
를 하여 석거石渠, 석조石槽를 노출케 하여 신
발견이라 칭하고 특히 지복석地覆石과 그 위
에 놓인 전과의 위치를 흩어 버려 연구 자료

조사 당시의 모습(小場恒吉 복명서)

를 잃게 함은 심히 유감으로 하는 바이다. 그런데 이것에 대하여 다시 매
몰 또 기타 적당한 정리 시설을 하지 않고 그대로 방치하여 둠은 수많은
귀중한 유적을 보유하는 경주의 장래에 관하여 이보다 더한 위험사는 없
을 것이며 유물의 연구 보존상 실로 한심하기 짝이 없는 일이다. 이와 같

이 그릇된 작업에 대하여서는 엄중히 취체하여 가하다고 믿는다."[111]

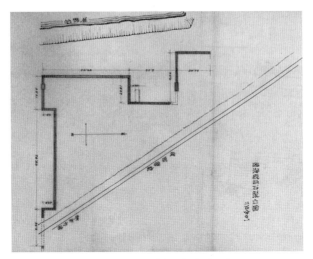

임해전지(臨海殿址) 석거도(石渠圖)

오바 쓰네키치가 조사할 당시에는 원 석거石渠의 일단—端은 철도선로를 위해 중단이 되었으며, 석재의 단면이 노출되어 3本의 石渠가 선로의 서측에서 발견되고 타의 일부는 지면에 수평으로 노출되어 있었다.[112]

임해전지는 조선총독부고시 제857호(조선총독부관보 제3825호 1939년 10월 18일)에 의하면 동양척식주식회사 소유로 되어 있다.

---

111 黃壽永 編,「日帝期 文化財 被害資料」,『考古美術資料 第22輯』(韓國美術史學會, 1973)
    에서 轉載.
112 「1925 경주 臨海殿址 石渠 조사 복명서(대정14년 9월 10일, 小場恒吉)」,『국립중앙박물
    관 소장 조선총독부박물관 공문서』, 목록번호 : 96-139.

1925년 9월 9일

제22회 고적조사위원회(1925년 9월 기안)

제22회 고적조사위원회를 생략하고 안건에 대한 의견을 구하기 위해 의안 '낙랑고분 발굴조사'를 회람하였다.

내용은 1925년 9월 2일자 도쿄제국대학총장이 조선총독에게 보낸 '고분발굴의 건'으로, 도쿄제국대학 문학부 고분 발굴 신청과 관련된 내용은 9월 9일자로 조건부 승인되었다.

1925년 9월 26일

도쿄제국대학 교수 핫토리 우노키치服部宇之吉, 동 구로이타 가쓰미黑板勝美, 교토제국대학 교수 나이토 코우지로內藤虎次郎가 조선사편수회 고문에 임명되다.[113]

1925년 9월

일본헌정회 특별분과위원회가 급격히 증가하는 일본인구 문제 타계책으로

---

113 『朝鮮總督府官報』1925년 9월 26일자.

일본인 1천만 명을 조선에 이주시키고, 그 대신 조선인을 그만큼 만주에 이주시키는데 대한 계획을 발표했다.[114]

경성 조계사로 이건하는 평양의 황건문(皇建門)

1902년에 평양에 이궁 풍경궁을 건설하기 시작했다. 그러나 1904년 러일전쟁이 발발하면서 일본군이 이곳을 점거하면서 공사는 중단할 수밖에 없었다.

공사는 이 이상 진행할 수도 없을 뿐만 아니라 이미 힘을 잃은 조정으로서는 유명무실한 궁이 되고 말았다. 이후 1907년에는 이곳에 병원이 들어서고 봉안하였던 어진도 덕수궁으로 옮기자 나중에는 정문인 황건문이 용도를 잃고 남아 있었다.

이렇게 되자 경성 대화정에 있는 조계사(현 동국대학 자리)의 요청에 의해 1925년 9월에 헐리어 조계사로 이건하게 되었다.

『매일신보』 1925년 9월 22일자에는 다음과 같은 기사가 있다.

이제로부터 이십년 전 일이다. 돌아가신 이태왕을 뫼시고 평양으로 가서 러시아와 손을 잡고 국세를 돌아잡아 보랴는 친로당親露黨들이 우선 임금의 드러앉으실 곳을 지어야 겠다고 급급히 공사를 비롯한 것이 평양의 이궁이다.이로 인하여 건축비는 전부 평양북도 백성의 부담으로 벼슬을 팔며 백성을 위협하여 이백만 냥의 큰돈을 끌어다가 제일착으로 세운 것이 황건문이

---

114 사회과학원 역사연구소, 『일제 조선침략 일지』, 사회과학출판사, 1973.

이전하는 황건문(『매일신보』 1925년 9월 22일자)

었다. 그러나 황건문을 세우자 즉시 일로전쟁이 일어나 친로당의 만든 계획
은 다 허사에 돌아가자, 이리 추월춘풍에 무료히 빈터만 지켜 오더니 요사이
에 와서 경성에 있는 조계사에서 황건문을 헐어다가 조계사 산문을 삼게 되
야 목하 이전공사에 착수 중이니 이로 인하여 평안도 백성들의 피와 목숨을
빼앗아서 세운 옛문도 평양을 떠나 새로운 세상을 구경하게 될 것이다.

이건한 후의 모습(『매일신보』 1925년 12월 13일자)

1925년 10월 8일

조선사편수회 제1차 위원회

1925년 9월 말로 일단 조직이 정비되어 10월 8일 제1차 위원회를 중추원에서 개최했다.

그동안의 경과보고와 다음 항목의 설명이 있었다.

1. 사료채방의 문제

2. 사료의 정리 문제

3. 편찬 준비

이번 위원회에서 조선사의 편찬계획을 수립한 바 그 구체적 계획안으로는 시대는 7시기로 구분하고 체재는 편년체, 기간은 10개년으로 하되 1926년부터 1927년까지 2개년은 사료수집, 1928년부터 1931년까지 4개년은 고본작성, 1933년까지 수정 완료할 것, 및 사료의 수집범위는 한국은 물론 중국, 일본의 자료를 망라할 것이라 했다.[115]

1925년 6월에 조선사편수회라는 독립관서가 만들어지고 이후 전개되는 과정이 조선사 편찬이 한국인이 아닌 일본인들의 주도 하에 모든 것이 행해지자 『동아일보』는 다음과 같은 논설을 내고 있다.

아사인수我史人修의 애애愛哀 (상)

---

115 『東亞日報』 1925년 10월 13일자; 朝鮮總督府朝鮮史編修會, 『朝鮮史編修會事業槪要』, 1938.

최후의 정신적 파산

<전략> 알기 쉬운 일례를 말하면 그네의 이른바 신공후神功後의 삼한三韓 정벌征伐이란 것은 이미 그네 자신의 진보한 역사가의 손에 위조 반설反設임을 변석辯析 논파論破된 것이었건마는 이것이 그네들의 국민성 배육培育의 자료가 됨은 상가인尙可忍이라 하고 그네만의 손에 선전된 이 자료가 아직 무식한 외국인의 몰비판 승인을 얻어 가져서 마치 조선이 옛날에도 일본에게 굴욕을 받은 일이 있었던 것처럼 통설됨은 어떻게 기막히는 원통寃通이냐. 또 이것이 최근 조선의 국가적 귀무歸無에 대한 포원抱寃 막신莫伸할 일대一大 숙업宿業처럼 선전됨은 과연 어떠한 비한悲恨이냐. 이것이 그대로 우리 자제의 과서課書에 들어서 없는 종 문서를 익지로 있는 것처럼 믿더라도 노력을 내어야 할 바에 없는 소비극笑悲劇이야 말은 하여 무엇하랴. 그런데 일본인의 손에 된 시방까지의 양 민족 관계의 기술이란 것이 대개 이 정도의 허망에 벗어 나는 것이 없음과 그것이 어느 정도만치 그대로 세인에게 신용되어 있음과 그렇거니 지렇거니 당자인 조선인은 도무지 무관심 불용의로만 지나감을 볼 때 마다 역사가 바르게나 비뚤게나 똑같이 큰 능률의 임자임을 아는 우리의 눈에는 남 모르게 뜨거운 눈물이 마를 수 없다(『동아일보』 1925년 10월 21일자).

아사인수我史人修의 애哀 (하)

최후의 정신적 파산

조선 사람의 내버리는 조선의 역사는 다시 한번 일본인의 주어가는 바 되며 이번에 새로이 조선사편찬에 관한 관서가 생기고 이원吏員이 나고 어렵다는 재정에서 80만원이란 적지 않은 돈이 이리로 찢기고 조급한 성미에 10년 가까운 세월을 이 일에 허비하겠다 하고 그 일에 당 한다는 사람은 여내 성명을 발하여 이번에야말로 무슨 목적을 위하는 고의故意의 곡필曲筆을 아니하겠음을 세간에서 약하는 것이 마치 시방까지는 곧잘 그런 일한 것을 자참自慚하는 것 같은 등 서두르는 품이 적지 아니하다. 미상불 이번 일이 전에 비하면 얼 만큼 정직한 동기에서 나온듯 하지 않음도 아니나 아무리 그네가 지선至善을 다한다 하여도 남의 손에 되는 일이 내게 따뜻하기를 바람은 바라는 이가 도리어 억지일 것이요, 이러니저러니 해도 그네가 또한 일본인 임을 기억하지 않을 수 없으니까 그저 그런대로의 굿이나 본다 할 밖에 아직 다른 말을 할 것은 없다. 다만 우리 역사를 가지고 남이 무슨 북새를 놓던지 임자되시는 조선인은 일향一向으로 분연憤然하시며 흐리멍텅하기만 하고 요만한 자극刺戟과 감분感奮이 없으신 꼴을 보고는 조선인이 이미 최후의 정신적 파산까지 하려는 것 아니신가를 염려스럽게 생각할 뿐이다(『동아일보』1925년 10월 22일자).

한국 고지도 전람회

10월 8일 조선사 편수회에서는 10월 8일부터 사흘 동안 개최할 위원회를 계기로 총독부 학무과 분실, 이왕직박물관 등에 소장하고 있던 고지도와 민간이 소장하고 있는 조선의 고지도를 모아 전람회를 가졌다.[116]

---

116 『新韓民報』1925년 10월 29일자.

1925년 10월 18일

세키노 타다시는 10월 18일부터 부석사를 조사하고, 김천으로 와 20일 김천 청암사에 소장한 불화 등을 시찰하고 21일에는 김천 교외의 직지사를 시찰 조사하다.[117] 다음과 같은 관련 기사가 있다.

세키노關野 박사 입성, 고구려 왕궁지의 조사연구를 위하여

평양에 재한 고구려왕성의 성지를 연구하기 위하여 세키노 박사는 9월 22일 아침 부산에 상륙하여 즉시 북행하였는데 경성에 1주일가량 체재한 후 병양으로 향하여 고구려성자를 탐探하고 귀도에 다시 태백산 부석사에 잔존한 고적을 연구한 후 동경으로 돌아갈 예성인데 차중에서 씨는 말하되 "태백산 부석사는 고려말조의 조선 고건축물 중 가장 큰 것으로 유명하며 더욱 무량수전은 약 650년 전의 건축물이나. 조사당은 500년 전의 건축으로 모두 조선 고유의 건물이며 벽화는 또한 조선 최고의 벽화이다. 이것은 조선재래의 것으로 지나류가 아니요 진귀하게 중보로서 나타나게 된 것이다. 이러한 등의 보존에 대하여는 하등의 방법도 아직 강구치 아니하였으므로 목하 문부성 촉탁 쓰치이土井正男 씨가 조사 중이며 고물보존법에 의하여 보존을 강구할 터이다" 라고 했다.[118]

---

117 『京城日報』 1925년 10월 25일가.
118 『每日申報』 1925년 9월 23일자.

『매일신보』 1925년 10월 27일자

1925년 10월 24일

불국사 중수 경찬회

1918년 10월부터 1925년까지 8개 년 간 4만 8천여 원을 쏟아 중수하던 경주 불국사는 금년 9월 하순에 공기를 마치고 10월 24일 중수경찬회를 가졌다.[119]

1925년 10월 26일

평남 순천의 고적 답사

10월 26일 조선사편수회 수사관 이나바 이와키치稻葉岩吉와 고가古賀 용산중학교 교유, 도리카이鳥飼 평양중학교 교장, 이다쿠라板倉 평양여학교 교유가 평안남도 순천군 선소면 용암리에 있는 왕묘 및 전정적殿庭跡과 북창면 북창리에 있는 고분 등을 답사했다.[120]

---

119 『每日申報』 1925년 10월 27일자.
120 『每日申報』 1925년 10월 31일자.

1925년 10월

석암리 제205호분(王旰墓) 발굴과 반출
발굴계기

1924년 이후 재정긴축으로 인해 고적조사과가 폐지되고 고적조사사업은 어려움에 직면하게 된다. 1925년에 이 같은 국내 사정을 파악한 도쿄대학의 구로이타黑板, 무라가와村川 양 교수의 발의에 의해 그들 사학회사업史學會事業(나중에 문학부사업)으로 일본 호소가와가細川家의 자금을 도움 받아 낙랑고분의 발굴을 요정해 왔다. 이때 그들의 명분은 낙랑유물의 수많은 중요한 자료가 땅속에 있으나 학술적 조사를 경유한 것은 겨우 수십 기에 불과하고 대부분은 우연히 또는 도굴에 의하여 세간에 전완傳玩되기에 이르러 한갓 골동물骨董物로서 학술적 가치를 멸살滅殺시키고 있다.[121] 때문에 학술적 조사가 필요하다는 것이다.

그 직접적 동기에 대해 후지타 료사쿠는 "1924년에 낙랑고분에서 기년명의 칠기가 발견된 것" 이라고 한다. 1924년의 낙랑고분 발굴을 보면, 석암리 제200호분, 석암리 제194호분 등의 낙랑고분 발굴 조사에서 각종 기년명의 칠기가 출토되었다.[122] 후지타의 이야기는 이에 자극을 받아 기년명의 칠기 발굴에 대한 욕심에서 시작되었다는 것이다. 그리고 발굴 주체가 사학회 사업에서 도쿄대학 문학부 사업으로 바뀐데 대해서는 1925년 봄에 구로이타 박사가 조선총독부 고적

---

121 『樂浪』第1章 '序說', 東京帝國大學 文學部, 1930

122　濱田耕作, 『考古學研究』, 座右實刊行會, 1939, p.306; 樂浪漢墓刊行會, 『樂浪漢墓』, 1974.

조사위원회와 교섭을 할 때 처음에는 사학회 조사로 경비는 호소가와 후작이 기부하는 것으로 하여 발굴을 요청했다. 그러나 조선총독부 측에서는 일개 학회의 조사는 선례로 남는 것을 우려하여 거절했다고 한다. 그래서 도쿄대학 문학부의 고고연구의 사업으로 승인을 하여 발굴 조사를 개시하기에 이르렀다고 한다.[123]

허가 과정

학술적 조사라는 미명 하에 도쿄대학총장이 조선총독부에 허가원을 냈는데 그 내용은 다음과 같다.[124]

동경제국대학 도제534호

大正14년 9월 2일

조선총독 전

고분발굴의 건

금회 본학本學 문학부에서 고고학적 연구를 이루고 싶은 희망으로서 귀관하貴官下 평안남도 대동군 평양부근의 낙랑고분을 발굴코자 하오니 하기下記 조항에 의하여 어승인御承認을 얻고자 하니 어조회御照會하나이다.

기記

---

123 藤田亮策,「書評 '樂浪'」,『靑丘學叢』 제3호, 1931년 2월, pp.155-156.
124 黃壽永 編,「日帝期 文化財 被害調査」,『考古美術資料』 제22집, 韓國美術史學會, 1973 에서 옮김.

一. 기간은 9월 중순부터 45일간의 예정

一. 발굴 및 조사에 요하는 비용은 본학의 부담으로 할 것

一. 발굴에 관해서는 본학 교수 무라가와村川, 구로이타黑板 및 조교수 하라다 요시토原田淑人로 하여금 감독시킬 것임

이에 대하여 제22회 고적조사위원회를 개최하였는데, 이미 구로이타와 다협의가 된 상태에서 도쿄대로부터 허가원이 제출되었기 때문에 허가를 위한 협의로서 그 허가의 이유를 다음과 같이 제시하고 있다.

첫째, 2,000여 기에 달하는 낙랑 고분을 전부 그리고 영구히 보존하는 것은 도저히 어렵다.

둘째, 우리나라(일본) 학술의 중심인 제국대학의 전문적인 연구를 통해 반도의 문화를 소개하여 학계의 도움을 주어야 한다.

셋째, 일본 내지에서도 이런 종류의 고분 발굴을 대학에 허가한 전례가 있다. 1911~1915년 도쿄제대와 교토제대가 내무대신 및 궁내대신의 허가를 얻어서 궁기현의 고분을 조사한 예가 있다.

넷째, 신라와 백제 등 반도 민중과 직접 관련이 있는 고분이나 고적의 조사는 신중을 기해야 하겠지만, 대동군에 있는 고분은 전부 낙랑군의 통치자인 한인의 무덤이므로 반도 고유의 민중과는 관계가 없으므로 발굴 조사가 민심에 영향을 미칠리 만무하다.

다섯째, 조선총독부의 고적보존규칙과 고적조사위원회규정에는 고적조사

위원이 참가하면 저촉되지 않는다.[125]

첫째 이유는 "2천여 기에 달하는 고분을 보존하기 어렵기 때문에" 발굴을 해야 한다는 것이다. 1916년 이후 고려자기를 도굴하던 도굴꾼들이 대거 평양일대로 몰려들면서 낙랑고분의 대난굴 시대가 전개되었다.[126] 이로 인하여 대부분의 낙랑고분이 도굴을 당하여 성한 고분이 거의 없었다. 1925, 1926년에 오가와小川, 노모리野守 두 사람이 총독부의 명을 받아 낙랑 고분군의 고분분포도古墳分布圖를 작성한 그 현황표를 보면, 고분의 총수는 1386기로 도굴을 면한 것은 의심이 가는 것까지 다 합하여도 243기뿐이다.[127] 특히 전곽분의 경우에는 성한 것이 단 한 기도 없는 것으로 조사되었다. 첫째 이유는 이대로 가면 어차피 도굴당하니 발굴을 하여 학술적 조사라도 한다는 억지 이유를 붙이고 있다.

---

125 오영찬, 「제국의 예외-1925년 일본 도쿄제국대학의 낙랑고분 발굴」, 『일본에 있는 낙랑 유물』(학연문화사, 2008)에서 옮겨옴.

126 關野貞, 「樂浪時代의 遺蹟」, 『古蹟調査 特別報告 第 4冊』, 朝鮮總督府, 1927, p.10.
"明治42년 以來 우리들은 數回의 調査로 樂浪, 帶方의 郡治地로 생각되는 것을 발견하고 또 古墳의 發掘로 當時 문화의 證據로 多數의 遺物을 獲得하여 두郡의 遺蹟 遺物을 시작으로 世人의 耳目을 새롭게 하기에 이르렀다"고 하고 있다.
오영찬, 「제국의 예외-1925년 일본 도쿄제국대학의 낙랑고분 발굴」, 『일본에 있는 낙랑 유물』, 학연문화사, 2008, p.21)에 의하면,
1909년 1월 당시 신문사에서 조사한 일본인 '業種別 調査'에 의하면 古物商을 하는 수가 12명으로 나타나 있는데 이들은 모두 일본 商人輩들로서 이들은 대부분 盜掘品을 취급하던 자들로 추정된다.
八田蒼明은 『樂浪と傳說の平壤』에서,
"幾년 關野 박사 일행이 석암리 제9호 목곽분을 발굴하여 백 수십점의 귀중한 부장품을 얻자 낙랑연구열이 점차 민간에까지 확대" 되었음을 증언하고 있다.

127 『每日申報』 1926년 8월 4일자에는,
"총독부에서 현재 1,376기 중 아직 발굴되지 않은 것은 53基"라고 하고 있다.

네 번째 이유는 낙랑고분은 한인의 무덤이므로 조선인의 민심에는 영향이 미치지 않는다고 하는데, 낙랑고분의 주인을 중국에 두고 조선인과는 무관하니 반발을 사지 않는다는 억지 주장을 하고 있다. 그러나 고분이 발굴되자 조선인의 감정을 동아일보 논설로써 표현함으로써 그들의 억지 주장을 무색케 하고 있다.

그 직접적 동기에 대해 후지타 료사쿠는 '1924년에 낙랑고분에서 기년명의 칠기가 발견된 것'이라고 한다. 1924년의 낙랑고분 발굴을 보면, 석암리 제200호분, 석암리 제194호분 등의 낙랑고분 발굴 조사에서 각종 기년명의 칠기가 출토되었다.[128] 후지타의 예기는 이에 자극을 받아 기년명의 칠기 발굴에 대한 욕심에서 시작되었다는 예기가 된다. 그리고 발굴 주체가 사학회사업에서 도쿄대 문학부 사업으로 바뀌게 내애서는 1925년 봄에 구모이다 박사기 교신총독부 고적조사위원회와 교섭을 할 때 처음에는 사학회 조사로 경비는 세천 후작이 기부하는 것으로 했으나, 총독부 측에서는 일개 학회의 조사는 후를 선례로 남는 것을 우려하여 거절했다고 한다. 그래서 도쿄대 문학부의 고고연구의 사업으로 승인을 하여 발굴 조사를 개시하기에 이르렀다고 한다.[129]

결국 1925년 9월 22일 6가지 조건을 붙여 허락을 한다.

도쿄대학에 보낸 공문은 다음과 같다.

동경제국대학총장 고자이 요시나오古在由直 宛

大正14년 9월 2일 度第534號로써 낙랑고분 발굴의 건 어조회의 취지를 허락함

128 濱田耕作, 「考古學硏究」, 座石費刊行會, 1959, p.500; 樂浪漢墓刊行會, 『樂浪漢墓』, 1974.
129 藤田亮策, 「書評 '樂浪'」, 『靑丘學叢』 제3호, 1931년 2월, pp.155-156.

右(위)는 고적조사위원회 결의의 결과 左記(아래) 조건을 附하여 승인하오니 회답 있기를 바람

조건

一. 조사구역은 평안남도 대동군 대동강면 및 원암면의 내로서 고분 4기 이내로 함

二. 조사 시는 소할도청所轄道廳 및 경찰서장과 상의한 후 착수하고 또 반드시 조선총독부 고적조사위원을 참가시킬 것

三. 조사 및 조사지의 피해 등에 관한 비용은 모두 동경제국대학의 부담으로 함

四. 발굴적發掘迹은 십분 복구하고 석표石表를 세워 조사일시를 명기銘記할 것

五. 발굴유물은 조선총독부의 지정한 것을 제외한 전부를 동경제국대학에 완전히 보존하고 자타의 연구의 자資에 공供할 것이며 매각 또는 양도하지 말 것(중복하는 물건을 제하고는 전부 총독부에서 지정한 것으로 할 것)

六. 상세한 보고서를 조선총독부 고적조사위원에게 제출할 것[130]

발굴 과정

낙랑고분 발굴은 발굴 전부터 이미 일반의 주목을 받아왔다.

발굴 전인 9월 8일자 『매일신보』에는 다음과 같은 기사가 있다.

---

130 黃壽永 編, 「日帝期 文化財 被害調査」, 『考古美術資料』 제22집(韓國美術史學會, 1973)에서 발췌.

낙랑미술을 현대에 소개하고자, 연구대研究隊 불원 입선入鮮

조선 평양 교외에 있는 고적은 경주의 고적과 공히 2대 고분으로 유명하여 이에 발굴하는 부속무은 당시의 동양문화의 추이를 알게하는 자료로 사학 계에서 중요시 하는데 최근 낙랑고분으로부터 2천년전의 칠기 파편을 발 굴하였다는 사실을 들은 골동상인들은 급거히 조선총독부에 이의 발굴원 을 제출하였으나 당국은 여사히 중요한 고분 발굴을 개인에게 허가하면 역사적 진품을 분실할 염려가 있으므로 이를 도쿄제대 사학회에서 계획하 도록 하였으나 사학회는 제정궁핍으로 곤란이 적지 않다하여 무라가와 긴 고村川謹吾 박사가 호소가와細川 후작과 상담한 결과 세천 후작이 경비 전부 를 후원하겠다고 하여 세내사학회의 넉닝」분 밀곧내는 수일 진에 편성히 여 발굴 주임으로 하라다原田 박사 감독으로 무라가와村川, 구로이타黑板 박 사, 조수로 사학회의 인사 2명이 15일에 도선할 예정이라더라(東京電).

발굴에 앞서 다사와 긴고田澤金吾와 고이즈미 아키오小泉顯夫가 1925년 9월 28 일 고분군을 조사하고 29일에 발굴할 고분을 선정했다. 선정된 고분은 2기로 1925년 10월 1일에 발굴을 시작하여 12월 초순에 끝을 맺는 것으로 했다. 발굴 은 하라다原田가 책임자로 총지휘했으며 다사와와 고이즈미가 담당하였다. 사진 부원으로는 총독부박물관의 다노 시찌스케田野七助가 참가하였다. 선정된 고분 중에서 다사와가 북분(왕우묘)를, 고이즈미가 남고분을 담당했다. 먼저 남분은 10월 1일에 발굴을 개시하여 7일에 이르러 목곽 잔존부에 도달하여 호 및 2, 3의 유물의 존재를 파악하기에 이른다. 그러나 북분의 발굴에 전력을 기우려야 하는 필요가 생겨 남분의 발굴은 중지하고 북분의 발굴을 완료한 후에 다시 계속하기

호소가와 평양 방문 모습
(『매일신보』
1925년 10월 21일자)

로 했다. 그러나 북분의 조사가 예상일보다 길어지면서 결빙기로 인하여 남분은 발굴은 할 수 없게 되었다.[131]

그간 북분의 발굴에 앞서 북분 서편에 있는 한 고분의 봉토 남측에서 도굴구를 발견하고 시험 삼아 파보았다. 이미 도굴당한 형적이 있고 곽실이 유존하는데 전곽분으로 판명되었다. 곽실 내부의 물과 흙을 제거하고 유물을 수색했는데 은제지환, 은제천銀製釧, 무자동인無字銅印, 동검잔편, 기타 칠기편, 토기잔편 등이 발견되었다. 이 고분 역시 더 이상의 조사는 북분 발굴 후로 미루었다.

북분(왕우묘)은 10월 2일 외부 실측을 마치고 10월 3일에 발굴에 착수했다. 10월 6일에 목곽 천정부에 도달했다. 발굴이 한창 진행되어 유물들이 속속 출토되자 사이토 총독은 부인을 동반하고 발굴 현장을 방문하여 하라다로부터 유물에 대한 설명을 듣기도 했다.[132] 자금을 후원한 후작 호소가와細川와 무라가와村川도 오야리의 발굴현장에 나가 낙랑고분을 발굴하는 상황을 직접 시찰하기도 했다. 발굴 기간은 10월 2일부터 총 64일을 소비하여 발굴을 완료했다.[133]

---

131 田澤金吾, 「東大文學部 樂浪古墳 發掘」, 『史學雜誌』 第37卷 1號, 1926.
132 『每日申報』 1925년 11월 6일자.
133 『每日申報』 1925년 10월 23일자에는 다음과 같은 가사가 있다.
금회의 발굴은 이미 신문지상에 수 차 보도함과 같이 지중에 파묻혀 있는 유적으로 인하여 실제로 학구상의 참고하려하는 동대문부의 사업으로 총독부에 교섭하여 평양 대동군 대동강면 석암리에 있는 고분 4개소를 발굴하기로 하고 그 중 1개소를 실지 발굴에 착수하였다.

출토 유물 중에는 중관中棺에서 목인木印이 1개가 발견되었는데 한 면에는「오관연왕우인五官掾王盱印」이라 각해있고, 다른 면에는「왕우인신王盱印信」의 인문印文이 나타나 있었다. 이는 피장자 오관연왕우五官掾王盱의 것으로 오관연五官掾은 군郡의 태수太守의 속리屬吏에 속하는 관위로 추정되고 있다.[134] 이로 인해 무덤을 왕우묘王盱墓라 명명하게 된 것이다.

왕우묘 발굴 장면(『낙랑』)

후일 고이즈미는 "낙랑군치지의 왕우묘의 반군은 동아고고학사상 영원히 기록" 할 중요한 발굴로 기술하고 있다.[135]

당시 다음과 같은 발굴 기사가 있다.

낙랑고분에서 목관을 신발견

동대 문학부 고고학교실 흑판 박사 일행의 낙랑문화 조사반은 동대의 다사와田澤 문학사와 총독부박물관의 고이즈미小泉 문학사 등이 위주 하여 대동강면 오야리의 연와공장 내의 1동을 사무소로 빌려 인부 35명을 사역하여 1일부터 고분 2기를 발굴하였는데 9일 아침에 이르러 겨우 그 중의 완전한 원형을 보유한 목관 1개를 발견하였으니 이 목관은 완전히 굴기堀

---

134 原田淑人, 『樂浪』, 東京大學文學部, 1950.
135 小泉顯夫, 「樂浪古墳の發掘と原田先生」, 『考古學雜誌』제60권 제4호, 1975년 3월.

起하기까지 금후 10일간을 요하리라는데 현존한 세계 최고의 목조건조물이므로 직접 달굴을 담당한 다사와田澤, 고이즈미小泉 양씨는 희열약기喜悅躍起하여 세밀한 주의를 이 한 개의 목관에 경주하여 발굴에 열중하는 중인데 종래에는 낙랑의 유품이 목관 중에 수장되었다 함은 木片에 의하여 추찰推察하는 바인데 여사히 완전한 원형을 보유한 것은 금회가 처음으로 종래에 보지못한 낙랑문화를 말하는 이 신기한 유품이 이 목관 내에 있을 것이라 하여 비상한 흥미로서 발굴을 기대하는 중인데 현재 굴하할 수록 용수湧水가 심하여 도 토목과로부터 배수펌프를 빌려와 배수에 진력 중이라더라(『매일신보』 1925년 10월 13일자).

낙랑시대의 2옹甕 발견, 평양 부외 오야리의 고분 혈중穴中에서
평양 대동군 대동강면 오야리의 낙랑고분 발굴은 각 전문가의 자도 아래 착착 진행 중 목관을 발견하고 세계 최고의 목조물이라 하여 신중한 고려와 준비 아래 채굴하여 오던바 2개소의 발굴 중 1방은 목관에 토사가 침입하여 부패되었으나 일방一方은 다행히 완전하므로 관덮개를 열어본즉 낙랑시대의 우미한 모양을 각조한 2개의 옹甕을 발견한바 관내에 전부 점토

樂浪時代의 二甕發見
平壤府外梧里의 古墳穴中에서

平南大同郡大同江面梧里의 樂浪古墳發掘은 各專門家의 指導下에서 着着進行中木棺을 發見하고 世界最古의 木造物이라하여 採掘하야 오던바 二個所의 發掘中 一方은 木棺에 土砂가 浸入하야 腐敗되엿스나 一方은 多幸히 完全함으로 棺蓋를 열어본則 樂浪時代의 優美한 模樣을 刻造한 二個의 甕을 發見한바 棺內에 全部粘土로 埋在한바 土는 濱田耕作 博士를 爲始하야 熱心한 考察中인대 梧里古墳의 發掘은 歷史上에 有益한 古樂浪文化의 跡을 硏究하는 多幸한 遺物을 探究中인대 那邊路中滯在한 濱田雨帝大敎授와 厚田兩氏도 參觀하고 硏究하는 바 木棺은 三間四方이오 木棺內가 三(室)로 分類되얏더라(平壤)

의 견벽堅壁되어 매우 주의하여 유물을 탐색 중인데 지나로 귀로 중 체재하는 빈전, 원전 양 제대교수도 참관하고 낙랑문화의 적跡을 심구함에 연찬하는바 목관은 3칸 4방이오 관내가 3실로 분류되었다더라(『매일신보』 1925년 10월 19일자).

2천 년 전의 예술품, 홍紅, 백분白粉, 우상羽觴을 발견
모든 미謎의 비扉를 개開힐 수 있는 「이왕利王」 2자의 조각
점차 진보되는 낙랑고분의 발굴은 18일 현재 외부로부터 인상할 예정이었으나 일몰로 중지하고 19일에 계속 발굴을 했는데 완전한 1개의 칠기를 빌꺼했는데 그 형대기 완전하고 표면表面에 용을 가한 모양을 넣어 동물의 형태를 갖춘 교묘한 당시의 기술을 말하는 것으로, 래집한 무라가와村川, 이토伊藤, 아마메마天沼 박사를 비롯하여 비상한 흥미로 개開하였는데 내부는 3중으로 그 1중마다 모두 수천 년 전의 문화를 말하는 미술품이 있는데 그 중으로부터 완전한 3개의 원형과 1개의 장방형과 1개의 수원형 상을 발견하였으니 원형의 하나에는 2천 년 전 그대로의 백분이 남았고 또 하나에는 연지가 남았고 장방형의 중에는 이식이 남아 있고 다시 니토로부터 2개의 우상羽觴(잔)과 1개의 반盤을 발견하였다. 반은 2척3촌 가량으로 소소파손小小破損되었으나 그 표면에는 금니金泥와 밀사초회구密蛇草繪具로 기記한 1개의 용과 병좌併座한 남녀의 그림이 있어 2천 년 전의 풍속을 완전하게 말하는 것으로 니토 중에서 인상引上한 후는 상당히 학구에 힘을 모으게 되리라는바 이 화장품을 넣은 상은 「례이」라 칭하는 것이라 한다(『매일신보』 1925년 10월 22일자).

이천년 전 고대 조선의 예술품

낙랑고분의 찬란한 화장구

금월초순부터 일본 동경제국대학 교수 흑판 박사와 동 전택田澤 문학사를 위시하여 여러 고고학자로 조직된 낙랑고분발굴대는 평양 대동군 석암리에 임시사무소를 설치하고 인부 30여 명을 사용하여 고분을 발굴하는 중인데 지난 17일부터는 3개의 독甕과 10여 개의 칠기와 우상羽觴 홍백분 화장품상化粧品箱, 면경 기타 10여 종을 발굴하였는데 이것을 보면 여자의 분묘인 듯하다 하며 발굴한 유물 중에는 특히 이왕利王이라고 조각한 것이 있는 것을 보면 왕족인가 하는 의아함도 적지 않다는데 이천년 동안이나 토중에 매몰되었던 유품에 색채와 조각이 원형대로 있는 것을 보면 당시 찬란하였던 문물에 실로 놀라지 않을 수 없다더라(평양)(『동아일보』 1925년 10월 25일자).

수천년 전의 고대 악기 발견, 낙랑고분의 목관 보존공사 중 사현금 한 개를 발견

찬란한 동양문화가 뒤를 이어 나타나 세인의 이목을 놀래고 있는바 이즈음의 발굴공사를 대개 마치고 목과보존공사를 시작함에 이르러 관棺과 관 사이에서 한 개의 거문고와 활같이 구부러진 막대 하나를 발견하였는데 그 거문고는 네 가닥의 줄이 달려 있고 넓이 7촌과 길이 다섯자 되는 칠판漆板에 여러 개의 '괘'가 나타났다고 조사대의 하라다原田 동대교수의 말에 의할진대, 거문고에 형판이 있고 없는 것은 자세히 알 수 없으나 한 대에 거문고가 있는 것은 화상석이나 혹은 문헌에 의하여 판명되었으나 실제로 그것을 본 것은 이번이 처음이라는 바 그 외에 활 같은 막대 하나는 처음에는 지

팡이로 알았으나 자세히 조사한 결과 그것이 해금인 것이 판명되었다. 이 것은 죽은 자의 성전에 사랑하던 악기로 부속품실에 넣는 것을 저버리고 나중에 관 옆에 묻은 모양이라더라.

정교한 무비경탄, 낙랑 유물의 공개회에서

동경제국대학 조사대가 발굴한 낙랑고분의 고대유물은 기보한 바와 같이 27 일 오후 3시 반부터 평양상품진열관에서 일반에게 공개하였다. 평양 각 관 청 회사의 대표와 멀리 경성으로부터 구경하려 온 호고가의 평양에 있는 지 나인과 서양사람 합 3백여 명의 관람자가 모여들어 하라다 동대교수의 안내 로 정교한 한 대의 예술성에 경탄의 눈을 부릅뜨고 가지각색으로 진열한 물 품을 차례로 구경히였다. 그 중에는 가상 흥미를 이끈 것은 거울과 화잡하괴 술잔, 의편, 백분, 연지와 이번에 발견한 거문고와 해금 등이었다더라.

낙랑조사대 출발을 연기, 공사가 끝날 때까지 평양에 체재할 모양

낙랑유적조사대는 대체의 소사를 마치고 동경으로 돌아가려 히였으나 별 항 보도와 같이 중요한 유품이 관 밖에서 발견되었으므로 이 후에 또 어떤 것이 발견될 른지 알 수 없다하여 목관보존공사가 진척되기를 기다려 내 월 4, 5일경에 출발하기로 하였다더라(『매일신보』1925년 11월 30일자).

2천 년 전의 현금玄琴, 낙랑고분에서 발굴

옛날 조선 낙랑시대의 분묘에서 나무관을 발견하였다함은 이미 여러 번 보도하였거니와 그나마 우리 조선 사람의 손으로 또는 눈으로 감명을 못 하고 벌써 일본으로부터 여러 학자가 건너와 그 목관 안에 있는 보물을 수 없이 발견하여 놀란 일도 한 두 번이 아니었다는 바 뜻밖에 그 목관을 운

반할 때에 그 밑에서 길이 넉자 넓이가 한 자 가량 되는 절묘한 적은 거문고 한 개가 나타났다는데 그 거문고는 약 2천 년 전의 물건으로 그 거문고 복판은 오동나무와 흡사하나 줄은 무엇으로 만들었는지 벌써 다 썩어버렸고 거문고 형상은 대개 지금 것과 비슷한 것으로 조금도 상하지 아니하여 이후로도 영구히 보존할 수가 있다더라(『동아일보』1925년 12월 4일자).

출토유물[136]

출토유물	수량	출토장소	비고
漆杯	18	북실 출토	建武二十一年銘漆杯, 建武二十八年銘漆杯
漆盂	2	북실 출토	有紋漆盂
漆盤	8	북실 출토	永平十二年在銘神仙龍虎畵像漆盤, 有紋漆盤, 金銅釦有紋漆盤
漆壺	1	북실 출토	
圓筒形漆器	1	북실 출토	有紋筒形漆器
漆案 殘缺	2	북실 출토	
瓦壺	3	북실 출토	
瓦瓮	3	북실 출토	
瓦盌	1	북실 출토	
鐵劍	1	북실 출토	
漆奩	2	북실 출토	
鏡	3	북실 출토	

---

136 『樂浪』, 東京帝國大學 文學部, 1930.

출토유물	수량	출토장소	비고
琉璃製耳璫	2	북실 출토	
銅製小鈴	1	북실 출토	
木製櫛	2	북실 출토	
白粉	약간	북실 출토	
燕脂	약간	북실 출토	
白粉刷子	1	북실 출토	
釵 殘缺	약간	북실 출토	
式古天地盤殘缺	1	북실 출토	
蘭製紐	1	북실 출토	
銅釵	2	북실 출토	
漆杯	8	側槨北邊 출토	
漆盤	3	側槨北邊 출토	
漆勺	1	側槨北邊 출토	
漆匕	1	側槨北邊 출토	
筒形漆器	1	側槨北邊 출토	
漆案	4	側槨北邊 출토	
白樺製飮器	1	側槨北邊 출토	
瓦壺	3	側槨北邊 출토	
漆奩	2	側槨北邊 출토	
鏡	1	側槨北邊 출토	
木製櫛	1	側槨北邊 출토	
木具	1	側槨北邊 출토	
墨塗細木片	1	側槨北邊 출토	

출토유물	수량	출토장소	비고
膏澤	약간	側槨北邊 출토	
水晶切子玉	2	側槨北邊 출토	
木炭製平玉	1	側槨北邊 출토	
漆枕	1	側槨北邊 출토	
小匣 殘缺	1	側槨北邊 출토	
長方形小石板	1	側槨北邊 출토	
方形小石板	1	側槨北邊 출토	
羊鈕金具	1	側槨北邊 출토	
鋼代製器物 殘缺	1	側槨北邊 출토	
植物殘片	약간	側槨北邊 출토	
漆器의 木心 및 漆片	약간	槨內棺下 및 槨外 出土	
毛桃核	1	槨內棺下 및 槨外 出土	
漆履 殘缺	2	槨內棺下 및 槨外 出土	
漆片	약간	槨內棺下 및 槨外 出土	
瓦器片	약간	槨內棺下 및 槨外 出土	
瓦片	多量	槨內棺下 및 槨外 出土	
漆杯 殘缺	1	側槨內北邊以外 出土	
漆盌 殘缺	1	側槨內北邊以外 出土	
漆盤	1	側槨內北邊以外 出土	
漆案 殘缺	1	側槨內北邊以外 出土	
漆履	2	側槨內北邊以外 出土	
琴狀漆塗板	1	側槨內北邊以外 出土	
同附屬木具	2	側槨內北邊以外 出土	

출토유물	수량	출토장소	비고
長木棒	2	側槨內北邊以外 出土	
棒形漆塗細木片	1	側槨內北邊以外 出土	
弓形木製品	1	側槨內北邊以外 出土	
果核	2	側槨內北邊以外 出土	
琉璃製耳璫	2	木棺內(東棺) 出土	
同附屬小環	2	木棺內(東棺) 出土	
銀製指環	1	木棺內(東棺) 出土	
釵	1	木棺內(東棺) 出土	
漆塗釵 殘缺	약간		
組紐	1		
撚紐	2		
絹布 殘片	약간		
木印	1	木棺內(中棺) 出土	
鐸形漆器	1	木棺內(中棺) 出土	
銀製指環	1	木棺內(中棺) 出土	
비녀	1	木棺內(中棺) 出土	
竹製櫛	1	木棺內(中棺) 出土	
漆冠 殘缺	1	木棺內(中棺) 出土	
冠纓	1	木棺內(中棺) 出土	
絹布 殘片	약간	木棺內(中棺) 出土	
琉璃製耳璫	2	木棺內(西棺) 出土	
銀製指環	4	木棺內(西棺) 出土	
釵	1	木棺內(西棺) 出土	

출토유물	수량	출토장소	비고
漆塗釵	6	木棺內(西棺) 出土	
白粉	少量	木棺內(西棺) 出土	
絹布 殘片	若干	木棺內(西棺) 出土	
琉璃製耳璫	2	木棺內(側棺) 出土	
同附屬半球玉	2	木棺內(側棺) 出土	
同附屬小環	2	木棺內(側棺) 出土	
銀製指環	5	木棺內(側棺) 出土	
瑪瑙製指環	1	木棺內(側棺) 出土	
石炭製羊形玉	1	木棺內(側棺) 出土	
石炭製平玉	1	木棺內(側棺) 出土	
琥珀製平玉	1	木棺內(側棺) 出土	
漆塗釵 殘缺	若干	木棺內(側棺) 出土	
撚紐	若干	木棺內(側棺) 出土	
絹布 殘片	若干	木棺內(側棺) 出土	

이 같은 엄청난 유물이 발굴되어 세상을 놀라게 했을 때,『동아일보』사설은 다음과 같은 내용을 게재하고 있다.

조선인 자신은 알지도 못하는 사이에 동양문화의 최대 보고란 것이 조선 안에 번듯하게 생겨나서 세계의 이목이 이리로 주집注集하게 되었다. 대동 강 남안을 중심으로 한 고조선의 유적 내지 유물의 기록한 광명과 놀라운 가치가 최대한의 경이驚異로서 세계의 학림學林을 진감震憾하여 날로 더 풍 성風聲을 높여 감이 그것이니 작금昨今 양 년 만하여도 기다幾多의 귀중한 신발견이 있는 中 더욱 세계무쌍世界無雙 고금독보古今獨步의 묘공妙工이라 하는 다수多數한 칠기漆器가 자기의 연대에 관한 명문銘文까지 짊어지고 나와서 한층 더 사람의 경탄과 감사를 자아내는 중이다. 〈중략〉

남은 알고 놀라고 야단을 하여 세계를 들어 번쩍거려도 아직 모르시기는 임자인 조선인뿐이 아닌가. 분명히 조선인 의리衣裏의 보주寶珠인 것을 시방도 일본인은 낙랑시대의 유물로만 인정하여 우리 선민先民의 우물적寓物的 심장心藏 그것을 턱없이 부인否認하여 버리건마는 들고 나서 변백辨白하는 이와, 할 만한 이와, 하려는 이가, 누군가 누구인가. 어허 우리조상이 감추어주신 의리衣裏의 보주寶珠도 남의 손에 들추어서 남의 손으로 들어가 건마는 도둑맞는 줄조차 알지 못하는 치태개아痴呆丐兒(멍청이, 거지아이)가 있으니 그 이름이 조선인이라 한다. 〈중략〉

세계의 어떠한 문화적 민족 의구한 국토와 혈통을 이어오는 역사적 국민이 자기의 문화적 고장庫藏을 남에게 맡겨 버리는 자이며 그리하여 모르는 체하는 자이냐. 이러한 보고寶庫는 있기 때문에 또한 치욕을 덧바르지 아니치 못하는 설움을, 어허 누구로 더불어 말할른지. 저 개인의 출자出資와 대학의 협력으로 성립한 일본인의 대동강안 발굴대가 우리의 이마에 또 한번 부끄럼의 낙인烙印을 칠 양으로 입국하는 것이 일석간日夕間에 있다하여요.[137]

『동아일보』 사설은 낙랑고분이 그 주인인 조선인에 조사가 이루어 못하고 일본인에 의해 발굴조사가 강제로 이루어짐을 통탄하고 있다.

---

137 「樂浪遺蹟 發掘隊」, 『東亞日報』, 1925년 9월 16일자.

유물 처리

도쿄대학 문학부 고고학실의 낙랑고분 조사반이 11월 23일 발굴을 종료한 후 조사주임인 하라다는 "당시의 풍습을 조사하는 절호의 호자료好資料를 얻은 일로서 이를 도쿄대로 가지고 돌아가 명후년에 걸쳐 조사를 학계에 발표할 생각이다"[138]라 했다. 이 같이 유물들을 일본으로 가져가려 할 때 『동아일보』는 또다시 다음과 같은 사설을 실었다.

금년에 있는 양대수획兩大收獲으로 영원히 학계에 기념될 것이다. 그러나 그 발굴은 아직 진행 중에 있고 꽤 오래 시일을 요할 것이니까 아직 이것 저것을 시방 말할 것이 아니어니와 〈중략〉 상당히 지각있는 학자의 입에서 발굴품을 일본으로 지거持去함이 좋다는 말을 들음이요 더욱 그것이 학적 필요로 보다 물적탐욕物的貪慾에 끌림이 더 큼이다.

낙랑의 발굴물은 실로 2000년 전의 동양 문화 생활 그것이 시간을 초월하여 우리의 안전眼前에 용현湧現한 것이다. 이때까지 동양에서는 유례없는 대발견이요 여러 가지로 세계적 가치를 지닌 일대 보물이다. 할 수 있는 대로 이것을 자기네의 대학 또는 박물관의 물건으로 만들려고 또 될 수만 있으면 이것을 자기네 안두진완案頭珍玩이라도 삼아 보려함이 탐심貪心있는 사람, 더욱 얌치 빠진 그네들의 생각함직한 일이 아닐 것이 아니지마는 이것이 학적 양심과 문화적 정의감의 앞에서는 눈치도 보일 수

---

138 「原田東大敎授語」, 『朝鮮史學』第1號, 朝鮮史學同攷會, 1926년 1월.

없는 일일 것이거든 하물며 입밖에
내서 희망하며 요구함이랴. 〈중략〉
주인이 똑똑하지 못하다하여 강도
질이 옳은 일이 아니다. 대체 이번
의 낙랑 발굴품을 어째서 일본으로
가져가겠다 하는가. 귀떨어진 돈푼
이나 내었으니 돈 값으로 가져가겠
다 함인가, 조선에는 두어도 무소
용이니까 소용되는 자기네게로 가
져가겠나 함인가. 〈중략〉 실사 이런
말을 할 자가 있고 또 그자가 어떠
한 지위와 권위를 지닌 자라도 이런
말을 입밖에 낸 것부터 이 광망狂妄
한 표라 하고 말 것이다.[139]

'건무21년명칠배(建武二十一年銘漆杯)'(『낙랑』)

이 같이 유출을 막으려 했으나 결국 왕우묘의 출토품은 그들의 사전 계획대로 몽
땅 일본 도쿄대학으로 가져갔다.[140] 도쿄대로 가져간 205호 낙랑고분 출토물은 동양
문고에 진열하고 1926년 5월 16일 사학회대회에서 하라다의 공개 강연이 있었다.[141]

---

139 『東亞日報』1925년 11월 25일자.
140 東京帝國大學 文學部, 『樂浪』, 1930.
141 「雜報」, 『人類學雜誌』 제42권 제6호, 1926년 6월; 朝日新聞社 編, 『日本美術年鑑』, 1927.

반환받아야 하는 근거

총독부에서 도쿄대학에 조건을 붙여 허가를 할 때, "五. 발굴유물은 **조선총독부의 지정한 것을 제외한** 전부를 도쿄제국대학에 완전히 보존하고 자타의 연구의 자資에 공供할 것이며 매각 또는 양도하지 말 것(**중복하는 물건을 제하고는 전부 총독부에서 지정한 것으로 할 것**)"

라는 조건을 붙이고 있기 때문에[142] 조사가 끝난 유물은 당연히 돌려주어야만 하는 것이다. 이에 대해서 『경성일보』 1925년 11월 25일자는 구로이타 가쓰미黑板勝美의 말을 옮겨 다음과 같은 기사를 싣고 있다.

『경성일보』 1925년 11월 25일자 기사

발굴물은 돌려보내겠음
연구조사가 끝나는대로
동대의 구로이타 박사 말하다
낙랑의 고분조사도 종료하였으므로
그 뒷처리를 위하여 래양중來壤中의
구로이타黑板 문학박사는 말하기를
"우리들은 골동적인 의미로 발굴한
것이 아니고 연구를 위하여 발굴한

---

142 여기에서 '조선총독부의 지정한 것'이라는 것은 중복되지 않은 모든 것을 말하는 것으로 중복되는 한 두 가지는 연구상 허용할지라도 나머지는 모두 조선총독부에 보관되어야 마땅한 것이다.

것으로 보존이라는 것은 연구를 위하여서만 의의가 있는 것이니 보존이라는 것은 보존이라는 것은 깊이 생각하지 않고 있다. 따라서 대학에 가지고 가서 연구만 끝나면 현재와 같이 동대나 경성이나 민간에 분산되어 있는 것은 좋지 않으니까 평양에 박물관만 되면 언제 어느 때라도 돌려보낼 생각입니다.

그 후 상당 시간이 지나도 도쿄대학에서 돌려 줄 기미가 보이질 않자, 1926년 8월 2일에 개최한 제25회 고적조사위원회 회의 도중에 오가와小河 위원은 "도쿄제대에서 조사한 낙랑유물은 언제 본부에 제출하느냐?"고 질문을 하였다. 이에 대해 후지타 료사쿠藤田亮策 위원은 "목하 대학에서 정리 중이오니 정리를 끝내는 대로 제출할 것"이라고 답했다.[143]

그 후 수년이 지났건만 조선총독부에서는 되찾아 올 노력도 하지 않았다. 1933년에 와서야 평양박물관에서 박물관 개관을 계기로 돌려받으려 애를 썼다. 1933년 8월 8일과 8월 25일에 평양박물관의 진열품 수집을 위한 낙랑협의원회를 개최하였다. 이때 도쿄대학으로 간 왕우묘 출토품 반환에 대한 논의가 있었다. 그러나 도쿄대 문학부 우메하라梅原 교수와 낙랑연구소 책임자 오바小場로부터 박물관 평의원 도미타 신지富田晋二에게 전달해 온 내용에는 도쿄제국대 문학부에 보관하고 있는 1925년 발굴한 왕우묘 출토품 수백 점 중 대표적인 20점을 선정하여 발송한다는 것이다.[144]

1933년 9월 3일 도쿄제대로부터 평양박물관에 도착한 왕우묘 출토품은 영평십이년재명칠반永平十二年在銘漆盤 등을 비롯한 주로 음식용구로 칠배 4개, 금은

143 黃壽永 編,「日帝期 文化財 恢復調查」,『考古美術資料』 제22집, 韓國美術史學會, 1973
144 『平壤每日申報』 1933년 9월 2일자.

이유문칠배 4개, 금동유문칠반金銅有紋漆盤 3개, 유문칠배 등 겨우 20점에 불과하여 평양의 각 방면에서 불만의 소리가 높았다.[145]

구로이타의 말대로 평양에 박물관만 생기면 돌려준다고 했으나 그 약속도 지키지 않은 것이다. 20점을 제외한 나머지 막대한 유물은 고스란히 도쿄대학이 불법 소장하고 있는 것이다.

1925년 11월 22일

가시이 겐타로(香椎源太郎)의 소장 병풍

부산의 거부 가시이 겐타로香椎源太郎의 소장 미술품은 일찍부터 알려져『부산일보』1925년 1925년 11월 22일자에는 가시이 소장의 6곡병풍 사진이 소개되어 있다.

---

145 『平壤每日申報』 1933년 9월 2일, 4일, 7일자.

1925년 11월 27일

낙랑 유물 공개

낙랑고분의 유물은 1925년 11월 27일 평양상품진열관에서 일반에게 공개하였다.[146]

1925년 11월

범종 전문 절도단 체포

경성 시내 황금정의 손최운 외 17여 명은 금년 5월경부터 손최운의 집 비밀실에 동거하면서 손최운과 김홍배가 단장격으로 암호까지 사용하며 절도를 하였다. 그간에 시내 또는 시외 사찰로 다니며 청동종을 절취한 것이 7, 8건이며 또 전기회사소유의 송전선을 절취한 것이 4백50원어치나 되며 금년 수해 당시에도 각처를 돌아다니며 송전선을 끊어 절취하기도 했다. 11월에는 황금정 본능사本能寺의 종을 절취하여 도주하는 것을 순경이 발견하고 체포하였다. 밝혀진 외의 나머지 장물은 이미 교묘하게 방매하여 찾기가 곤란하다고 한다.[147]

---

146 『每日申報』 1925년 11월 30일지.
147 『每日申報』 1925년 11월 17일자.

평안남도 고구려 고분 현상 보고

1925년 고적조사위원 오하라 도시타케大原利武는 평안남도에 위치한 고구려 고분의 현상을 조사했다. 조사 대상은 강서군에 있는 대묘大墓, 중묘中墓, 연화총蓮華塚, 용강군에 있는 쌍영총雙楹塚, 대총大塚, 사신총四神塚, 합룡신총合龍神塚, 성총星塚, 순천군에 있는 북창리 고분 등이다. 각 고분의 특징, 소재지 등을 '평안남도 고구려고분 현상 보고'라 하여 표로 정리하여 11월에 복명서를 제출했다.

그의 복명서에는 벽화고분의 입구의 경우 목제출입문은 쉽게 파괴가 되어 철제로 개조하는 것이 보존상 안전하다는 안을 제시하고 있다. 또 일부의 벽화고분은 손상을 막기 위해 전문가 외에는 출입을 제한하는 의견을 제시하고 있다.[148]

『매일신보』 1925년 11월 30일자

석불 발견

경북 예천군 하리면 시항동 부용산芙蓉山 중복에서 석불 1좌를 어떤 승려가

---

148 『국립중앙박물관 소장 조선총독부박물관 공문서』, 목록번호 : 96-139.

발견하여 부용암芙蓉菴이라는 수 칸의 모옥茅屋을 건설하여 이를 봉안했다.

1925년 12월

한강 상류에서 고구려시대 고와(古瓦)가 대량으로 발견

한강 상류에 해당하는 광주군 동부면 선리에서 고구려시대 고와가 대량으로 발견되었다. 관련한 다음의 기사가 있다.

한강 상류 호수의 적跡에 수천 매 고와 발견, 고구려 때의 군명이 박혀 있어 그 때의 문화를 추지할 수 있다. 조선사 편찬상 대발견

요즈음 경성으로부터 약 60리가량 되는 한상 상류의 경기도 광주군 동부면 선리에서 고구려시대의 기와 수천 매가 발견되어 목하 박물관에 운반 중인데 이것은 고고학상 참고품으로 가장 진중한 것인데 그곳은 약 1천3백여 년 전 고구려시대의 해군근거지로 당시의 한강 홍수로 인해 파묻혔던 것이 이번의 홍수에 그곳 부락 전체가 전멸 당하고 두 길 이상이나 흙이 무너져 떨어져 나갔음으로 자연히 발견된 것인데 그 기와에는 일일이 고구려시대의 경기도 군명郡名이 명료하게 새겨져 있고 그 속에는 신라新羅라고 새긴 것까지 있다는 바 이것은 실로 조선 역사의 편찬상 중요한 참고품이 될 터이요. 이번 홍수에 퇴락한 한강 상류에서는 고구려시대의 석기들이 뒤를 이어 발견되는 중이라더라(『매일신보』 1925년 12월 6일자).

한강 상류 광주에서 고구려시대 고와古瓦 발견

조선 고고학상의 일대 참고품

경성을 중심으로 한 한강연안에도 천수백 년 전 고구려의 문화를 지금에 이야기하는 고적품이 발견되어 조선사상에 적지 않은 참고품이 되리라는데 이번에 발견된 곳은 한강 상류 연안인 광주군 동부면 선리로 발견된 것은 고대의 와당 수백 개로 방금 발견된 것은 박물관으로 운반 중인데 이것을 역사상으로 고찰하여 보면 일천삼백 년 전 고구려시대에 이곳은 한강에 대한 수군 근거지였다는데 세월이 지남에 따라 한강홍수에 밀리어 내려와 땅속에 파묻혔던 것이 이번 홍수에 가장 많은 피해를 당한 광주군 일대이었으므로 상전벽해가 되는 바람에 이십여 척의 땅이 파이자 우연히 나타나게 되는 것이라는 바 그 와당에는 고구려시대의 경기 일원의 고을 이름이 조각되어 있는 것을 보아 혹은 그때 각 군으로부터 자기 고을의 이름을 박아 헌납한 것인 듯하다고 한다(『동아일보』 1925년 12월 6일자).

조선총독부청사 준공

조선총독부청사는 1916년 6월 25일 경복궁내에서 지진제地鎭祭를 시작으로

9년 5개월의 공기工期와 7백만 원을 들여 1925년 12월에 준공을 마쳤다. 경복궁 안에 조선총독부청사를 건립한 일제의 처사에 대해 일본인 건축학자 후지시마 가이지로藤島亥治郞는 후일 다음과 같이 회술回述하고 있다.

> 본래 일본정부는 한국 수도의 주요지에 위압적인 청사를 건립하여 한국인
> 을 위압 복종시키려는 목적이 있어서, 장소도 하필이면 이왕조의 태조가
> 창건하고 이태왕이 1870년에 대대적으로 재건한 서울 최대의 왕궁인 경
> 복궁내의 정문 광화문의 바로 안쪽에 세웠다는 것은 너무나도 심했다. 이
> 것을 교두보로 하여 점차 한국의 과거 말살을 꾀하려 했던 것이다.[149]

이 얼마나 무서운 음모인가. 한국의 과거를 말살한다는 것은 한국의 혼을 없 애겠다는 것으로 그 첫 단추를 경복궁 압살에 두었던 것이다. 1995년 정부기록 보존소政府記錄保存所 부산지소에 소장된 당시 계획한 '경복궁 부지 및 관저 배치 도'에는 경복궁을 철거하고 그 자리에 총독부 청사 그리고 공원 부지로 책정 했던 것이다. 총독관저, 총독부관리들의 관사, 그리고 광장, 야외음악당, 분수 대, 화단, 골프장 등을 두려고 했다.

---

149 藤島亥治郞, 『韓의 建築文化(나의 硏究 60年)』(李光魯 譯), 技文堂, 1986, p.20.

한국인 도굴자 급등

한국인들은 예로부터 무덤 속에 있는 유물을 집으로 가져오거나 이것을 매매의 대상으로 삼는 것은 꿈에도 생각하지 않았었다. 일본인들이 한국에 들어와 도굴을 하면서 무덤 속에서 꺼낸 유물을 경제적 수단으로 삼게 되자, 그 밑에서 수하 노릇을 하던 한국인들이 일본인들로부터 도굴 기술을 배운 후 독립하여 도굴의 악행을 하는 자들이 급격히 늘어났다.

『동아일보』1925년 12월 20일자에는 다음과 같은 기사가 있다.

요새 와서 고분 도굴의 재미를 평양인이 남래南來한 일본인에게 배워 알게 됨도 이상타면 이상한 일이다. 개성을 중심으로 하는 고려시대의 능묘가 낱낱이 고려자기의 희생으로 일본인의 독아毒牙에 걸려 참화를 입은 것이 겨우 그칠락 말락하야 그네의 고칠 수 없는 도벽은 서쪽으로 다시 일보 진출하여 대동강 유역에 있는 한대의 고분을 못 견디게 하얏다.

처음에는 일본인 수하로 나중에는 독립을 해서 경영으로 고분의 도굴은 점점 용감의 도를 가하였다. 전일로 말하면 '되무덤'에는 신이 있어 건드렸다가는 큰 탈을 당한다는 까닭에 밭가는 농부의 가레끝도 무덤 가까이의 1촌의 흙에 까지 조심을 하던 것인데, 일본인에게 귀신이 없는 것이 조선인에게 귀신이 붙으랴하여 갈수록 담대하게 발굴을 행하며, 그렇게도 많은 고분이 불과 몇 년 동안에 이미 8.9할까지 참화를 입게 되었다. 더욱 재작년 가을에 영광3년永光三年재명의 한효묘의 동종이 대동강면의 선교리에서 발견된 이후로 낙랑고분의 가치가 폭등하여 그 수요와 이득이 많아지는 대로 도굴의 열이 더하여 지게 되니 그 뒤 반년 간에만 새로이 발굴된 것이 백 수 십 기임에도 그 파괴력에 놀라지 아니치 못할 것이다.

같은 해

이 해의 대홍수로 인해 경기도 광주군 암사동(현재 서울) 토사가 쓸려나가 토기편 등이 지표면에 들어나게 되었는데 요꼬야마 쇼자부로橫山將三郎는 이곳에서 대량의 토기편을 채집했다.[150]

이 해 경성의 서적상에 의해 낭선군郎善君의 저서와 그의 소장 금석문金石文, 석각류石刻類가 한꺼번에 나왔다고 한다. 그 중에는 낭선군郎善君의 장서인藏書印이 찍혀 있는 것도 일부기 섞여 있었는데, 이것은 이마니시 류今西龍의 신상珍藏으로 돌아갔으며 이 속에는 대동금석첩大東金石帖 7책도 들어 있었다고 한다.[151]

이 해 오바 쓰네키치小場恒吉는 경주군 견곡면 내대리 및 남사리 요지를 조사

---

150 有光教一, 『有光教一著作集 第1卷』, 1990.
151 藤田亮策, 「讀史閑話」, 『書物同好會會報』 第6號, 1939.
　　　이 당시에 郎善君 舊藏의 서적이 일시에 흩어 졌는데, 『飮氷錄』과 『百年錄』은 中村榮孝의 所藏으로 돌아갔는데 그 안에는 宣祖于의 書畵木板刷와 郎原君이 印이 찍쳐 있다고 하며, 藤田 자신도 수년 후에 『顧庵集』 4冊을 入手하였다고 한다.

하여 청자편, 장흥고명삼도長興庫銘三島 등을 채집했다.[152]

도쿄국립박물관으로 들어간 유물

1925년 후지타 료사쿠藤田亮策 기증의 평남 대동강면 출토물, 1925년 오바 쓰네키치小場恒吉 기증의 녹유쌍어문세, 고토 슈이치後藤守— 기증의 대동강면 출토 동족 등이 보인다. 이들은 모두 직접 채집하여 박물관에 기증한 것으로 추정된다. 모두 동시기에 기증한 것이라고 한다.[153]

유물명	출토지	유물번호	출처	비고
壺	평남 대동강면		『東博圖版目錄』 2004,[178] 圖12	기증. 1925년 藤田亮策

152 小山富士夫,「高麗の古陶磁」,『陶器講座 7』, 雄山閣, 1938.
153 「東京國立博物館所藏朝鮮産土器·綠釉陶器の收集經緯」, 東京國立博物館,『東京國立博物館圖版目錄』朝鮮陶磁篇(土器,綠釉陶器), 2004. p.177.
154 東京國立博物館,『東京國立博物館圖版目錄』朝鮮陶磁篇(土器, 綠釉陶器), 2004.

유물명	출토지	유물번호	출처	비고
壺	평남 대동깅면		『東博圖版目錄』 2004, 圖13	 기증. 1925년 藤田亮策
銅鏃	대동강면출토		『東博圖版目錄』 2004.	기증. 1925년 後藤守一
진흥왕순순비탁본	함경도		『東博圖版目錄』 2004.	기증. 1925년 後藤守一
朝鮮新村里고분 발굴품 사진 44매		歷史部第1區 3214	『年譜(1925)』[179]	구입
조선부여유물 사진 11매		歷史部第1區 3215	『年譜(1925)』	구입
朝鮮養洞里고분 발굴품 사진 43매		歷史部第1區 3216	『年譜(1925)』	구입
朝鮮大安里고분 발굴품 사신 33매		歷史部第1區 3217	『年譜(1925)』	구입
조선창령고분발 굴품 사진 9매		歷史部第1區 3218	『年譜(1925)』	구입
조선양산고분발 굴품 사진 90매		歷史部第1區 3219	『年譜(1925)』	구입
조선대구달성면 고분발굴품 사진 90매		歷史部第1區 3220	『年譜(1925)』	구입
조선경주고분발 굴현상 사진 9매		歷史部第1區 3221	『年譜(1925)』	구입

---

155 帝室博物館, 『帝室博物館年譜(大正14년 1월~12월)』, 1926.

유물명	출토지	유물번호	출처	비고
조선낙랑관계 유물 사진 133매		歷史部第1區 3222	『年譜(1925)』	구입
만주 집안현 유물 유적 사진 10매		歷史部第1區 3223	『年譜(1925)』	구입
만주 집안현 유물 유적 사진 10매		歷史部第1區 3223	『年譜(1925)』	구입
조선경주 금관총 발굴품 사진 164매		歷史部第1區 3224	『年譜(1925)』	구입
조선석기시대 유물 사진 10		歷史部第1區 3225	『年譜(1925)』	구입
조선발견유물 사진 109매		歷史部第1區 3226	『年譜(1925)』	구입
조선풍속화 사진 11매		歷史部第1區 3227	『年譜(1925)』	구입
銙	경기도 개성 발견	歷史部第11 區, 2725	『年譜(1925)』	구입
尺(5개)		歷史部第11 區, 2731~2735	『年譜(1925)』	구입
銅製壺	충남 부여읍 반월성지 발굴	歷史部第11 區, 2736	『年譜(192년)』	구입
小刀(3개)		歷史部第11 區, 2741~2743	『年譜(1925)』	구입
煙草入		歷史部第11 區, 2744	『年譜(1925)』	구입
弓		歷史部第11 區, 2745	『年譜(1925)』	구입
首飾		歷史部第11 區, 2746	『年譜(1925)』	구입
酒箋(2점)		歷史部第11 區, 2747, 2748	『年譜(1925)』	구입
木皿(3점)		歷史部第11 區, 2749~2751	『年譜(1925)』	구입

유물명	출토지	유물번호	출처	비고
片口		歷史部第11區, 2752	『年譜(1925)』	구입
鬚箆(5점)		歷史部第11區, 2753~2757	『年譜(1925)』	구입
太刀負		歷史部第11區	『年譜(1925)』	구입
鍍金五鈷鈴	조선 某寺 전래	美術工藝部第1區, 外424	『年譜(1925)』	
茶碗	고려시대	美術工藝部第2區, 外809	『年譜(1925)』	
黑地螺鈿手箱	조선시대	歷史部第3區, 外405	『年譜(1925)』	
新羅眞興王巡狩境拓本		歷史部第1區, 3193	『年譜(1925)』	기증, 後藤守一[180]
土器殘片(一括)	평남 대동강면 (평양197호분)	歷史部第11區, 2721	『年譜(1925)』	 기증, 小場恒吉 綠釉를 施한 雙魚의 模樣으로, 朝鮮 樂浪遺蹟 發掘의 實로 珍한 것이라 함, 현재 유물번호27534
石劍	충남 논산군 성동면 원남리 발견	歷史部第11區, 2737	『年譜(1925)』	기증, 徐基俊

---

156 帝室博物館 鑑査官補 後藤守一은 1925년에 帝室博物館에서 「朝鮮に於ける漢代文化 (朝鮮上古遺物の拓本寫眞展覽)」이라 題目下에 講演을 하였다(帝室博物館, 『東京帝室博物館年譜(大正14년 1월~12월)』, 1926, p.119).

우리 문화재 수난일지

1926년

1926년 2월 10일

제23회 고적조사위원회

제23회 고적조사위원회는 토의를 생략하고 안건에 대한 의견을 구하기 위해 의안 '부산진 자성대子城臺 등록 건'(1926년 2월 4일 기안)을 2월 10일자로 회람 결의하였다.

고적조사위원회 의안 결의와 관련된 내용이다.고적조사위원 오다 쇼고小田省 吾(소전성오)가 작성한 '부산진 자성대子城臺 등록 건'은 원안原案과 동일한 내용 으로 194호로 등록하기로 결의하였다.

1926년 2월

경성도서관은 극도의 경영난으로 인해 경성부에서 사서 경영키로 하다.[157]

---

157 『東亞日報』 1926년 2월 12일자.

1926년 3월 27일

경상북도 문경군 문경면 혜국사 산내 말사 은선암隱仙庵을 폐지하다.[158]

1926년 3월

전라남도 고인돌 조사

1926년 3월 촉탁 사와 순이 기澤俊一, 고이즈미 아키오小泉顯夫가 나주군 남평면 고인돌군과 고흥군 두원면 운대리 고인돌군을 조사했다. 복명서에는 고인돌군의 발견 경위, 위치, 분포, 규모 등이 서술되어 있다. 특히 고인돌군 가운데 남평면 고인돌군에서 1기 그리고 고흥군 고인돌군에서 4기를 선정해 내부 조사를 실시한 결과가 기재되어 있다.

1926년 3월에 영성문 자리에 덕수유치원이 들어서다.[159]

---

158 『朝鮮總督府官報』 1926년 3월 27일자.
159 『매일신보』 1926년 3월 31일자.
　　영성문터에 유치원, 해주 부호가 설립
　　시내 정동 1번지 전 영성문 자리에 새로이 유치원이 설립되게 되었다. 어린이들의 도보의
　　부자유와 전차통학의 위험이 거듭한 관계상 유치원이 멀면 여러 가시 불편한 일이 많은
　　터이나 서대문안 근방에는 아직까지 유치원이 한 곳이 없어서 학부형들이 비편함이 많던

경희궁 숭정전 매각

숭정전(『조선고적도보』)

경희궁慶熙宮의 숭정전崇政殿은 원래 경희궁의 정전이었다. 1909년 일제가 경희궁을 철폐하고 일본인 자제들을 위한 학교인 경성중학교를 설립할 때도 남아 있었다. 한 때 경성중학교 교실로 사용하다가 1926년 3월에 조동종 양본산 별원兩本山別院 조계사曹谿寺에 매각하여 동사同寺의 본당을 짓는데 사용했다.[160]

중 이번에 황해도 해주군 해주면 영정 18번지에 사는 부호 김응조 씨와 기타 장일, 겸전오랑(鎌田五郎), 강영철, 양해룡, 김동주 등 7, 8 유지의 발기로 덕수유치원을 창설키로 되어 정일 씨는 건물 60평을 기부하고 김응조 씨는 설비비 천원과 유지비로 매삭 2백원씩 종신 기부키로 되어 4월 중에 개원될 모양인데 김응조 노인이 이번에 이 같은 사회사업에 눈을 뜨게 된 동기는 씨의 "장남이 너무나 뜻없이 재산을 많이 없애임므로 자식의 손으로 목적 없이 없애는 돈이면 수제 자기 손으로 사회를 위하여 소비하는게 가하겠다"는 눈물겨운 사실에 기인된 것이라는 부호의 성의를 다만 뜻깊은 이 사업이 성취되기를 바라는 바이다.

160 近藤時司, 『(史話傳說) 朝鮮名勝紀行』, 博文館, 1929, p.101; 岡田貢, 『京城の沿革と史蹟』, 京城府廳, 1941; 「京城南半の史蹟」, 『조선』, 1930년 9월.
「碧海桑田가티 激變한 서울의 녯날집과 只今집」(『별건곤』 제23호, 1929년 9월)에는 다음과 같은 내용이 있다.

『매일신보』 1926년 4월 11일자에는 다음과 같은 기사와 함께 건축대지 공사 사진을 싣고 있다.

건축대지 공사 사진

경성의 신명승新名勝

저번에 평양 서궁의 항건문을 옮겨다가 지은 부내 대화정 조계사에서는 이번에 또 부내 서궐西闕 안에 있는 숭정전崇政殿을 소유자인 경성중학교에 1천5백원을 기부하고 그것을 옮겨다가 그 절 앞에 세우기로 하고 목하 사진과 같이 건축대지의 공사를 하는 중인데 이로 인하여 경성에 새로운 명승지가 될 터이다.

曹溪寺와 李東岳詩壇. 경전본정 종점에서 정남으로 뵈이는 남산 支脉에 한 종루가 잇스니 이는 일본인의 曹溪寺다. 그 정문은 원래 平壤離宮의 皇禮門으로 大正14년에 移建하얏고 그 門內 좌측에는 큰 巖石上에 『東岳先生詩壇』 六字를 刻하얏스니 前日 宣祖 때 유명한 文章 李同岳 安訥先生의 遺址다. 그리고 그 寺의 本堂인 朝鮮式 건물은 元 光海朝가 건축한 慶熙宮(興化門大闕)의 正殿이 崇政殿(勤正殿게 기다 公式 人禮를 行아는 곳)으로 大正15년에 移築한 것이다. 그 寺는 朝鮮 古蹟의 集合所라 하얏도 可하다.

해방 후 그 자리에 동국대학교가 세워지면서 1976년 9월 현재 위치로 옮겨져 학교의 법당인 정각원으로 사용되고 있다

1926년 4월 10일

밀양 표충사 화재

4월 10일 새벽 1시에 경남 밀양군 단장면 구천리에 있는 표충사表忠寺에 불이나 대광전大光殿, 팔상전八相殿, 의향전疑香殿, 산령각山靈閣 등 대건물이 소실되었다. 동시에 불상, 불화도 다수 소실했다.[161]

표충사表忠祠는 임란의 공신 사명四溟, 청허淸虛, 기허騎虛 삼사三師를 봉사奉祠한 사당이다. 사명당은 속성이 임씨이니 밀양군에서 출생한 관계로 현종 10년에 서원을 밀양군 무안면 중산리 삼강동에 건립하고 표충表忠의 사액賜額을 내려 춘추로 제사를 지내게 했다. 이곳에는 사명당이 상용하던 금란가사 1령과 백견장삼 1건, 연화목발 1건, 철탁 1개, 원경圓鏡 1개, 패도 1개, 사명기司命旗 1령, 친필금자화엄경 1권, 교지 8장, 사명집 8권 기타 당시 조정과 내왕한 서한 및 서산대사의 친필 서한 등을 보관했다.

표충사表忠寺란 명칭은 1839에 청허, 사명대사의 법손인 천유선사天有禪師가 사명, 청허, 기허대사 등 세 승려의 진영과 위폐를 밀양군 단장면 구천리 재약

---

161 『每日申報』1926년 4월 18일자; 『東亞日報』1926년 4월 25일자.

산의 영정사靈井寺 자리로 옮겨와 모시면서 표충서원으로 편액을 걸었다. 이때 절 이름도 표충사表忠寺로 고쳐 부르게 되었다.

표충사가 들어선 영정사靈井寺는 신라 때 창건한 절로 특히 고려 때는 번창하여 승도가 천여 명에 이르렀다고 하나 표충사表忠祠가 옮겨올 즈음에는 그 규모가 많이 축소한 상태였던 것으로 보인다.[162]

1926년 4월 26일

순종 창덕궁 흥복전에서 승하

---

162 『每日申報』1930년 10월 7일자 「중흥의 가람(1)」에는 다음과 같은 기사가 있다.
표충사가 移御되기 전 寺名은 靈井寺이다. 신라 흥덕왕4년에 창건한 사찰이다. 천축의 승 黃面祖師가 인도로부터 처음 신라에 건너와 국중을 주유하다가 이곳 죽림 중에 조그마한 암자를 세우고 매일 좌선으로 보내더니 마침 그 시기에 신라태자가 우연하게 병으로 자리에 누어 국력을 기우려 치료를 하였으나 효과가 없으므로 최후로 승지나 유람하고 저명한 藥泉이나 탐방할까 하고 전국을 주유하다가 이 암자에 이르러 조사의 모습을 보고 감복하여 신병을 치료해 주기를 간청하여 사는 이에 한 샘을 가리키며 저 물을 마시라고 알려주어 태자는 매일 그 약수를 마셨는데 불과 몇 개월 만에 병이 치유되었다. 이에 태자는 승도 5백여를 데리고 선풍을 일으키게 하였다.
그 후 고려에 들어와서는 국비로 가람을 창건케 하였으며 산명을 載藥이라하며 본명은 靈井이라 하여 국가의 원찰로 한 것이다. 고려 문종시에는 海麟國師가 法住하였고 충렬왕 시에는 一然國師가 머물렀으니 그 때는 僧衆이 천여 명이나 되었다고 한다.
조선시대에 들어와서는 선조33년에 慧澄和尙이 중창하고 숙종42년에 珊英 등이 중건 하였다.

1926년 4월 27일

영추문 성벽이 붕괴되다.

경복궁의 영추문 북쪽 한 편이 무너졌다. 이전까지만 해도 무너질 기미가 전연 보이지 않다가 돌연 무너졌는데, 당시 신문 기사를 보면 그 원인은 영추문 앞을 지나는 전차의 울림으로 인한 것이라 한다.

『매일신보』1926년 4월 28일자에는 다음과 같은 기사가 있다.

무너진 성벽(『매일신보』1926년 4월 29일자)

영추문의 성벽 돌붕突崩
유희遊戲 중 소아 1명 중상,
전차 울리어 영추문담 붕락
이조 오백년 동안의 역대 제왕이 이천만 백성에게 혜퇴와 위엄을 베출고 있던 궁궐-경복궁 안에는 금년 1월 초순에 총독부가 이전되어 간 후 우렁차고 파란 많은 광화문을 그 뒤로 옮겨가기로 하고 목하 이축공사에 착수하여 불원간 그 웅자를 용이히 얻어 보기 어렵게 되었음을 암암리 무엇이라 말 못할 감상을 느끼고 있는 중인데 작 27일 오전 10시에 지금까지 흔적도 없던 경복궁의 영추문의 북쪽 한편이 돌연히 무너지어 영추문 전부가 위태한 지경에 이르려고 동시에 그 옆에서 놀고 있던 부내 필운동 아해가 흙속에 산장을 하게 된 것을 마침 지나가던 신문사 배달부와 차부가 발견하고 즉시 극력 구호한 결과 다행히 생명에는 관계가 없게 되었는데 영추문이 그와 같이 돌연히 무너진 원인은 다만 그 앞으로 전차가 늘 왕래하는데 성벽이 울리어 결국 무너진 듯하다더라.

1926년 4월 28일

청도군 대적사 화재

28일 오후 10시경에 경북 청도군 화양면 송금동 416번지 대적사大寂寺에서 불이나 사찰 건물 대부분이 소실되었다.

『매일신보』 1926년 5월 5일자 기사

당시 신문기사에는 건물 모두를 소실했다고 하는데 극락전만은 화재를 면한 것으로 보인다. 극락전은 현재 보물로 지정되어 있다.

1926년 4월

경북 경주군 경주면 일대의 산 총계 88정보를 고적보존 및 조림용으로 50년

간 재단법인 경주고적보존회에 대부를 허가하다.[163]

1926년 5월 16일

왕우묘 출토 낙랑유물 동양문고에 진열

도쿄제국대학에서 발굴한 낙랑고분 (205호) 출토유물을 1926년 5월 16일 동양문고에 진열하고 사학회대회에서 하라다 요시토原田淑人의 공개강연이 있었다.[164]

1926년 5월

대마도 문서 구입

1923년 7월에 조선사편수회 고문 구로이타 가쓰미黑板勝美가 대마도對馬島에 사료채방을 위해 출장을 갔을 때 조선에 관계되는 문서, 고기록류 등이 구 대마도주 종백작가宗伯爵家에 상당수 있다는 것을 알게 되었다. 그래서 1923년 8월경에 가시하라栢原 위원을 출장조사 시켰는데, 그것이 조선사편찬의 참고자

---

163 『朝鮮總督府官報』 1926년 4월 17일자.
164 「雜報」, 『人類學雜誌』 제42권 제6호, 1926년 6월.; 朝日新聞社編, 『日本美術年鑑』, 1927년.

료로서 필요하다고 인정되었다. 이에 따라 1926년도의 예산에 구입비를 요구하고 구로이타 고문의 주선에 의해 1926년 5월 고문서류 67,469매, 고기록류 3,576책, 고지도류 34매, 고화류 18권 및 53매를 25,000엔에 구입하였다.[165]

경주 황남리 고분 발굴

1926년 5월 경주역 확장공사를 위해 경주 황남리에서 취토 작업을 하던 중 5월 20일에 고분을 발견되었다는 보고가 있어 총독부박물관주임 후지타 료사쿠藤田亮策, 촉탁 고이즈미 아키오小泉顕夫가 22일에 경주에 와 23일부디 고분 조사에 착수하였다. 후지타 등은 경주분관 개설 준비를 위해 경주 출장이 예정되어 있었던 참인데 황남리 미추왕릉 부근에서 고분이 발견되어 속히 조사할 필요에 따라, 경주분관 개설 준비 작업과 함께 고분의 내부 상태, 발견 유물, 현장 상황 및 향후 일정, 투입 인력 상황 등을 보고하고 있다.

1926년 5월 23일부로 후지타와 고이즈미가 학무국장에게 보고한 '황남리 고분조사 상황 보고'에 의하면, 고분 발굴 현장은 경주군 경주면 황남리 40번지 밭, 43번지 밭, 44번지 밭의 지역으로 43번지는 김운룡의 소유지고, 40번지와 44번지는 동양척식주식회사의 소유지이 속해 있었다. 이 곳에 대형 적석총 고분 1기가 완존하고 소형 석실분 1기, 적석곽의 고분 1기가 있었다. 이들 고분은 갑, 을, 병분으로 명명했다. 갑분은 대형석곽을 가진 대고분으로 그 동측의 일부에

---

165 朝鮮總督府朝鮮史編修會,『朝鮮史編修會事業槪要』, 1938.

적석 일부가 노출되어 있었다. 을분은 한 고분 내에 석실 2개가 병렬되어 있었는데 그 남서면의 측벽이 파괴된 내부로 들어갈 수 있었다. 병분은 적석총으로 표면 하 2척으로부터 적석의 일부가 노출되어 도기 및 토기 파편이 산재했다.

1926년 5월 23일부 '황남리 고분조사 상황 보고'에서는 이들 고분을 경주분관의 진열의 종료와 함께 조사할 예정이라 하고, 기간은 약 30일이 요하며 후지타, 고이즈미 외 촉탁 사와 슌이치澤俊─을 파견하고 다시 경주분관 근무 고원 최재규가 조사에 참가할 수 있도록 청하고 있다.

1926년 5월 26일부 후지타가 보고한 '경주 황남리 고분 조사 상황 기타 보고'에는 조사 예정 일정을, 5월 20일부터 29일까지 분관 진열 준비, 5월 30일부터 6월 2일까지 을호분 조사, 6월 3일부터 17일까지 갑호분 조사, 6월 18일부터 27일까지 병호분을 조사하는 것으로 잡고 있다.

1926년 6월 8일부 후지타가 종교과장에게 보고한 '경주 황남리 고분 조사 상황 보고'에는 황남리 고분 조사 중의 사와, 고이즈미 양촉탁은 다시 장래 조사 방침을 정하고 조사현황 개요를 보고하고 있다. 을호분은 제2실에 토기, 도기, 철기 등 200점이 퇴적堆積되어 있고 6월 6일 전부 조사를 거쳤으며, 고분 조사원 후지타, 사와, 고이즈미 3인 외에 경주분관 고원 최재규 및 경주고적보존회 보조, 1일 인부 약 19인 사용하고 있다고 보고하고 있다.[166]

당시 발굴 조사와 관련한 다음과 같은 기사가 있다.

경주고분 발굴. 이미 보도한 바와 같이 경주역 확장공사를 10여일 전부터

---

166 「大正12~15년도 복명서」, 『국립중앙박물관 소장 조선총독부 공문서』, 목록번호 : 96-139.

착수하였는데 방금 경주 황남리고
분군간 전지에서 취토 운반 중인
바 지난 20일 오전 취토장에서 고
분석문이 발견되었으므로 총독부
박물관 주임 등전량책, 촉탁 소천
현부 양씨가 22일에 내경하여 23
일부터 고분발굴에 착수하였다
(『동아일보』 1926년 5월 28일자).

『매일신보』 1926년 6월 25일자 기사

경북 경주역 개축공사를 하다가
발견된 부근의 좌우석실을 조선총독부박물관에서 발굴하다. 유물로 크고
작은 병이 200개, 어골魚骨, 나락 및 쇠로 만든 등과 도끼 등이 나오다(『동
아일보』 1926년 6월 3일자).

금관, 곡옥 발굴, 경주에서 23일에 또 발견
경주정거장 확장공사 중에 고분이 발견되었다는 보도를 듣고 총독부박물
관 주임과 촉탁이 경주에 출장하여 발굴한다함은 기보하였거니와 그 고분
은 최근에 전부 발굴하고 새로이 그 북편 밭사이에서 또 고분 하나를 발견
하여 수일전부터 발굴하는 중 다수한 토기가 나왔으며 지난 23일부터는
금관, 곡옥 금속장식품 등이 속속 출현되므로 엄중한 경계리에 발굴 중인
데 구경꾼이 운집한다더라(『동아일보』 1926년 6월 27일자).

처음 발굴하기로 계획했던 3기의 고분 외에도 또 다른 1기가 발견되어 이것까지 발굴하여 다수의 유물을 발견했다. 총 4기에 대한 구체적인 보고서는 결여되었다.

1926년 6월 5일

평양 낙랑고분 조사

1926년 6월 5일부터 7월 9일까지 오가와 게이키치小川敬吉와 노모리 겐野守健이 낙랑 고분군의 현상을 재조사한 후 복명서를 제출했다.

복명서에는 1,386기의 고분을 모두 재조사하는 일은 불가능하므로 부득이하게 석암리, 오야리, 남정리, 정백리 일부를 재조사했으며, 후일 기타 고분군을 재조사하겠다는 의견을 밝히고 있다. 그리고 이 고분들은 2,000여 년 전의 문화를 담고 있는 세계적으로 귀중한 고적이므로 엄중히 감독하고 고적으로 등록해서 보존하기를 희망한다는 의견을 제기하고 있다.

고분의 소재지 분포는 대동군 대동강면 석암리 388기, 정백리 354기, 조왕리 68기, 장진리 50기, 토성리 8기, 오야리 17기 등으로 보고하고 있다.[167]

---

167 『국립중앙박물관 소장 조선총독부박물관 공문서』, 목록번호 : 96-139.

1926년 6월 11일

경기도 광주 일부지역 조사

1926년 6월 11일부터 7월 4일까지 기수 다나카 쥬조田中十藏와 고 간다 소죠神田總藏가 경기도 광주군 일대의 고적조사를 하고, 첫 번째 중간보고에서는 석기시대 유물 및 문자입고와文字入古瓦 출토지인 광주 구천면 선리와 암사리 실측, 서부면 춘궁리 이성산성지二聖山城址에의 백제 시대 및 신라시대 고와 및 토기 수집, 서부면 하사창리에서의 왕궁지王宮址 혹은 사지寺址로 추정되는 유적의 발견 등을 보고하고 있다.[168]

그 일정은 다음과 같다.

6월 11일~14일 암사리 석기시대 유적조사 및 측량

6월 14일~15일 선리동 측량, 구천면을 출발하어 서부변 춘궁리에 도착 이성산성지를 도사하고, 백제시대, 신라시대 고와, 토기파편 다수를 수집

16일~19일 이성산성 조사 및 측량

20일 서부면 하사창리 조사

21일 동부면 마애석불 조사 및 탁본

22일~26일 서부면 춘궁리 출발 중부면 산성리 도착 남한산성 조사

27일~7월 3일 산성리군청정지 발굴조사 및 산성 측량

7월 4일 광주군 중부면 산성리 출발 경성 귀착

---

168 『국립중앙박물관 소장 조선총독부박물관 공문서』, 목록번호 : 96-139.

1926년 6월 20일

조선총독부박물관 경주분관을 경북 경주군 경주면 동부에 설치하고 6월 20일부터 개관하여 일반에게 관람을 허가한다고 고시하다.[169]

1926년 6월 26일

제24회 고적조사위원회

제24회 고적조사위원회는 회의를 생략하고 6월 26일자로 기안한 안건에 대한 의견을 구하기 위해 의안 '다이쇼 15년도 고적조사계획'을 회람하였다.

그 내용은 다음과 같다.[170]

의안 제1 대정15년도 고적조사 계획

제1 고적조사

1. 황해도 황주군 영풍면 이정리 고분 조사

2. 경기도 광주군 중대면 가락리 및 석촌리고분 조사

3. 경북 경주군 부근 고분 조사

---

169 『朝鮮總督府官報』 1926년 6월 16일자.
170 「제24회 고적조사위원회」 『국립중앙박물관 소장 조성총독부 공문서』 목록번호 : 96-277.

4. 평남 대동군 낙랑군 고분군 조사

5. 전남 나주군 지석총 조사

6. 경기도 광주군 및 충남 백제유적 조사

7. 강원도 원주 탑비 조사

8. 경주 임해전지 및 사천왕사지 조사

9. 경남 구포패총 조사

10. 해인사대장경판 조사

11. 칠기 수리 및 모사

제2 보존공사

1. 개성 현화사비 및 영통사탑비 목책 수리

2. 개성 양릉리 벽화고분 입구 수리

3. 순천 고구려 벽화고분 입구 수리

4. 강서 고구려고분 입구 수리

5. 대동강면 석암리 전곽고분 입구 시설

6. 삼전도청태종공덕비 주위 목책 시설

제3 출판

1. 고적도보 제8책 및 제9책 원고 작성

2. 고적조사 특별보고 제4책『낙랑시대 유적』본문 1책

3. 대정9년도 고적조사보고 제2책『양산 북정동고분 조사보고』

제4 등록

등록 취소

세104오 냉수 사현정리 당간지주

1926년 6월 28일

영명사 말사 평안남도 강서군 함종면 백운암白雲庵을 폐지하다.

패엽사 말사 다음의 3개사를 폐지하다.

황해도 해주군 금산면 안수사安壽寺

황해도 해주군 송림면 우명사牛鳴寺

황해도 신천군 용진면 백련사白蓮寺[171]

1926년 6월

이왕가박물관과 총독부박물관의 합병의 시도

조선총독부에서는 고종의 승하 후 왕가가 급격히 약화되자 창경원 이왕가박물관과 경복궁의 조선총독부박물관을 합병하여 총독부박물관으로 하고, 총독부박물관의 유물은 역사박물관, 이왕직의 것은 미술박물관으로 분류하여 운영하고자 하였다.[172]

---

171 『朝鮮總督府官報』1926년 6월 28일자.
172 『東亞日報』1926년 7월 2일자.

1926년 7월 6일

경북 의성군 단촌면 산록에서 고대 토기 습득

경북 의성군 단촌면 후평동 김탁동은 7월 6일 동네부근 산록에서 고대제기
와 같은 토기 4개를 습득하였는데 이 산록 일대에는 백여 기의 고분이 산재한
중 개중에는 주위 2칸 고 6척여의 고분도 있으므로 부근 부락에서는 이것이 고
려시대 모왕릉이라 전설이 있다고 한다.[173]

1926년 7월 22일

광화문 이전 공사

광화문 이전 공사는 1926년
7월 22일에 시작되어 1927년 9
월 15일에 비로소 그 공사를 완
료하게 되었다. 그간의 숱한 난
제와 이야기를 낳기도 했다.

광화문의 이전은 1915년 시정
5주년기념조선물산공진회 이후

광화문 육조거리

---

173 『每日申報』 1926년 9월 13일자

경복궁 안에 조선총독부가 들어서면서 완전히 훼파하거나 이건하는 것은 예정 수순에 있었던 것이다. 조선 총독부청사의 위치는 근정전과 광화문의 중심선을 연결하는 선상에 신청사 중앙과 중심선이 일치하도록 하였다. 근정문에서 남쪽으로 17칸, 광화문에서 북쪽으로 46칸 떨어진 곳 중앙에 위치하는 것이었다. 동서로 242칸, 남북으로 124칸 규모의 29,481평 대지였다. 이러한 계획에 의해 서서히 경복궁 정리 작업을 시작하여 결국 이들의 손에 무참히 난도질을 당한다.

광화문은 총독부 청사 공사가 이루어져 가면서 주변이 완전히 파헤쳐지게 되고 이 광화문과 "신식으로 지은 총독부청사와 조화가 되지 않는다"[174]는 이유와 "출입이 빈번한 총독부 정문으로는 너무 좁다"[175]는 이유로 헐어버리려고 하였다.

그러나 조선 내에서는 이러한 부당함을 지적하는 소리가 크지 않았다. 이 부당함을 처음으로 통렬하게 비난하면서 대항한 자는 일본인 야나기 무네요시柳宗悅이란 자로 그의 글은 일본에서 발행되었던 『개조改造』(1922년 9월호)란 종합지에 「없애버리려고 하는 한 조선건축을 위하여」라는 제하의 글로서 발표되었다. 조선의 건축이 사라지려함을 조선에서 조선인에 의한 것이 아니라 일본에서 일본인에 의해 그 부당함이 강력하게 지적된 것이다.

아아 광화문이여! 너가 얼마나 쓸쓸한 생각으로 있을까.

너의 많은 친구들은 너보다 앞서 살해되고 말았다. 도시의 서쪽을 장식하고

---

174 『新韓民報』1923년 11월 1일자에 '李氏朝의 유물인 광화문을 파괴하려'라는 題下의 기사가 있다.
175 『매일신보』1924년 3월 26일자.

있던 돈의문, 소의문은 이미 시민들의 눈에서 사라져 버렸다. 연전에 나는 혜화문을 찾았는데 보호하는 자가 없었기 때문에 그 가련한 모습은 이미 풍우를 감내할 수 없게 보였다. 네가 존경하는 숭례문은 성벽에서 고립되어 인연도 없는 철책에 묶여 겨우 지탱하고 있었다. 사랑해 주는 주인이 없는 너희들은 그 짧은 운명을 얼마나 쓸쓸하게 생각하고 있을까. 죽지 않아도 될 너희들이 죽지 않으면 안될 이 세상을 나는 대단히 부자연한 것으로 생각하고 있다. <중략> 나는 네가 아직 건전하게 서 있을 동안에 또 한 번 바다를 건너 너를 만나려 갈 생각이다. 너도 나를 기다려 다오. 그러나 그 전에 나는 시간을 내어 이 한편의 글을 써 놓고자 한다. 너를 낳아준 너의 다정한 민족들은 지금 말을 삼가도록 명령받고 있다. 그러므로 그들을 대신하여, 너를 몹시도 사랑하고 아끼는 사람이 이 세상에 있다는 것을 생전의 너에게 알리고 싶은 것이다. 그렇게 하고 싶기에 나는 이를 글로 써서 많은 사람들 앞에 내어 놓는다. 이 글로 인하여 너의 손재가 또 한 번 깊게 사람들에게 의식되고 반성의 자료가 될 수 있다면 얼마나 좋을까. 그래서 내가 쓴 글로 인해 그 의식을 영속永續케 할 수 있다면 너 또한 기뻐하리라(1922년 7월).[176]

이것을 다시 『동아일보』에 「장차 잃게 된 조선의 한 건축을 위하여」라는 제목으로 1922년 8월 24일부터 28일까지 5회에 걸쳐 연재하여 게재하게 되었다.

특히 조선이라는 것을 생각게 하는 제관아를 좌우에 이끌고 용립聳立한 북한

---

176 야나기 무네요시, 『조선을 생각한다』에서 발췌.

산을 배경으로 하여 멀리서 대황로를 밟으며 광화문을 바라보는 광경은 참말 저 버릴 수 없는 위대한 인상을 주는 것이 아니냐? 자연과의 배치를 깊이 고려하여 잘 계획한 그 건축에는 이중의 미가 있도다. <중략> 지금은 천연과 인공과의 좋은 조화가 이해 없는 자로 인하여 파괴된다는 것을 이것이 만약 꿈에 불과하다면 다행하겠다. 그러나 그것이 무서운 현실인 것을 어찌하랴.

마음을 고요히 하여 10여년 옛적을 생각하여 보라! 위대한 광경에 마음이 끌리어 문 앞에 가까이 나갈 때 사람은 알지 못하게 그 장엄한 미에 마음을 빼앗길 것이다. 이리하여 중문으로 들어가 금천교를 건너가면 앞에는 장대한 근정전이 용립하고 뒤에는 강녕전과 경회루의 기와가 물결치는 모양으로 중첩하여 있다. 다시 금원禁苑 속으로 깊이 들어가면 혹은 녹색으로 혹은 적색으로 몸을 장식한 10여개의 건물이 혹은 그 아래 연화를 피우고 혹은 그 위에 송지松枝를 뒤덮여 각각 보기 좋은 장소를 택하여 있다. 동에는 건춘문, 서에는 영추문, 북에는 신무문 그리고 남면의 정문을 이름하여 사람들은 광화문이라 하고 있는 것이다. 그러나 다시 두 번 이 세상에서 보지 못할 것이다. 이조의 대표적 건축인 강녕전과 교태전은 이미 다른 곳으로 이전되고 변형이 되어 지금은 온돌에서 나오는 연기 만이 작은 넘어에서 고요히 떠오르고 있을 뿐이다. 중요한 최대의 건축인 근정전을 문 앞에서 우러러 볼 날은 두 번 우리에게 오지 아니할 것이다. 곧 얼마 아니하여 그러한 동양의 건축과 아무 관계없는 비대한 양풍의 건축이 장차 완성될 총독부의 건축이 지근 그 준성을 급히 하고 있지 아니한가?

<중략> 광화문에 연속된 흥례문은 이미 자취도 없어 졌으며 저 금천교와 또 그 아래로 보이던 석조의 괴물은 무참히 파괴를 당하여 지금은 다만 그

석편 등이 풀 속에 흩어져 있을 뿐이다. 저 위대한 경회루는 이 후에도 잔존하겠지마는 그것은 다만 유연遊宴의 용으로만 공급될 것이다. 이리하여 남은 광화문은 그 위치에 서 있을 만한 의의를 잃어버릴 것이다. 이 전날에는 그 문이 없어서는 아니 될 위치에 존재하였으나 지금은 도리어 있어서는 아니 될 위치에 서있게 되었다.

누구든지 저 양풍의 건축이 광화문의 존재를 무시하고 설계된 것인 것을 부인할 자가 없을 것이다.

(류종열, 「장차 잃게 될 조선의 한 건축을 위하여 三」, 『동아일보』 1922년 8월 26일자)

광화문 철거의 반대에도 불구하고 총독부 신청사가 준공 되는대로 광화문을 헐어버리기로 결정했다는 소문은 그치지 않았다.[177] 이후 일본과 조선에서 큰 반향을 불러일으키게 되자 총독부에서는 광화문을 헐어버린나는 것은 오보라고 발뺌을 하였다. 매일신보는 '광화문光化門 훼철毀撤은 허보虛報'라는 제하題下의 다음과 같은 기사를 싣고 있다.

역사 있는 광화문을 헐어버린다는 말은 전혀 거짓말, 신청사 정문을 어떻게 하자함이 전혀 협의한 바 없을 뿐 아니라 현재의 광화문을 헐어버린다는데 대해서는 예산도 편성된 바 없으며 모지某紙에 보도된 바는 전혀 오보이며 그리고 광화문은 역사상으로도 유명한 건축이며 당국에서는 진중히 고려할 뿐 아니

---

177 『동아일보』 1923년 2월 8일자.

『매일신보』1923년 2월 9일자 기사

라 이것을 민간의 유력자와 의견을 교환하여 결정할 바인즉 ············ 운운.[178]

　그래도 계속해서 광화문에 대한 우려의 목소리가 가라앉지 않자 결국은 광화문을 완전히 헐어버리겠다는 계획을 중단하고 이건移建하는 방안을 강구하게 되었다.『동아일보』1923년 10월 2일자에는 다음과 같은 기사가 있다.

　경성의 미관, 이조의 유보遺寶. 광화문의 운명은 여하
　철훼에는 반대요 이전에는 비용이 없다. 결국은 얼마동안은 현상을 유지
　할 모양인 듯하다.

---

178 『每日申報』1923년 2월 9일자.

경복궁 안에 총독부청사를 신축하기로 하고 공사에 착수한 이래 경복궁을 지키고 있는 광화문은 장차 헐어버리느니 혹은 어디로 이전시키느니 하며 매우 문제가 많았으며 더욱 조선 사람들 사이에는 그 광화문을 파괴하거나 혹은 이전하는 것을 적지 않게 섭섭히 생각하였다. 그러나 이제는 화강석으로 지은 근대적 당당한 5층집 총독부청사가 거의 낙성이 되었으므로 광화문은 이 새로운 건축에 조화가 되지 않는다하며 파괴는 아니 할지라도 이전은 조만간 하지 아니하면 경복궁 안에 있는 토목부출장소 모씨는 말하되 "오늘날까지는 저 광대한 광화문 외에 다른 출입구가 없었으므로 공사감독상에 비상한 편의가 있었으나 지금 낙성되어가는 신청사와는 매우 조화가 되지 아니함으로 그대로 둘 수는 없을 듯합니다. 유길有吉 정부종감을 위시하여 여러 당국자가 그 파괴에는 전연 반대하고 어디로 이전시켜 보존하여 두면 좋겠다고 하는 타입니다. 그 이전할 장소는 광화문통 전차교점으로 하면 좋겠다는 말도 있고 혹은 조신신사로 하면 좋겠다는 말도 있으나 아직 결정하지 못하였습니다."

완전히 헐어버리지 않고 이건한다는 것은 결정되었으나 그 장소는 다시 물색한다는 것으로 일단 한국인의 불만을 잠재우려 했다.

경복궁 안에 총독부 청사를 짓자 해태가 없어지고 광화문을 헐어 버린다. 혹은 밀어낸다. 여러 가지 소문이 돌아 다녀 역사가, 미술가, 고고학자들은 물론 일반이 그 운명이 어찌 될른지 애석하게 생각하는 사람이 많은데 이에 대하야 조선총독부 도목부 선축과상 이와이岩井 씨는 말하되 광화문에 대하여

서는 하도 말이 많으니까 진력이 날 지경입니다. 우리 생각에도 그렇게 훌륭한 건축물을 그래도 헐어 버린다는 것이 아까운 일이라 해서 그대로 두기로 하기는 하였으나 위치가 새로 짓는 총독부와 알맞지 않음으로 그곳에서 다른 곳으로 옮겨 지을 터인데 그 건축물과 조화를 취하기 위하여 경복궁 안 어느 곳이든지 적당한 곳으로 옮길 터입니다. 그것을 옮겨 짓는데 드는 비용은 지금 예상으로 적어도 6, 7만원은 될듯한데 남대문과 마찬가지로 조선 고적의 하나인 광화문은 영구히 보존하려하며 해태로 말할지라도 독일을 중심으로 일어나는 새 건축에 해태와 흡사한 것이 있습니다. 총독부를 다 지으면 정원 가운데 적당한 곳을 찾아서 배치하야 잘 보관하려 합니다.[179]

일제의 의도는 광화문을 그대로 두면 경복궁 안에 총독부 청사가 있는 듯한 느낌이 들기 때문에 광화문을 없애버리고 총독부 청사로 하여금 경복궁을 완전히 가리고 압사시키려는 뜻을 가지고 있었던 것이다.[180]

광화문 해체에 앞서 문전의 높은 대상臺上 위에 있던 해태상[181]은 1924년에

179 『時代日報』, 1924년 5월 24일자.
180 유종렬은 「그의 朝鮮行」(『改造』 1920년 10월호)에서.
  "지금 총독부에 의해 광화문과 근정전 사이에 실로 방대한 서양 건축물이 세워져 있다. 더구나 그 위치는 옛날의 질서는 전혀 볼보지 않고 약간 서쪽으로 치우쳐 있다. 그토록 큰 正殿도 지금은 문을 통해 볼 수조차 없다. 아니 이제는 이미 어떠한 위치에서도 근정전의 전경을 정면에서 볼 수 없게 된 것이다. 이 무슨 무모한 계획인가"하고 그들의 음모를 간파하고 있다.
181 門前의 쌍해치(雙獬豸 : 豸는 神羊이오 音은 해치니 속칭 海駝)는 近世 美術大家 李世旭(一云泰旭)의 作이다(前日 門內 錦川橋上 東과 西에 南北 兩側에 四個 石天祿은 國初 遺物이다). 此 獬豸는 總督府前 道路 확장할 때에 總督府 後院으로 옮겼다(門內漢, 「京城 八大門과 五大宮門의 由來」, 『별건곤』 제23호, 1929년 9월).

총독부 대현관大玄關 앞으로 옮겼다.[182] 이후 해태상은 한참동안 아무렇게나 버려져 방치되었음인지 낭시 신문기사는 다음과 같이 울분을 토하고 있다.

1907년의 광화문의 모습

너의 꼴을 보려 대궐 안에 들어가니 너는 한편 모퉁이에 참혹히 드러누워 있더라. 그것을 무엇이라 표현하겠느냐 무슨 하늘도 못 볼 큰 죄를 지은 것처럼 거적거리를 둘러쓰고 고개를 돌이켜 우는 듯 아을 쓰는 듯 빈기는 듯 원방하는 늣한 해치를 발견히고 가슴이 뜨끔하였다. 옛 주인이 경복궁 뒤로 밀려나고 낯설은 사람들이 지어놓은

이전공사에 착수한 광화문(『매일신보』 1926년 8월 9일자)

182 若山牧水,「景福宮の整理」,『京畿地方の名勝史蹟』, 京畿道地方行政學會, 1937, p.78.
    京城府廳, 『京城の沿革と史蹟』, 1941, p.5, 1.

총독부 새 집안에서 모든 학대와 갖은 구박을 다 받는 해치의 신상을 염려하는 조선 사람들이 많은 것을 그가 안다면 피나는 설움이라도 참을 듯할 것이다.[183]

광화문상량문(『매일신보』 1926년 9월 11일자)

총독부에서는 신청사준공식을 1926년 10월에 가질 예정이었기 때문에 사이토 총독의 의향은 그 때까지 홍문虹門까지 철훼하려 하나 도저히 그때까지는 전부 철훼할 수 없고 누각만 철훼하여 경복궁 박람회장으로 쓰던 곳에 장적하였다가 1927년 중에나 건춘문 앞에다 홍문채 건립하기로 했다.[184]

광화문 이전공사는 미야가와宮川건설업에서 5만 4천8백원에 입찰하여 1927년 8월 15일까지는 완료하는 것으로 하고 1926년 7월 22일에 해체공사에 착수하였다.[185]

광화문 해체공사를 하던 중 1926년 9월 10일에는 광화문 다락의 지붕을 헐다가 지붕 속 대들보 옆에서 붉은 명주의 광화문상량문光化門上樑文이 발견되었다. 이에 의하면 광화문은 을축년(1865) 5월 17일에 공사를 시작하여 그 해 10월 3일에 개와蓋瓦를 올리고 그 달 10일에 상량上樑하였다. 그 문은 당대의 석학 이유원李裕元이 찬하고 글씨는 신석희申錫禧가 썼다.[186]

광화문이 헐리고 있을 때 한국에 왔던 스웨덴 황태자마저도 헐어진 광화문

183 『東亞日報』 1925년 9월 15일자.
184 『동아일보』 1926년 7월 2일자.
185 『매일신보』 1926년 8월 9일자
186 『동아일보』 1926년 9월 12일자.

을 보고 "저 아름다운 광화문은 왜 헐어서 벽돌에 구멍을 뚫어 놓은 것 같은 총독부 청사의 추醜를 외면外面에 나타나게 하느냐?"[187]고 했다.

『동아일보』1927년 4월 14일자 사설에는 다음과 같은 내용을 담고 있다.

상궐上闕의 미목眉目이던 광화문光化門은 이제 어디로 갔는가. 건청궁乾淸宮의 용가龍舸야 부서졌으라 하랴. 춘당대春塘臺의 옥지玉墀도 무너졌거나 말았거나, 누가 일없이 심궁비원深宮秘苑 복루중각複樓重閣을 낱낱이 눈물에 물들이려 하리오마는 판도版圖의 배꼽도 되고 역사의 숨구멍도 같은 광화문光化門 위용魏容이 환연煥然한 채 문득 우리 안전에서 살아졌음을 무관심하도록 우리의 신경이 둔하지를 못하고나, 육조六曹앞의 해치獬豸를 볼 수 없을 때에 우리의 가슴이 어떻게 섬찍하였던가.

<중략>

전사前事는 모른다 하고 나중의 광화문으로 말하면 어느 의미로 보아 조선력朝鮮民力의 마지막 기 써놓은 기념탑이다. 한 조각돌과 한 동강 나무가 그대로 최근 조선인 고혈膏血이며 노한勞汗인 것이니 거기는 실로 지금 우리에게 있어 초건축적超建築的의 큰 의미가 있으면 내지 그 위치와 솜씨에도 일일이 초이론적超理論的의 큰 부용성이 있는 것이다. 그 돌 한귀를 구드림이 그대로 우리의 깊은 마음의 밑바닥을 꼬챙이질 하는 것임을 아는 이는 진실로 우리 자신 밖에 아무도 없을 것이다. 하물며 헐어낸 이자리며 띄움이며 마지못해 뒷방 살림 시킴이랴. 혼정魂精과 생명을 다 빼고 진흙칠, 똥칠을 다해

---

187 『東亞日報』1926년 11월 13일자.

가며 한 구석에 들어 박음을 가르쳐 누구 보존이라고 탐탐해 할 자이냐.

어허 광화문은 헐렸다. 아니 없어졌다. 육조 앞을 들여다 볼 때에 귀여운 우리 전통은 뿌리 채 뽑혀졌음을 본다.

이렇게 하여 1926년 7월 22일에 해체를 시작하여 1927년 9월 15일에 총독 청사의 동북방 건춘문建春門 가까이로 이건移建하게 되었으며[188] 연인원 21,000여명이 동원되었으며 총 경비 50,261원이 소요되었다.[189] 이건한 직후의 광화문 모습을『동아일보』1927년 9월 18일자에는 다음과 같은 기사를 싣고 있다.

남면에서 동향에 뼈와 살만 부활

근고 조선 건축의 정화라고 하는 경복궁 정문 광화문은 경복궁 앞에 엄연한 총독부 백악관白堊館이 새 주인이 되자 경복궁의 수호신 같은 광화문도 그 자리를 잃고 오직 잔해를 가다듬어 경회루 동편 건춘문 북방으로 옮기게 되어 작년 7월 22일에 이전공사가 시작되어 그간 연인원 2만 1천인의 손으로 헤쳐졌던 뼈와 살이 다시 붙기 시작하여 지난 15일에 비로소 공사를 필하였는데 본래부터 광화문은 버리기에 아까운 고적일뿐더러 건축상에 귀중한 참고품이라 하여 옛날 그 형태로 두기로 되었으므로 형태만은 60

---

188 朝鮮總督府,『朝鮮總督府廳舍新造營誌』'光化門 移轉' 條, 朝鮮總督府.
    이건 후 6·25 때 폭격을 맞아 문루가 없어지고 석문만 남아 있었는데 1968년 원 위치에 석재만 옛날 것을 그대로 사용하고 문루는 철근과 콘크리트로 복원을 하였다. 현재의 현판 글씨는 고 박정희 대통령의 글씨다. 하지만 현재는 교체한다는 설이 있다.
189 『東亞日報』1927년 9월 28일자.

옮긴 후의 모습

년 전 옛날의 그 모양으로 다시 서게 되었으나 상량문은 박물관으로 뺏기
어 버리고 그 대신 시속時俗된 동찰棟札을 집어넣게 되었다고 한다. '고색을
보전하자'는 뜻으로 총독부 기수 미야지마宮島 씨의 감독 밑에 미야가와조
宮川組가 청부를 담당하여 공사를 진행하였으되 별로 일본태가 없었고 오직
총독부 예산에서 5만 2백 61원이라는 공사비가 들었으리 만큼 시붕에 입힌
백회가 하얀 것이 늙은 얼굴에 분칠을 한 것 같아 매우 서툴러 보인다.

1926년 7월

부여 은산면 각대리 숭각사지(崇角寺址)5층석탑 반출 사건

숭각사지는 은산에서 서남으로 개설되어 있는 소로를 따라 합도리를 지나면
고개마루를 넘어 각대리에 이르는데 사지는 각대리의 큰 터골 안쪽 계곡에 있

는 숭각마을 뒤편에 위치한다.[190] 각대리角垈리)는 1914년 행정구획정리로 대대리大垈里와 숭각리崇角里를 합병하여 부르고 있는데,[191] 숭각마을은 숭각사란 절이름에서 유래한 것으로 보인다.

『신증동국여지승람』,『범우고』,『가람고』에는 그 위치만 기록하고 사의 연혁에 대해 구체적으로 기술한 것이 보이지 않으며, 다만『부여지夫餘誌』(1929年 夫餘郡廳)에는 "재현서이십팔리숭각리후구유在縣西二十八里崇角里後舊有 금폐이불상우고란사今廢移佛像于皐蘭寺"라 하여 불상이 고란사로 이안된 사실을 밝히고 있으나 5층석탑에 관한 기록은 남기지 않고 있다.

그런데 1934년에 간행한『부여고적명승안내기夫餘古蹟名勝案內記』에는,

숭각사의 창건은 불명이다. 수년 전에 고려기에 속하는 제작 우수한 3층석탑 한 기가 존存하였으나 금今 군산부외群山府外 모 농장에 이치移置되었다.[192]

라고 외지로의 반출사실을 말하고 있다.

부여 은산면 각대리에 유전하던 5층석탑은 1926년 7월경 옥구군 개정면 발산리 강현기라는 자가 부여군 부여면 송곡리 진재홍으로부터 옥구군 개정면 구암리까지의 운반비를 포함하여 200원으로 매입하였다. 강현기는 다시 전북 옥구군 개정면 발산리 시마타니島谷 농장주 일인 시마타니 야소키치島谷八十吉에게 전매하였다. 시

---

190 『忠南地域의 文化遺蹟』, 百濟文化開發研究員, 1987.
   『夫餘郡誌』, 夫餘郡誌編纂委員會, 2003.
191 『朝鮮總督府官報』제564호(1914년 6월 19일), 忠淸南道 告示 제42호.
192 『夫餘 古蹟 名勝 案內記』, 夫餘古蹟保存會, 1934, p.69.

마타니島谷는 당시 상품으로서의 고물을 알고 이를 매입하여 그의 정원에 두었다.

이 같은 사실은 10년 후인 1936년에 와서야 부여고적보존회에서 문제를 제기하여 1936년 6월 20일자로 학무국장에게 부여로 반환시켜줄 것을 호소하였다. 이에 학무국장이 1936년 6월 26일자로 전북도지사에게 보낸 '석탑취체에 관한 건'을 보냈는데, 옥구군 개정면 발산리 거주 시마타니島谷라는 자가 부여군 은산면 각대리 소재 상당히 우수한 5층석탑 1기를 무단 반출하였다는 바, 이는 국유에 속할 것이며 또 보물로서 지정할 것임으로 엄중 훈계한 뒤 해당 석탑을 원지에 복원하도록 하고 그 결과를 보고하라는 내용이다.

그러나 1936년 8월 11일자로 전라북도지사로부터 보내온 '석탑취체石塔取締에 관한 건'[193]은 다음과 같다.

6월 26일부로 보내온 5층석탑 1기의 무단 반출 건에 대하여 원 복원하도록 하라는 통첩에 의하여 조사하였던바 시마타니島谷가 해 석탑을 입수한 결로가 좌기와 같으며, 조선보물고적명승천연기념물보존령 발포 이전의 일에 속하며 또 당시 개인 소유였던 것을 유상有償으로서 적법으로 구입한 것인바 구법령인 대정5년(1916) 고적급유물보존규칙 제5조에 의하여 고적 유물대장에 등록되어 있지 않는 한 취체의 방법이 없는 것으로 사료되어 국유이관 원지복원을 명할 근거가 없고 본명소유本名所有대로 국보로 지정하여 필요한 취체를 가할 수밖에 없는 것으로 인정됨으로 보고함

기記

---

193 金禧庚 編, '韓國 塔婆研究資料」, 『考古美術資料』, 考古美術同人會, 1969.

해 석탑은 1926년 7월경 옥구군 개정면 발산리 강현기라는 자가 부여군 부여면 송곡리 진재홍으로부터 옥구군 개정면 구암리까지 운임을 포함하여 2백 원으로 구입 이를 시마타니島谷에게 460엔으로 전매轉賣한 것으로 시마타니島谷는 당시 상품으로서의 고물로 알고 이를 구입한 것인데 그 후 1927년경에 이르러 부여군수로부터 본명本名에 대하여 해 석탑은 타에 전매轉賣 또는 반출하지 말라는 의뢰가 있었으나 그간 불법의 원인이 있었는 것 같은 사실을 듣지 못함 적법으로 본일까지 보존되어 온 것임

전북지사의 이야기는 시마타니島谷가 이 석탑을 구입한 것은 '조선보물고적천연기념물보존령'이 발포되기 이전에 발생한 것이다. 아울러 구법령舊法令인 1916년 총독부령 제52호 '고적급유물보존규칙古蹟及遺物保存規則' 제5조에 의한 고적유물대장古蹟遺物臺帳에도 등록되어 있지 않은 한 취제取締의 방법이 없는 것이라 하여 반환을 시킬 수 없다는 것이다. 결국 반환은 유보되고 말았다.

이 석탑은 '충청남도 보물고적명승천연기념물 보존령 시행에 따른 보고 건'(1934)에는 다음과 같이 기록하고 있다.[194]

숭각사5층석탑 1기
은산면 숭각사지에 있던 것으로 소화2년 8월 군산부 발산리 시마타니島谷 농장에 이치함
화강암제, 전고 약8척, 하등 이상없는 완전한 석탑

194 『국립중앙박물관 소장 조선총독부박물관 공문서』, 목록번호 : 96-298.

제작연대 고려제작으로 추정

보존상 필요로 인정하는 사항. 고려시대 예술연구에 크게 참고품으로 보
존할 필요가 인정됨

이를 미루어 보면 1934년까지는 별 손상 없이
보존되었던 것으로 보인다. 또한 해방 전까지는
시마타니島谷의 정원에 있었을 것으로 짐작되나
그 이후에는 행방을 알 수 없다. 시마타니가 살
았던 주거지는 해방 이후 발산초등학교가 들어
서 있으며 초등학교 후원에는 시마타니이 정인
에 놓여있던 석탑, 부도, 석등을 비롯한 석물들
을 보존하고 있는 바, 그곳에는 봉림사에서 옮
겨온 5층석탑 외에 또 다른 석탑재의 일부를 아
무렇게나 쌓아두고 있어 주목되고 있다.

숭각사석탑재가 일부 혼입된 것으로
보이는 발산초등학교 내 석탑

1926년 8월 1일

잡지『개벽』이 발행 금지되다.

발행인 이두성 편집인 이돈화에게 보내온 지령은, "잡지 개벽은 안녕 질서를
방해하는 것으로 인정함으로 신문지법 제21조에 의하여 그 발행을 금지함" 이

라 한다. 그간 개벽은 72회 발행에 32회 압수되었다.

발행금지에 관한 도서과장의 그 취지는 다음과 같다.

현재 조선에는 신문지법에 의하여 발행권을 얻은 조선문 잡지는 신민, 시
사평론, 조선의 광, 개벽이다. 개벽은 1920년 5월 2일부로 발행권을 얻어
동년 1월에 창간호를 발행한 이래 금일까지 72회다. 최초에는 학술 종교
에 관한 기사게재를 목적으로 보증금도 불납함에 불구하고 창간 당초부터
정치 기타 시사문제 등 제한 외의 기사를 게재하여 압수를 당함이 허다하
였다. 1922년에 정치 경제 일반의 게재할 특권을 부여케 되었는데 의연히
불은 기사를 게재하여 호호마다 당국의 경고를 받아도 조금도 반성이 없
고 오늘까지 72회를 발간하는 중에 32회를 압수처분을 받았다. 작년 8월
에 모종 불은 기사를 게재하여 발행정지를 받아 동 10월 명치신궁진좌제
를 기회로 해금되었다. 그럼에도 불구하고 11월호 기사에 또 불은 기사로
압수되고 금일까지 8회가 압수되었다. 특히 8월호에는 격렬한 혁명사상
선전기사를 게재하여 당국에서도 조선문 잡지는 가급적 최후수단을 피하
고자 고심했으나 도저히 제도키 어려우므로 발행 금지를 내린 것이다.[195]

195 『每日申報』 1926년 8월 3일자.

1926년 8월 2일

제25회 고적조사위원회

제25회 고적조사위원회는 1926년 8월 2일에 개최되었는데, '학교, 연구 단체 등에 낙랑고분 발굴 허가 여부', '고적 및 유물 등록', '등록 취소', '다이쇼 14년도 고적조사 사무보고'를 의안으로 채택하여 심의 했다.

의안1 '학교, 연구 단체 등에 낙랑고분 발굴 허가 여부'는 도쿄제대의 낙랑고분 발굴 이후 각 단체나 대학에서 발굴 신청이 여러 건이 들어오자 고적조사위원회에서는 허가의 가부에 고심하여 이에 대한 협의를 하게 되는데 그 내용은 다음과 같다.

'낙랑고적의 발굴을 각학교 및 연구단체 등에 허가하는 것의 가부可否에 대한 자문諮問'

<전략> 유래由來 조선에 있어서는 고적은 조상의 영역靈域으로서 신성시하고 그 부장품과 같음은 손에 닿는 것도 꺼리며 타인이 이것을 파손하는 것 같은 것은 대죄로 보아왔다. 고로 본부의 학술적 조사에 있어서도 지방민의 때로는 반감을 사는 일이 있다. 이것의 조사에 있어서는 여러 점에서 주의와 양해에 힘써 왔으나 장래에도 신중한 태도를 취함이 필요하다. 하물며 유물을 목적으로 하는 발굴조사와 같은 것은 가장 고려를 요해야 할 것으로 믿는다. 1924년 이래 이들 낙랑고분의 도굴된 것이 매우 많고 이 도굴 파괴의 방지는 근본적 조사계획에 부심腐心하였으나 경비의 관계상 어느 것이나 충분充分히지 못한 감이 있나.

도쿄제대는 제22회 고적조사위원회 결의에 의하여 본부고적조사위원을 참가시키는 것 외 5건의 조건으로서 허가를 하여 1925년 11월 대동강면 석암리에서 2기의 고분을 발굴 조사하였다. 그런데 금반今般 다시 도쿄미술학교와 오사카매일신보사로부터 발굴조사의 허가를 요구하여 왔다. 장래 차종此種의 출원자出願者가 점점 많아지리라고 하는 추세이다.

대개 조선에 있어서 고적조사사업은 동양에 있어서 2, 3의 발굴조사를 제하고는 학술적 조사라고 부를 만한 것이 거의 요요寥寥한데 비하여 조선에서 고적도보, 고적조사보고는 구미학자의 선망羨望하는 바로서 이점에서 크게 자랑할 수 있는 것이 있음을 믿는다.

「결의안」

총독부 이외의 자者에 고분의 발굴을 허가하지 않는 방침으로 하고,

一, 고적급명승, 천연기념물 등은 국가가 보존의 임任을 맡고 국가에서 연구 발표함을 원칙으로 한다. 이들에 의하여 발생하는 연구자료는 특히 지정하여 연구단체 및 학교 등에 하부할 수 있겠다.

一, 각종 단체에서 교호交互로 조사하기에 이른다면 이유여하를 불구하고 지방 민심에 미치는 영향의 우려할 바가 있다. 씨성제도氏姓制度가 엄중한 반도의 고분에 있어서는 특히 그러함을 느낀다.

一, 대정5년 이래의 조사결과는 착착 보고서 및 도판으로 하여 간행하고....... 감히 타의 조사의 필요를 인정치 않는다. 다만 경비의 관계상 이상의 10분의 1에 미치지 못함을 유감으로 생각할 뿐.[196]

---

196 黃壽永, 『日帝期文化財被害資料』, 韓國美術史學會, 1973.

물론 동경미술학교와 대판매일신문사에는 발굴 허가를 하지 않았지만, 1건은 허가를 한 것으로 여겨진다. 당시 신문기사를 보면,

대학의 연구 자료라도

낙랑고분 발굴은 불허

조선 고대 예술의 진품인 고분을 함부로 발굴하야 이출함을 금지

낙랑고적樂浪古蹟이 한 번 천하에 소개되자 고대예술古代藝術의 진품珍品이라 하여 이것을 발굴發掘하기를 희망希望하는 사람이 각 방면에서 나와 현재 총독부에 공식적으로 1건件, 비공식적으로 3건件의 발굴신청發掘申請이 들어와 있다. 그런데 고적조사위원회古蹟調査委員會에

「매일신보」 1926년 8월 4일자 기사

서는 이에 대한 위원회를 열고 만약 이것을 허가許可한다면 이 후에 내지內地 각各 대학大學에서 고적연구古蹟研究의 참고參考로 발굴發掘을 희망할 터이므로 결국 조선의 사적史蹟을 없앨 모양이라 일절 발굴 신청을 수리치 아니하기로 결정되었다. 그러나 대지문화협회對支文化協會와 같이 자기네가 경비를 지출하고 발굴한 고적은 그대로 조선에 두어 조선 문화의 연구 자료로 하는 것 같은 것은 위원회 결의를 받아 발굴을 허가하기로 되었는데 이 결의에 의하여 총독부에서도 현재 1천376기 중에 아직도 발굴되지 아니한 53기는 어느 정도까지는 발굴치 아니하고 그대로 후세에 남겨두는 것이 사계史界를 위하여 마땅

한 의무이라 생각하고 일정한 방침 하에 이를 보존하기로 하였다더라.[197]

　이 기사를 보면 대지문화협회對支文化協會에게는 발굴 허가를 한 것으로 나타나 있는데 대지문화협회에서 어떤 고분을 발굴했는지는 알 수 없으나, 이를 보면 어느 정도 조건을 갖추며 언제든지 발굴할 수 있는 여지를 볼 수 있다. 또한 제 25회 고적조사위원회의 결의안에서 간과할 수 없는 것이, "이들에 의하여 발생하는 연구 자료는 특히 지정하여 연구단체 및 학교 등에 하부下附할 수 있겠다" 하는 대목은 얼마든지 필요에 따라서는 발굴유물을 일본으로 반출해 갈 수 있음을 밝히고 있다.

　실제 왕우묘의 발굴유물 전체와 채협총 유물 중에서 중요한 것은 모두 일본으로 반출해 갔다.[198]

　'고적 및 유물보존규칙'이 있었지만 이 규칙은 처음부터 그들의 편의에 의해 정해졌던 만큼 중요한 유물반출에 대해 그들의 편의에 의해 적용했던 것이다. 당시 조선에 남아 있는 고적으로 보존할 가치를 가진 것으로 판정한 것이, 고 건물 120여 처, 고분 300여 처, 석탑 500여 처, 사찰 100여 처, 기타 귀중한 보물들이라 한다.

　그러나 '고적 및 유물보존규칙'은 명문으로만 있는 것이지 실제 일인들에게는 그것이 통하지 않았다. 당시 신문에는, "그 법규의 내용을 보면 발표하는 의도와 장차 얻을 효과를 알겠으니 다른 법규의 제도에 비하여 늦은 감이 없지 않으며 법규로

---

197 「每日申報」 1926년 8월 4일자.
198 彩篋塚 遺物은 東京國立博物館(遺物番號28905- 28925)에 所藏되어 있으며,
　　王旴墓 發掘 遺物은 東京帝國大學 文學部 發行 『樂浪』에 收錄되어 있다.

만 고적이 보존될 조선의 현실을 슬퍼하지 않을 수 없다"[199]라고 기록하고 있다.

의안2 '고적 및 유물 등록'의 건은 특별보호 건조물 총 31개소 새로 등록하기로 했다.

의안3 '등록 취소'의 건은 제104호 영주 사현정리 당간지주幢竿支柱를 등록 취소하기로 했다.

등록취소의 이유에 대해『매일신보』1926년 8월 4일자에는 다음과 같은 기사가 있다.

남대문을 위시하여 전선 고적유물 등록

총독부에서는 부령 제52호의 고적급유물보존규칙에 의하여 지난 2일의 고적조사위원회에서 각 건축물과 분묘로 등록하기로 하였다. 그런데 경북 영주구 사현정리의 당간지주는 원래 등록되었던 것인데, 어느 사이에 부근 인민의 묘석墓石이 되었으므로 이번에 등록에서 삭제했다.

의안4 '대정 14년도 고적조사 사무보고'는 고적조사사업비 감소와 인원의 축소가 이루어졌다. 일본에서 학자를 초빙하여 학술조사하던 것이 불가능해졌고, 조선에서 가능한 조사와 보존공사를 실시하였는데 그 내용은 다음과 같다.

---

199 『동아일보』1929년 11월 29일자.

1925년도 고적조사 사무보고(1926년 8월 1일 記)[200]

제1. 고적조사

1. 광주군 한강둔치 유적유물 조사

대정14년 7월에 한강의 대홍수로 3개소의 유적이 발견되었다. 광주군 구천면 암사리 한강반漢江畔 유적, 구천면 풍납리 한강반 유적, 광주군 동부면 선리 한강반 유적이다.

암사리에서 무수한 석기, 토기 등이 노출, 10월 4일 간사 유만겸, 위원 오다 쇼고小田省吾, 후지타 료사쿠藤田亮策, 가토 간가쿠加藤灌覺가 친히 현장을 보고 그 풍부한 유물을 학계에 소개했으며, 본부에서 후지타藤田, 다나카田中 기수, 가토加藤, 사와澤, 고이즈미小泉, 등이 수차 조사를 하여 다수의 유물을 수집했다.

풍납리는 이번의 홍수로 부락이 전멸로 돌아가고 그 부락에 포함된 고대 대토성의 일부가 붕괴되어 백제시대 동기, 도기, 토기 등이 무수히 발견되었다. 이에 전중 기수가 9월 중순에 실사했다.

선리부락도 홍수로 전멸되었으며 토사가 유실되어 무수한 문자와가 발견되었다. 다나카 기수가 1차 조사를 하고 다시 10월 3일에 유 간사, 오다, 후지타 위원이 실사 다수의 유물을 가져왔다.

2. 대동강면 낙랑고분 실측조사

1925년 7월 및 15년 3월의 2회에 걸쳐 이를 실측하고 이를 기록하여 대장을

---

200 「제25회 고적조사위원회」, 『국립중앙박물관 소장 조선총독부박물관 공문서』, 목록번호 : 96-277.

작성, 조사자는 다나카 쥬조田中十蔵, 오가와 게이키치小川敬吉, 노모리 겐野守健

3. 황주 영풍면 고분 조사

조사자 오가와 게이키치小川敬吉

1925년 12월에 영풍면 이정리 소재의 전곽고분 발굴보고를 접하고 오가와小川 기수가 실지조사하여 낙랑 대방군시대의 고분으로 밝혀짐, 7기 중 5기를 발굴하고 자세한 것은 다음해로 넘김

4. 평양 부근 및 순천군 고구려 유적조사

조사자 세키노 타다시關野貞, 다나카 쥬조田中十蔵

5. 부산진 자성대子城臺 조사[위원 오다 쇼고小田省吾(소전성오) 등전, 전중]

6. 경주 임해전지臨海殿址 조사[위원 오바 쓰네기치小場恒吉(소장항길)]

7. 성천 동명관東明館, 안주 백상루百祥樓 조사[기수 오가와 게이키치小川敬吉(소천경길)]

8. 도쿄제국대학 문학부의 낙랑고분 조사

대정12년 가을 영광3년 재명동종의 존재가 보고되자 세인의 낙랑유적에 대한 주목을 받게 된 후 도쿄제국대학에서 그 일부를 발굴조사 허가를 출원 제22회 고적조사위원회에서 허가하여 1925년에 발굴

제2. 보존시설

1. 평안남도 강서군, 진지동, 매산리 벽화고분 입구 수리

2. 평안남도 용강군 점제비秥蟬碑 비각碑閣 수리

3. 경주 사천왕사지四天王寺址 귀부龜趺 철조망책 가설架設

4. 경주 서악리 무열왕릉비武烈王陵碑 목책 교체

5. 평상 보통문普通門 철소책 수리

6. 경성 동대문 입구 목책 가설架設

7. 성천 동명관東明館 수리공사

8. 석암리 제205호분 보존시설

제3. 유물 반입[取寄]

1. 경기도 포천군 철불 2기

　　포천군 이동면 도평리 백운동에서 대정13년 8월에 발견한 철불 2구를

　　보존을 위해 대정15년 3월 이를 본부박물관에 반입

2. 경성 북묘비北廟碑 및 석등대석石燈臺石

　　본부박물관으로 옮김

제4. 출판

1.『낙랑군시대의 유적』추가 인쇄 위원 세키노 다다시關野貞

2.『남선의 한대 유적』위원 후지타 료사쿠藤田亮策 외

제5. 등록 및 등록 변경

1. 부산진 자성대子城台 등록

2. 평양 정거장 앞 칠층석탑 위치 변경

1926년 8월 3일

경성 대화정에 있는 조계사 정문이 무너지다.

이 문은 1925년에 평양에서 옮겨온 황건문 건물이다. 이 절은 현재의 조계사가

아니라 현 동국대 자리에 있었던 일
본인 절을 말하는 것으로 해방 후 동
국대 정문으로 사용하다가 1970년
대 초에 철거한 것으로 알려져 있다.

1926년 8월

무너진 조계사 정문(『매일신보』 1926년 8월 4일자)

조선귀족 창경원 매각을 책동

조선 귀족들은 이왕직 소관의 창경궁(창경원)을 매각하여 그들의 생활비에 보
태려고 책동했다. 『매일신보』 1926년 8월 18일자에는 다음과 같은 기사가 있다.

조선귀족의 생활 궁박은 해가 갈수록
심하여 근년에는 극도에 달하였는데 작
년 봄에 일부 귀족들에게서 연서로 내
각에 대하여 이왕직 소관의 창경원을
매각하면 백사십만원이 될터이오. 다시
황금정 귀족회관을 15만원에 팔아서
동경의 화족회관華族會館 지부를 설치하
고 이것을 조선귀족회관에 충당하고 약
150민 입으로 곤궁한 귀족들을 구하여

『매일신보』 1926년 8월 18일자 기사

달라고 청원서를 제출하였는데 그 후 여러 가지 사정으로 그것이 실현치
못하더니 요사이 이왕직에는 재정정리의 목적으로 전기 창경원의 경영 일
절을 이관한다는 풍설이 이왕직 관계자 귀족에서 흘러나왔으므로 일부에
서는 그러면 그것을 그전 계획과 같이 실현하자고 목하 운동하는 모양이
므로 당국자는 극비리 조사 중이라더라.

1926년 9월 14일

전라남도 해남군 삼산면 대흥사 산내 청련암靑蓮庵을 폐지하다.[201]

1926년 9월

경주 서봉총 발굴

서봉총은 1926년 발굴 조사한 것으로 삼국시대 신라무덤의 전형적인 구조인
돌무지덧널무덤이다. 특히 스웨덴의 구스타프 황태자가 방한 중 발굴에 참가
하여 더욱 유명하다.

서봉총의 발굴은 1926년 5월에 대구에서 경주·울산을 경유하여 부산에 이르

---

201 『朝鮮總督府官報』 1926년 9월 14일자.

발굴 전의 서봉총(1926)

는 철로를 개수할 때 경주역에 기관차
차고를 짓게 된 것이 계기가 되었다.
이 공사에는 차고지 매립에 필요한 흙
이 대량으로 필요하게 되었다. 처음
황남동 일대의 고분군 사이에 있는 밭
의 흙을 옮겨 매립하기로 하고 토목공
사를 벌였다. 이 토목공사 중 신라 무
덤이 발견되었다는 급보를 받고 당시
조선 총독부 촉탁으로 근무하고 있던
고이즈미와 사진사가 경주의 현장으
로 급파되었다. 고이즈미는 일부 유물
을 수습하고 붕괴된 소고분의 간단한
그시를 6월 밀에 마쳤다. 하지만 토목

스웨덴 황태자 부산 도착 기사
(『매일신보』 1926년 10월 10일자)

업자들의 말에 기관차의 차고를 짓기 위해서는 대량의 매립 흙이 더 필요하다고 하였다. 그래서 또 다른 토취장을 찾아 나섰다. 그 결과 노서동에 있었던 서봉총이 선정되었다. 토취는 하되 학술적인 발굴조사를 하는 조건이었다.[202]

이 고분도 여느 고분과 마찬가지로 이름 없는 흙무덤으로 남아 있었다. 조선 말기에 천도교의 한 분파인 시천교의 교당이 바로 옆에 지어지고 시천교를 시작으로 민가가 들어서면서 봉분의 흙을 건축용으로 사용하면서 절반 정도가 깎이어 나가고 무덤의 형태를 잃어 버렸다. 깎이어 나간 일부가 밭으로 사용되고 있었기 때문에 토취장으로 선택 되었던 것이다.

이 당시는 이미 금관총, 금령총, 식리총 등의 발굴로 희대의 우수한 유물들이 발굴되어 신라무덤에 대한 세인들의 관심이 고조되어 있었다. 경주를 '지하地下의 보고寶庫'니 혹은 '지중地中의 쇼소인正倉院' 이니 하면서 일인들은 이 고분에서 또 다른 희대의 유물이 출토될 것으로 예상하고 고분발굴을 갈망하였다. 오사카大坂는 "경주에 대해서는 다년간의 열망을 해결해 주고자" 라고 하고 있다. 그러나 당시 경주고적보존회의 핵심인물들은 대부분 재경주在慶州의 일인들이었기 때문에 고분발굴에 대한 관심과 열망은 재경주 일인들의 관심과 열망이었다고 볼 수 있다.

경주박물관장 모로가諸鹿는 이 무명총을 발굴하기로 하고 조선총독 사이토齊藤實에게 접촉하여 파격적으로 3천 원을 얻어 발굴을 시작했다.[203] 때마침 고고학에 관심이 많은 스웨덴의 황태자 구스타프6세의 내한이 예정되어 있었다. 총독 사이토

202 小泉顯夫,「瑞鳳冢の發掘」,『朝鮮古代遺蹟の遍歴』, 六興出版, 1986, pp.47~50.
203 崔南柱,「신라의 얼 찾아 한평생」,『博物館學報 -石堂 崔南柱 先生 102周年 記念-』12, 13, 韓國博物館學會, 2007, p.82.

는 당시 예산의 어려움에도 불구하고 특별경비를 지출하여 스웨덴의 황태자에게 친히 유물 채굴採掘의 기회를 주고자 했던 것이다.[204] 구스타프 황태자는 그리스, 로마 등의 고분 발굴에 경험이 있었으며 특히 발굴에 관심이 많았다. 이 사실을 알고 있는 일제는 구스타프 황태자에게 신라고분의 발굴현장에서 직접 발굴을 함께 하는 기회를 줌으로써 외교적인 수단에 이용하려 했다. 발굴의 총지휘는 당시 교토 제국대학의 하마다 고우사쿠가 맡고 발굴현장 책임은 총독부 박물관의 고이즈미 아키오小泉顯夫가 담당하고 사와 슌이치澤俊一, 오사카大坂, 최남주가 참여했다.

발굴은 외형부의 실측조사를 마친 후에 토목업자들을 불러 공동으로 시작했다. 외형 흙을 들어내니 남북 두 분의 표형분으로 판명되었다.

서봉총이 한창 발굴되고 있을 당시에 스웨덴 황태자는 일본에서 하마다 고우사쿠濱田耕作의 안내를 받아 쇼소인正倉院 보물과 고사古寺 등을 돌아보고 있었다. 그의 일정은 일본 견학을 마치고 한국을 거쳐 중국의 북경원인 발굴현장으로 향하도록 되어 있었다. 일본에서 서전 황태자를 수행 중이던 하마다濱田는 고이즈미小泉에게 연락을 하여 스웨덴 황태자가 현재 발굴 중인 신라고분을 볼 수 있도록 기대하는 바에 노력하라는 지시를 내렸다. 고이즈미는 이 지시에 따라 하나의 계책을 마련했다.

발굴을 진행하면서 출토유물에 대한 실측배치도와 촬영을 마치고 출토번호를 부여한 다음 유물 전체의 배치와 특별한 구간을 제외한 출토유물의 현황을

---

204 藤田亮策,「朝鮮古文化の保存」,『朝鮮學報 第一輯』(1950, p.256)에 의하면, 당시 경비의 축소에 따라, "이 시기에 축현한 유적에 대하여 임시적 조사 외에는 계획적인 수행이 不可能하게 되었다"고 한다.

서봉총 발굴 장면

그대로 두는 것이다. 즉 목곽내木槨內의 부장품은 목관내木棺內의 장신구를 착장 着裝의 상태로 스웨덴 황태자가 볼 수 있도록 하는 안案이었다.

　유물포함층에 두꺼운 판을 횡가橫架하고 발굴을 진행하여 출토유물에 대한 실측과 촬영 등을 마친 다음 백포白布로 덮었다. 그런 다음 고이즈미小泉는 하마 다濱田에게 "금관 이하 부장품들은 전하가 오기까지 기다리겠다"는 전보를 쳤 다. 발굴현장은 경주경찰서와 협의하여 발굴현장 주위에 조명시설을 가설하고 특별경계를 하여 구스타프 황태자의 경주 방문일까지 기다리기로 했다.[205]

　발굴관계자인 고이즈미 등은 수십 일 전부터 구스타프 황태자의 경주 도착 일정 에 맞추어 발굴을 추진하였다. 일부의 보옥寶玉을 들어 올리고 그 아래에 있는 목곽 木槨 중에 있는 금관을 발견하고 발굴을 지연시켜 서전 황태자가 도착하기를 기다 렸다. 이와 관련하여 『매일신보』 1926년 10월 2일자에는 다음과 같은 기사가 있다.

205　小泉顯夫, 「瑞鳳冢の發掘」, 『朝鮮古代遺蹟の遍歷』, 六興出版, 1986, pp.50~58.

휘황찬란한 봉황보관 서전황태자를 위해 발굴 중지

래 9일은 멀리 멀리 서해를 건너 우리 할아버지가 2천년 전 감쳐둔 문화를 연구하려 오시는 전하를 맞이하게 된 경주는 환영의 적성을 다하고자 하여 금년 여름 이래 발굴 중의 고분을 어람에 공하기로 고분 발굴계원 등은 발굴에 착수하여 오던바 지난 28일 오후 뜻밖의 칠판의 목관 내로서 찬란한 황금색의 서기가 휘황한 보관을 발견하였다는데 이 진품은 전년에 발굴하여 현재 경주분관에 봉안한 금관 이상으로 구옥勾玉은 비취 외에 초자제硝子製도 있으며 특히 봉황의 형을 장식하여 그 정교극치는 실로 보는 자로 하여금 스스로 놀랠만 하다. 우는 거금 천4백 년 전의 제조물로 인증된다하며 그 외에도 옥류, 황금제대구, 이시, 완힌, 지휜 등을 나수 발견하였으나 이는 발굴을 중지하여 장차 오시는 서전 황태자 전하의 직접 발굴 연구에 공하기로 경관계원이 철야 수직한다더라.

30여 일간 도쿄만 일대의 패총 발굴현장과 기타 유적지의 답사를 마치고 조선을 방문한 황태자 일행은 1926년 10월 9일 8시에 부산에 도착했다. 일행은 환영을 받으며 스웨덴 국기를 게양한 열도호텔에 들어 잠시 쉬었다가 8시 50분에 귀빈차를 타고 대구로 향했다. 일행은 겨우 6명으로 아주 단출 하였다. 황태자는 고고학에 관심이 많아 차에 오르자마자 경주안내 책자를 펼치고 탐독하였다. 경주에 도착하자 연도에 환영하는 수천 학생들과 군민들에게 답례를 하였다. 이날 황태자 일행은 경주 불국사호텔에 묵었다.[206]

206 『동아일보』, 1926년 10월 10일자.

다음은 『매일신보』 1926년 10월 11일자 기사에 나타난 서전황태자 일행의 일정이다.

청죽장 집으시고 토함산에 어등산
가마도 타지 아니하시고 고개를 넘어 고적을 탐방
재작일 9일 오후 1시에 경북 영천에 도착하옵신 서전황태자 동비 양 전하께서 찬란한 조양각朝陽閣에서 간략한 어주식을 받으시고 단풍든 가을뜰을 내다보시며 다케후武藤 외무서기관과 야마가타山縣 무부관과 이야기를 하셨고 영천 주민은 전부 출영하여 양 전하께서는 매우 기뻐하시었으며 대구에서는 이시모토石本 경찰부장이 경계를 하고자 선구코자 하였으나 전하께서는 그만두라시니 일행 뒤를 따르게 되었다. 오후 2시 영천을 떠나시어 열여덟 채의 자동차를 전하여 일사천리로 불국사를 향하시었는데 도중에 전하께서는 여러 번 자동차를 멈추시고 조선의 어린이들이 무심히 노는 모양과 초가지붕 위에 둥근 박이 달린 조선 특유한 풍속을 보시는 대로 사진을 박으시었다. 경주에 도착하시어서는 신라의 무열대왕릉을 비롯하여 여러 능과 각처에 점재한 고적을 자동차를 서행시키시고 위대한 신라문화를 보시면서 경주를 통과하신 후 4시 반에 불국사호텔에 도착하시었다. 호텔 앞뜰에는 이제 난만히 피어 있는 채송화를 몹시 좋다고 보시며 한 송이를 따시어 가삼에 꽂으시고 잠시 쉬신 후 토함산에 오르시어 기색이 화려하게 석굴암을 찾으시게 되어 조선 가마를 준비하였으나 양 전하가 다 타시지 아니하시고 청죽장 한 개에 몸을 의지하여 고개와 골짜기를 오르시어 오후 5시에 석굴암에 도착하시었다. 그리하여 석굴암을 보시면서 이마니시今西,

하마다濱田 두 박사의 설명을 들으시고 오후 6시에 불국사 호텔로 돌아오시었고 총독부에서 특파한 사진반은 전하의 어시찰의 일동 일정을 활동사진으로 촬영하였으며 그날 밤은 조선 사정의 영화를 호텔에서 영사하여 어람에 공하고 10일에는 전하의 목적이 신라고분 발굴을 행할 터이라더라.

석굴암 앞의 구스타프 황태자 일행

쾌활한 평민적 황저皇儲
백의소동白衣小童을 어촬영御撮影
고분을 친히 어발굴

조선의 온돌을 매우 칭찬하압시며 박물관에서 상세한 설명을 들으셔 서늘한 가을 밤을 산중인 불국사호텔에서 지내인 서전황태자와 동비전하는 10일 아침에 조선의 첫날밤 일기를 쓰신 후 오전 8시 반 호텔 앞 불국사에 납시어 대웅전의 불상을 보신 후 다보탑들을 둘러보신 후 이마니시今西 박사의 설명을 들으시며 사중들이 거처하는 방까지 열고 들어다 보신 후 온돌장치를 극히 칭찬하시어 북국의 황사로서 더위를 그리시던 회포를 펴시었으며 사신기세로 모든 것을 박으시었고 나중에는 자동차 부근에 모

셔선 흰옷 입은 조선 어린이들의 모드임을 보시더니

『오! 조선의 어린친구여』

하시며 사진을 여러 장 박으시었다.

전하의 태도는 극히 활발하시어 그 평민적이심에 감탄하였으며 불국사를 떠나시어 문무왕의 능침에 이르시사 괘릉으로 향하시었다. 그 구조의 웅대한 능침의 옛터를 살피신 후 경주로 향하시는 도중 석빙고와 성대를 보신 후 경주박물관에 이르시사 모로가諸岡 관장의 안내로 고분에 이르사 발굴된 금관이며 비취구슬 등을 일일이 들어 보시며 묵상을 거듭 하시었다. 10시 반 노서리의 고분 박국 장소에 이르시와 이곳은 전일 대왕관이 발굴된 곳으로 전하께서는 발굴된 왕관을 들어 감탄키를 마지않으시더니 보통 양복옷 저고리를 벗으시며 고분 속으로 들어가시와 곡굉이를 잡으시고 친히 발굴을 하압시었다. 낮까지 발굴을 하압신 후 박물관에서 오찬을 하신 후 경주 부근을 순찰하신 후 불국사에서 10일 밤을 지내신 후 11일 오전 11시 반 대구로 향하시와 경성으로 향하실 것이다(『매일신보』1926년 10월 11일자).

1926년 10월 10일 황태자 일행은 아침에 불국사를 들렀다가 경주박물관에서 잠시 휴식을 취하고 진열된 금관 등을 관람한 후 곧 바로 발굴현장으로 향하였다.[207]

---

207 서전 황태자가 왔을 때 당시 신문사 사진반과 함께 서전황태자 일행을 취재하였던 창랑객(필명)의 기술에 발굴현장에 가기 전의 기록이 일부 있다.
박물관에서는 관장의 안내로 특히 장시간을 관람하고 몇 가지 메모하는 양을 볼 수 있었다. 그러나 태자의 감격은 불국사 앞마당에 섰을 때에 高潮하는 듯하였다. 천년 전 옛 고찰이 배후의 영산을 끼고 동해를 향하야 우뚝 선 그 幽玄한 풍자에 한참 고개를 숙이고 있었다. 단청도 낡을대로 낡고 당우도 비바람에 한 쪽으로 조금 기우러진 양 그 자연

서전황태자(발굴장에서,「신라구도 경주고적안내」(1937년 경주고적보존회))

황태자 일행이 현장에 도착한 것은 오전 11시 반경이었다. 고이즈미와 총독부박물관 주임 후지타 료사쿠藤田亮策가 현장 입구에서 황태자를 맞았다. 고이즈미의 안내를 받아 분화구와 같은 혈중穴中에 들어갔다. 목관 위에는 두꺼운 목판을 덮어두었는데 이것을 치우자 백포 한 겹만 남았다. 황태자 부처가 목관 근처에 엎드리기를 기다렸다. 황태자부처가 관 가까이에 접근하자 수행원들은 주위에 둘러서 있었다. 이때 발굴현장에는 금관이 있는 부분에는 백포白布로 덮어두었는데, 백포를 치우자 혈穴의 밑에는 부패한 검은 목재와 흙 위에 황금왕관, 황금요패黃金腰佩 등 일군一群이 찬란히 빛을 발하였다. 이를 본 황태자와 그의 비 그리고 다른 일행의 입에서는 놀라운 감탄의 소리가 절로 나왔다.

의 숭고한 모양에 태자의 발길은 몇 번 빙빙 돌았다(滄浪客,「이 땅을 스쳐긴 예술가」,『二千里』세10권 제12호, 1938년 12월).

서봉총 관내 장신구

고이즈미는 황태자에게 발굴에 착상着上케 하였으며, 황태자는 일일이 고이즈미의 지시를 받아 움직였다. 조용히 아래에 위치하여 양손으로 흙을 만지며 단엄端嚴한 자세를 취하여 토중土中에 있는 금색 찬란한 보관寶冠에 손을 대었다. 조금 후방에는 비妃가 몸을 구부려 양손을 가슴에 대고 눈은 황태자를 주시하고 있었으며 주변에 나열해 있는 모든 사람들이 긴장하고 있었다. 황태자는 공손하게 금관을 발굴하여 양손을 높이 들었다. 금관은 가을 햇빛을 받아 휘황찬란하게 빛났다.[208]

오사카大坂는 "이때의 광경은 졸拙한 내 붓으로 다 표현 할 수가 없다"고 했다. 금관은 흰색 천으로 싸서 나무상자에 조심스럽게 넣었다.

이보다 앞서 시모노세키下關의 만찬에서 하마다는 황태자에게 "지금 황금의 보관이 반쯤 출현하여 전하의 발굴을 기다리고 있습니다"고 담소하였더니, 황태자는 "박물관에서 가져다가 일부러 파묻은 것이겠지?" 하며 농담을 했다. 발굴된 순간 하마다는 이것이 박물관에서 가져온 것이냐고 말하니 "아니다. 지금은 박물관으로 가져갈 것이다" 라고 웃음 지었다는 이야기가 전해진다.[209]

---

208 大坂六村, 『趣味の慶州』, 慶州古蹟保存會, 1939, pp.70~75.
209 朴鉉兌, 「경주문화재의 금석」, 『동아일보』 1961년 11월 5일자.
　　『조선일보』, 1966년 11월 8일자.

서봉총이란 이름은 이러한 광경을 영원히 기념하기 위하여 당일 스웨덴의 황태자 앞에서 명명命名하였으며, 서전의 황태자 구스타프6세가 참가한데서 서전瑞典의 「서瑞」 자를 따고 여기에서 출토된 금관에 봉황 형태의 장식이 붙어 있어 여기서 「봉鳳」 자를

발굴현장 모습(『부산일보』 1926년 10월 13일자)

따서 「서봉총瑞鳳塚」 이라고 부르게 되었다.

황태자가 노서리에서 발굴을 하는 동안 2명의 스웨덴 부인이 배알하기를 청하므로 곧 두 부인을 인견했다. 이 두 부인은 대구에 있는 선교사인데 이외의 이런 곳에서 만나 무척 반가와 했다고 한다.[210]

다음날 정오에 무열왕릉 앞에서 고이즈미 일행과 작별을 하였는데, 황태자는 "어제의 발굴은 특별히 생애 잊을 수 없는 기쁨이다" 라는 말을 남기고 대구를 향해 떠났다.[211]

---

210 『每日申報』1926년 10월 12일자.
211 당시 황태자 일행의 서봉총 발굴 이후의 한국 방문 일정을 신문기사를 중심으로 살펴보면 다음과 같다.
　　황태자 일행은 10일에 발굴현장에서 발굴을 하고, 오후에는 대구에 거주하는 스웨덴 선교사 부인 두 명을 인견하고 매우 기쁘다는 말을 하였다. 11일에는 오전 8시에 경주 불국사호텔을 나서 무열왕릉 일대를 살피고, 이곳에서 발굴 관계자들과 작별을 한 후 자동차로 대구에 도착, 대구에서 기차로 서울을 향하였는데 서울에는 오후 7시에 도착하였다.
　　11일 오후 7시에 경성역에 도착하자 역두에 환영문을 세워 우선 환영의 뜻을 표하였고

구스타프 황태자는 경주를 떠날 때 마지막으로 무열왕릉에서 신라고적을 안내한 경주군수와 모로가에게 왕관 모양으로 된 넥타이핀을 하사하고, 고적발굴을 도와준 고이즈미에게 스웨덴제 유리항아리를 선물했다. 또 스토須藤 경북지사에게는 황태자의 사진을 주시며 감사하다는 말을 했다. 또 경주 측에서는 황태자에게 역사에 관계있는 물품 상당량을 헌상했다.[212]

구스타프 황태자를 무열왕릉 앞에서 전송한 다음 박광렬 경주군수는 서봉총 발굴에 참여한 모든 단원들을 경주에서 가장 유명하다고 하는 무열각이란 식당으로 초대하여 만찬을 베풀었다. 이때 주빈은 하마다였으며 최남주도 식민지 조선 청년 고고학도로서 맨 말석에 자리를 함께 하게 되었다. 애주가인 하마다는 최남주의 자리에까지 와서 술을 권하면서 다정하게 격려를 하였다고 한다.[213]

이후 발굴은 속행되어 황태자 일행이 발굴현장을 다녀간 상태에서 방치해 두

관민의 성대한 환영이 있었다. 황태자 일행이 지나가는 길은 정결히 쓸고 단장을 하였으며 도로에는 奉迎 민중으로 築城을 이루었다. 황태자와 비는 환영하는 인파에 답례를 하면서 자동차로 조선호텔에 들었다.

12일에는 오전 9시에 총독부를 방문하고, 학무국장의 안내로 총독부박물관의 진열품을 관람하였다. 오후 6시 반에는 용산 총독 관저에서 만찬연에 참석하여 아악 연주를 감상하였다.

13일에는 오전 10시에 이왕직 사무관 末松의 안내로 이왕가박물관의 진열품을 관람하고, 오후에는 창덕궁을 방문하였다.

14일 오전 8시경에 호텔을 나온 황태자 일행은 봉천행 특급열차로 평양을 향했다. 14일 오후 2시에 평양에 안착하여 대동강 오야리로 가서 낙랑고분 등을 구경하고 평양중학교에 소장한 낙랑 고적품 등을 보시고 오후 5시에 호텔에 들었다.

15일에는 오전 8시에 강서 고구려고분을 시찰한 후 오후 2시에 평양을 떠나 북행하였다. 어떤 사람은 금강산 관광을 했다는 사람도 있으나, 필자의 안목이 좁고 짧아서 인지는 모르지만 당시 신문 기사에는 보이지 않는다.

212 『每日申報』 1926년 10월 13일자.

213 崔南柱, 「신라의 얼 찾아 한평생」, 『博物館學報 -石堂 崔南柱 先生 102周年 記念-』 12, 13, 韓國博物館學會, 2007, p.117.

었던 금제 장신구 등을 들어내는 작업을 속행하여 배치도 촬영 등을 순조롭게 이루어졌다. 발굴소요 총 일 수는 54일, 사역 인부 1천 6백여 명에 달했다.[214] 이런 점으로 보아 최소한 9월 중순 전에 발굴이 시작되어 11월 초에는 발굴이 모두 종료되었을 것으로 보인다.

은제합 등 출토 상황

출토유물은 금관 외에도 각종 장신구, 유리용기를 비롯한 가종 토기류, 마구류가 출토되었다. 그 가운데에는 "연수원년신묘년延壽元年辛卯年 3월에 이 은합銀盒을 만들었다" 라는 명문이 있는 은합도 출토되었다.[215]

『매일신보』 1926년 10월 10일자

당시 상황으로는 1923년 이후 긴축재정으로 인해 1924년에는 고적조사과를 폐하고 고적조사 보존 사업과 박물관 사업은 종교과로 옮기고 인원수도 대폭 줄였다. 이후 발굴조사는 임시적인 조사나 유물이 대량으로 출토될 것으로 예상되는 것을 선정적으로 발굴하였다. 금령총과 식리총의 경우에도 총독 사이토의 특별 지시로

214 小泉顯夫,「瑞鳳冢の發掘」,『朝鮮古代遺蹟の遍歷』, 六興出版, 1986, pp.50~58.

215 銀盒의 蓋 안쪽에 '延壽元年太歲在卯三月中太王(?)造合杅用三斤六兩'이라 刻해 있다. '延壽'라는 年號에 대해 濱田은 당 이전에 보이는 年號로 法興王23년(534)以前의 어느 때로 推定하고 있다(濱田耕作,『考古學研究』, 座右寶, 1939, p.354).

발굴이 이루어졌으며, 근소한 경비 관계로 보고서조차 제때에 나올 수가 없었다. 그런 차에 발굴소요 총 일 수는 54일, 사역 인부 1천6백여 명이 필요한 서봉총의 발굴은 엄청난 유물이 출토될 것으로 예상하지 않고는 실행하기 힘들었을 것이다.

이러한 정황을 볼 때 이 고분의 발굴은 조선인의 의사와는 관계없이 위정자들에 의해 그들이 조선합병과 더불어 시정施政의 선전과 학구적인 면을 외국에 선전하는데 악용되었다고 볼 수 있다.

『경향신문』1994년 3월 24일자에 의하면, 한국고미술협회 주최로 서울 공평아트센터에서 일본과 미국 등 해외유출 문화재를 중심으로 1994년 4월 8일 개막되는 《5천년문화—민족교육 사료전》에 서봉총 출토 유물이 선보이게 되었다고 한다.

일본에서 가져온 청동계두(자루솥)는 항아리 모양의 몸통 중앙에 띠를 두르고 말굽형 발이 부착된 세바리 자루솥으로 봉황머리 주둥이와 양머리 모양의 뚜껑꼭지가 있었다. 일본인 능추 소장품으로 전해진 이 유물에는 '경상북도 경주 서봉총출토' 라는 기록이 붙어있으나 어떤 경로를 통해 일본으로 유출됐는지는 밝혀지지 않고 있다고 한다.

1926년 10월 14일

스웨덴 황태자 일행 동정

스웨덴 황태자 일행은 14일 오후 2시경에 평양역에 도착하여 자동차로 낙랑유적을 향해 길을 나섰다. 2시 반에는 낙랑고분에 도착하여 고분을 살피고 평양중학교에서 금석 박사로부터 낙랑출토품에 대한 설명을 듣고 6시에 학교를 떠나 모란대 풍경을 관람하고 호텔로 돌아갔다.[216]

1926년 10월 30일

경성부 신청사 낙성

만 2년여의 시일과 130여 만 원의 설비를 들여 준공한 경성부 신청사 낙성식을 1926년 10월 30일에 가졌다.[217]

『매일신보』 1926년 10월 31일자

---

216 『每日申報』 1926년 10월 16일자
217 『매일신보』 1926년 10월 31일자.

1926년 10월

훼손된 부석사 조사당 벽화

영주 부석사 조사당벽화는 조사당을 수리하면서 벽화를 뜯어 목제함에 보관해 두었는데 부주의로 훼손되었다.

『동아일보』 1926년 10월 6일자에는 다음과 같은 기사가 있다.

조각조각 썩어버린 부석사 대벽화
경북 영주군 부석사에는 신라시대에 의상이 창건한 절로 그 절 안에 있는 안양루중건기의 사명대사의 진필액과 조사당의 고벽화의 2보살상 사천왕은 고려시대의 작품으로 작년 5월에 동경문부성 기사가 그 절에 가서 그 벽화를 목제함 속에 넣어 두었던 바 그동안 부주의로 요사이에는 한 조각도 쓸 수 없을 정도로 전부 썩어 버렸다더라.

이렇게 되자 벽화를 뜯어 다시 보수하게 되는데 『조선일보』 1927년 5월 13일자에는 다음과 같은 기사가 있다.

신라시대의 진품珍品

영주 부석사 벽화 보존방책 강구

무량수전 및 조사당은 조선 최고의 목조건물로 보호건축물이 되어 역사가 있는 사찰인바 총독부에서는 대정4년에 이것을 수리에 착수하여 12개년을 경과한 최근에 겨우 개수를 완성하여 특히 조사당의 벽화는 학계의 진품으로 영구히 보존책을 시施케 되어 문부성에 의뢰하여 문제가 된 법륭사 벽화 보존에 진력한 이가와居川 기사의 내선來鮮을 걸乞하여 관야 박사의 지도하에 벽화를 절취切取하야 초자판硝子板에 끼어 동소同所에 보존하게 되었는데 벽화는 4척의 관음상 6체인데 이를 절취切取한 후 남양산南洋産 <고발도>루 재차 친하어 피손한 부분을 식고로 발라 메이는 등 고심을 요하는 중이라더라(영주).

모로가 히데오(諸鹿央雄)가 하마다에 게 선물한 석조삼면소불

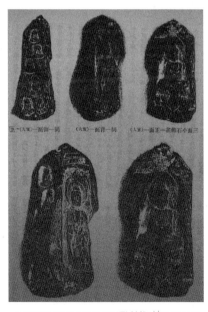

모고기기 하마나에게 선사한 '석조삼면소감불'

모로가 히데오諸鹿央雄가 소장하였던 경주 발견 '석조삼면소감불'은 높이가 이촌 삼분의 삼각주형의 흑색 판암으로 각면에 세세하게 불상이 각출되어 있는데, 경주 남산방면에서 출토된 것이라 한다 1926년 기울에 경주 서봉총을 발굴할 때 하마다 고우사쿠濱田耕作가 스웨덴 황태자를 안내하여 경주에 왔을 때 이것을 소지하고 있던 모로가가 하마다에게 선물하여 일본으로 반출되었다.[218]

고도 경주에 대대적인 공원계획

경주 고적을 중심으로 세계적 공원을 형성하고자 경주고적보존회에서 전 제실임야국장관 임학박사 혼다 코스케本田幸介에게 설계를 의뢰하여 지난 5일부터 4일간 실지를 답사하여 대개의 설계를 수립하였는데 그 계획의 대요는 대략 다음과 같다.

반월성 대내 전답, 산야 약 30여 정보를 보존회에서 매수하여 각종 수목을 식수하여 인공적 식물원을 만들고, 무열왕릉 부근에 식수하여 풍치를 조장하며 백률사 아래 식목을 이용하여 천연적 산림공원을 만들고, 오릉과 괘릉은 천연송림이 이미 울창하여 다시 시설을 요하지 않고, 경주읍을 중심으로 하여 각 고적지를 탐승하는 도로를 수축한 후 다시 연락도로를 만들고 도로의 좌우에 식수를 하여 풍치를 조장케 하며, 이에 필요한 경비는 아직 설계가 완성되기 전에는 예산을 수립하기 어렵다 하며 불국사에서 석굴암에 이르는 약 1리 가량의 좌우 산록에는 약간의 단풍을 식재할 계획이다.[219]

---

218 濱田靑陵, 「慶州發見の石彫三面小石佛龕」, 『佛敎美術 第16集』, 昭和5년 6월.
219 『每日申報』 1926년 10월 14일자.

장성객사는 전에 육군헌병대가 입영하다가 나간 후 장성 재향군인 분회에서 사용해 왔는데, 장성공립보통학교에 불하 결정하다.[220]

1926년 11월 4일

전북, 충남 일부 지역 조사

1926년 11월 4일부터 11월 14일까지 기수 다나카 쥬조田中十藏와 간다 소죠神田紳藏는 전라북도 옥구, 익산, 충청남도 부여, 공주 소재 고적에 대한 조사를 했다. 그 일정은 다음과 같다.[221]

11월 4일. 경성 출발 전라북도 옥구군 도착

5일 옥구군 부근 조사

6일 익산군 성라면 부근 조사

7일. 충남 부여군 석성면 부근 조사

8일~9일. 부여면 부근 조사

10일. 종일 진열관 참관

11일. 부여를 출발 공주군 목동면 부근 조사

12일. 공주읍 부근 조사

---

220 『每日申報』1926년 10월 27일자, 11월 2일자.
221 『국립중앙박물관 소장 조선총독부박물관 공문서』, 목록번호 : 96-139.

13일 공주를 출발 14일 경성 귀착

1926년 11월 7일

웅기패총(雄基貝塚) 시찰 보고

고적조사위원 오하라 도시타케大原利武는 1926년 11월 7일 함경남도 웅기군 소재 패총을 시찰한 후 같은 달 24일에 보고서를 제출했다.

복명서에는 산 74림, 산 61-2림 등에 산재한 패총의 규모, 상태, 발견 유물을 조사한 내용이 기재되어 있다. 조사 결과를 토대로 산 61-2림의 북반부 및 인접 민유림은 석기시대 유물이 포함된 지역으로서 학술적 가치가 있으므로 영구 보존할 방법을 강구해야한다는 의견을 제시하고 있다.[222]

222 「웅기패총(雄基貝塚) 시찰 복명서」, 『국립중앙박물관 소장 조선총독부박물관 공문서』, 목록번호 : 96-139.

1926년 11월 16일

경주 서봉총 유물 공개

총독부에서는 경주 서봉총에서 발굴한 유물 중에서 중요한 수십 가지를 총독부박물관 사무소 안에 진열하고 16일 오후 1시부터 시내 각 학교 역사 담당 교사를 비롯하여 총독부 중추원 등의 사학 관계자들이 관람케 하다.[223]

1926년 11월

덕수궁 선원전 부근 동쪽 언덕에 경성방송국이 들어섰다.

경성방송국이 들어서면서 일부의 전각들은 철거되어 일본인늘에게 방매되었다.[224]

1926년 12월 3일

12월 3일부터 12월 5일까지 경성미술구락부에서 부산의 쓰가모토塚本의 소

---

223 『東亞日報』1926년 11월 15일자.
224 京城府,『京城府史』第3卷, 1934, pp.740-741;『每日申報』1926년 3일 1일지,『每日申報』1926년 12월 7일자.

장품 서화골동품매립회를 열었다. 그 중에는 다기가 주류를 이루었다.[225]

1926년 12월

12월 중순에 고이즈미 아키오小泉顯夫와 사와 슌이치澤俊一가 경기도 부천군 학익리에서 3개의 지석묘를 조사하여 그 중 1기에서 토기편, 마석족磨石鏃, 지석砥石 등을 발견했다.[226]

덕수궁 매매설

전부터 덕수궁의 일부를 떼어 팔아온 이왕직에서는 다시 그 나머지 전부나 혹은 반분을 팔기 위하여 비밀리에 활동 중이라는 설이 나돌았다. 그 소문은 태평동 쪽으로 면한 정면의 기지를 매 평 170원의 시세로 모일본인 토지회사에 팔아넘길 모양이며, 이 토지회사에서는 그 전부를 여러 개로 나눈 후 산매를 하여 이곳을 상업지대로 만들 계획이라 한다.

이 소문에 대해 스에마츠末松 과장은 "오래전부터 이는 문제가 된 터로 그 일부의 매도는 실현될 일인데 최근 그것이 구체화하였다는 것은 나로서는 이렇

225 『京城日報』 1926년 12월 3일자.
226 梅原末治, 『朝鮮古代の墓制』, 國書刊行會, 1972.

다 저렇다 말할 수 없는 일이외다. 하여간 회계과에서 하는 일이며 또한 그런 말을 듣지 못한듯하오 살 사람만 있으면 벌써 팔렸을지 모르나 값이 비싸니까 살 사람이 얼른 나서지도 않는 모양입니다. 물론 조금씩 뜯어서 팔지 않을 작정인데 궁터 전부 1만 5, 6천평은 다 안판다고 하고 1만평 가량만을 사오분한다 하더라도 큰 것이니까요 함녕전이나 대한문 등의 궁문 전각존폐문제는 아직 의논도 없습니다. 물론 석조전이야 보관되겠지요" 라고 하고 있다.[227]

경주 석굴암 석불의 청태 발생과 그 훼손

일제는 석굴해체 후 석굴 후면에서 용출하는 지하수[228]를 저리하기 위해 자연석에 2개의 수조水槽를 만들고 연관鉛管으로 수조를 연결하여 외부로 배수하고 천정부 등을 콘크리트공사로 치리하였다. 1920년 후반에 들어서자 석굴내에 습기가 차면서 석면에는 무수한 청태가 생기고 조각의 요철이 선명치 않았을 뿐 아니라 점점 석면이 부스러지기 시작했다. 『중외일보』 1926년 12월 26일자에는 다음과 같은 기사가 있다.

---

227 『中外日報』 1926년 12월 24일자.
228 해방 후 수리공사 때 해체한 결과 지하수는 본존상 뒷면 암반 밑에서 솟았는데 이 샘의 수위가 굴의 밑바닥 보다 높다는 사실이 발견되었다. 그리고 이를 밖으로 배수한다고 설치한 鉛管은 지하수의 용출구와 접촉되지 않아 效과가 없었고, 석굴 안벽 밖에 설치한 수고는 오히려 지하수의 수위 보다 높아 아무런 배수 역할을 하지 못하고 있음이 발견되었다.

미술적 대표 석굴암 석불에 청태가 발생

신라 1천년의 구도에서 미술적 대표라 칭하는 경주 석굴암은 연전에 일부가 파손되어 이를 수리하였는데 일본해에 면한 고봉에 있는 관계로 염분을 포함한 농무濃霧 등으로 석굴암 내의 석불에 청태가 발생하게된바 이는 귀중품 보존상 중대한 문제라 하여 총독부 당국은 물론이오. 고적보존회에서도 여러 가지로 연구 조사를 하였으나 그 원인이 불명한바 이는 요컨대 수리의 결함缺陷에 기인한 것이 분명함으로 총독부에서는 다시 엄중 조사를 하여 개선하고자 26일 총독부 건축과장 이와이 죠사부로岩井長三郎가 대구로 와 도로부터 스미가와澄川이 수행하기로 결정되었다더라.

「동아일보」 1928년 7월 28일자

총독부 당국에서도 대단히 놀라서 이와이岩井 총독부 건축과장에게 청태의 제거방법을 연구하게 하였다. 이에 이와이岩井는 "청태의 제거방법으로는 무엇보다도 석불에 더운 증기를 취입吹入하여 청태를 없애는 수밖에 없다"고 하였다. 이에 1928년 7월 7일 학무국 촉탁 와타나베 아키라渡邊彰가 내무국의 다케우치武内, 아오야마青山 두 기수와 같이 석굴암으로 가서 석불을 증기로 씻었다. "차후부터는 연 1회씩은 증기행수蒸氣行水를 시행하리라" 하며 학무 내무 양국에서는 손쉬운 보존방법이 강구된 것을 기뻐했다고 한다.[229] 그러나 화강석에 뜨거운 증기 압력을 가하는 것은 석면에 막대한 손상을 가져왔던 것이다. 그들의 말대로 1년에 한 번씩 증기세척을 하였는지는 명확하지 않지만, 일제는 1941년에 마지막으로 이 방법을 중지하였다.

그럼에도 불구하고 해방 후에는 일제가 설치한 보일러를 사용하여 증기압력에 의한 세척을 1947, 1953, 1957년 3차에 걸쳐 대대적으로 진행되었다. 전문가의 조언도 없이 지방 관청에서 씻어 내어 석상표면에 상당한 손상을 입혔던 것이다.

1960년에도 또 한 번의 대대적인 증기세척이 행해졌는데, 이 사건은 1960년 초 유엔사절단이 경주를 방문하게 된 것이 계기가 되었다. 지방관청에서는 시커멓게 오염된 석굴암을 그들에게 보일 수 없다고 생각한 나머지 독단적으로 약물까지 사용하여 세척을 하였다고 한다. 이에 대한 이야기는 『간송문화』(1991)에 실린 황수영 박사의 「간송선생과 석굴암」이란 글에서 당시의 상황을 다음과 같이 회고하고 있다.

---

229 『東亞日報』 1928년 7월 26일자.

굴 안에 들어서면서 손전등을 켜서 주벽의 불상을 살펴보니 몇 시간 전에 세척이 끝난 직후의 일이라 세척된 곳과 남은 곳과의 흑백의 대조가 너무나 심하였다. 그리고 세척된 불상 바로 밑에는 물을 따라 흘러내린 고운 모래가 소복히 쌓여 있었다. 이 모래는 모두 불상에서 떨어진 것임은 말할 것도 없었다. 나는 십일면관음상 밑에 쌓인 모래를 두 손가락으로 모아서 봉지에 담기도 하였다. 뒤에 암석전문위원에게 들으니 세척이 아니라 석물의 표면을 한 꺼풀 벗겨낸다는 것이다. 그러나 당국자의 궁한 변명은 인부로 하여금 한 자 떨어져서 세척하라고 지시했다는 것이다. 그리고 열탕熱湯은 석굴암 밑에 일제가 두었던 보일러를 경주역 기관차 화부를 불러 끓인 것이라고 하였다. 석굴암 불상이 고온의 물벼락을 만난 것이다. 두 사람은 현장에 서서 서로 말이 없었다.

이는 천여 년의 풍화에 의한 손상보다도 심한 훼손이었다고 할 수 있다.

같은 해

평양 일대의 낙랑고분 도굴 현황

개성, 강화도 일대의 고려고분의 파괴에 이어 평양 일대의 낙랑고분도 1920년 이후 대대적인 도굴이 감행되었다.

당시 평양부근의 민간에 전하는 미신에는,

성지城址에서 전와磚瓦나 석石으로 된 고분의 전석塼石 등을 사용하여 가옥을 짓거나 벽을 쌓게되면 그 사람의 일가족에게 화가 미쳐 운이 나쁘거나 병 기운이 오거나 또 아들이 없다고 하며, 고분이나 전중畑中에서 나온 유물을 만약에 실내室內로 가지고 들어오면 그 악귀가 붙어 다녀 병이나 죽게 된다.[230]

는 미신을 강하게 믿고 있었다.

그러나 1920년 세키노關野 일행의 고분 발굴 이후 평양의 유물수집이 성하여 대난굴 시대가 도래하였으며, 이후 일인들의 꼬득임에 빠진 수많은 도굴자가 양산되면서 이러한 미신도 상당히 약화되어 도굴을 생계 수단으로 삼는 자들도 많이 있었다. 1928년에 간행한 『낙랑고적안내』에는 다음과 같은 내용을 담고 있다.

다이쇼大正12년~14년에 지방민이 성하게 도굴을 하였는데 그 모두가 빈민들이었다. 현재 그 도굴자의 생활상태를 조사해보면 10의 7은 가난을 벗어나 당시 수입의 배 이상으로 금전金錢을 소유하고 있다.[231]

고 하고 있다. 당시 일본 도굴꾼이 한국인에게 미친 폐습弊習이 얼마나 심했는지를 보여 주고 있다.

1920년 가을 평양의 선교리역 확장공사를 하면서 우연히 발견된 한의 영광3년永光三年 명銘의 효문제孝文廟의 동종銅鐘이 출토되었다. 이는 평양 일대의 수

---

230 『樂浪古蹟案內』, 私立三蕙學校, 1928, p.41
231 『樂浪古蹟案內』, 私立三蕙學校, 1928, p.42.

집가들에게 자극을 주어 많은 고분이 마구 도굴되면서 많은 고경古鏡이 나타났다. 우메하라 스에지梅原末治는 "동지同地 일대에 누누이 도굴하는 자가 생겨나게 되었다. 세키구치關口 검사장이 수집한 오야리의 연와토취장 출토의 고경 30여 면面은 그 좋은 예로 들 수 있다. 본년(1924) 4월에 평양경찰서에 인계된 고경, 기타 다수의 부장품은 주로 석암리에서 도굴에 의한 출토품이다"라 하고 있으며, 또 우메하라 스에지梅原末治는 「북조선 발견의 고경」을 집필하면서,

본 자료의 수집을 하면서 총독부박물관 후지다藤田 감사관, 고이즈미小泉 촉탁을 비롯하여 경성사범학교 주사 시라가미 슈키치白神壽吉, 평양재주平壤在住 세키구치 나카바關口半 씨, 모로가 에이지諸岡榮治 씨, 다마쓰 간이치田增關― 씨, 도리카이 이코바鳥飼生駒 씨, 하시도橋都, 오카모토岡本 양씨 등의 호의를 입은 바가 크다.[232]

거섭원년경(居攝元年鏡)

라고 하고 있다. 이는 바로 학술적 정식 조사를 거친 자료보다는 대부분을 도굴품에 의존하였음을 알 수 있다. 경鏡은 한 고분에서 2면 정도가 부장副葬되었는데, 1923년, 1924년 낙랑고분군이 대 도굴을 당하여 이 당시에 출토된 경만 하

232 梅原末治,「北朝鮮 發見の古鏡」,『東洋學報』第14卷 2號, 東洋協會學術調査部, 1924, p.117.

여도 500면에 달하였다.[233] 학술적 조사를 거친 것이 얼마 되지 않는 것을 감안한다면 대부분이 도굴품임을 알 수 있다. 거섭원년명居攝元年銘의 경鏡을 소장한 평양의 도미타 신조富田晉二는 무려 100여 면의 경을 소장하였다고[234] 한다. 거섭원년명의 경은 석암리의 한 농부로부터 약간의 돈을 주고 매수한 것인데 도미타富田는 후에 교토의 수집가인 변호사 모리아守屋에게 6천원에 이를 매도하였다. 그러나 조선총독부에서는 도미타富田에 대해 아무런 조치도 취하지 않았다. 이러한 소문은 곧바로 낙랑고분에 대한 도굴의 붐을 더욱 부추겨 한 고분에 한두 점 있는 경을 목표로 무수한 고분을 황폐하게 만들었으나 하등의 방지수단을 강구하지 않는 총독부의 무관심한 태도는 일본에서까지 비난의 소리가 나왔다.[235]

특히 이들이 도굴한 봉니는 당시로서는 가장 귀중한 유물로서 취급되어 이를 찾기 위해 혈안이 되었다. 낙랑 봉니가 최초로 알려진 것은 야마다 사이지로山田財次郎 수집의 두 개와 그 다음 세키구치 나카바關口半의 수집품으로 당시 학계의 대단한 주목을 받게 되었다. 이 봉니의 출토지는 평양 내동강변 토성으로서 이 토성 내외에는 일찍부터 많은 유물이 나와 평양에 거주하는 일인들의 주목을 받아 왔다. 이곳에서 발견된 봉니封泥만도, 평양복심원 검사장 세키구치 나카바關口半 소장의 「조선우위朝鮮右尉」 봉니封泥, 야마다 사이지로山田財次郎가 토성 내에서 발견한 「낙랑태수장樂浪太守章」 봉니封泥, 세키구치 나카바關口伴가 토성을 방문

233 藤田亮策, 梅原末治,『朝鮮古文化綜鑑』第3卷, 東京 養德社, 1959, p.3.
234 高橋健自, 石田茂作,『滿鮮考古行脚』, 雄山閣, 1927, p.140.
235 八田蒼明,『樂浪と傳說の平壤』, 平壤研究所, 1934, pp.50-51; 平壤商工會議所,『平壤全誌』, 1927, p.1090.
    大阪每日新聞(1927년 8월 16일자)에 이러한 비난의 기사가 있다고 한다.

했을 때 조선인으로부터 구한 「염한장인」 봉니, 또 모로가 에이지諸岡榮治 소장의 「장長」, 「선蟬」, 「위尉」 등의 봉니 잔편[236]이 나와 고적조사원들을 놀라게 했다.

세키구치 나카바關口半의 「조선우위朝鮮右尉」의 봉니는 한 한국인으로부터 구입한 것인데, 세키노關野의 기록에,

1921년 고이즈미小泉, 노모리野守 등과 함께 이 토성에서 봉니를 발굴하기 위해 인부를 동원하여 깊이 한자까지 허락하여 고와, 전 등을 채집하였는데 그 외에는 아무것도 찾지 못했다. 당시 조선인들이 주위에 군집하였는데 무슨 일인지 몰랐다. 그들이 돌아가고 난 다음 그 중 한 사람이 조왕리 조선 사람으로 그 해 12월에 그 장소(군집장소) 토성 서북부 경작지에서 우연히 봉니 하나를 주웠는데 그 물건이 어떤 것인가 생각해보니 바로 세키구치 나카바關口半의 것이다.[237]

라고 하고 있으며, 세키노關野는 세키구치關口의 봉니 수집에 대해,

또 이 귀중한 유물이 무식한 토민들의 손에서부터 모아 그 산일散逸을 방지한 세키구치 나카바關口半 씨의 공적에 대하여 충분 감사의 뜻을 표하는 바이다.[238]

---

236 關野는 大正15년 10월 13일 평양 諸岡榮治를 방문하여 그가 소장하고 있는 봉니 잔편 3 개를 보고 토성 동방 성벽 중앙부에 해당하는 곳에서 우연히 습득했다는 말을 들었다.
237 關野貞, 「樂浪郡時代の遺蹟」, 『古蹟調査 特別報告 第 4冊』, 朝鮮總督府, 1927, p.30.
238 關野貞, 『朝鮮の建築と藝術』, 岩波書店, 1941. p.234.

평양 토성 일대 출토 관인 봉니

라고 오히려 도굴을 변호하고 있다.

그 이후 낙랑 연구가 활발해 지면서 봉니에 관한 것은 이후에노 1926년경 평양경찰서 근무 경부보警部補 나카무라 사부로中村三郎와 상공회사 기사 모로가 에이지諸岡榮治 등은 봉니의 안전한 것괴 피편 단편 등 수 개를 입수하였고, 그 후 해마다 수가 증가하여 1934년경에는 무려 188과顆에 달했다.[239]

이처럼 봉니가 증가하게 된 것은 비교적 다른 발굴품에 비해 고가로 거래되었을 뿐 아니라 도굴품은 물론 위조물僞造物까지 시중에 나돌게 되었기 때문이다. 따라서 진위에 관하여 조선사 연구가와 고고학자들 사이에 의견이 대립하였으며, 이마니시 류今西龍를 비롯한 유력한 사람들 사이에 소위 낙랑봉니가 근

---

239 藤田亮策,「朝鮮封泥續攷」,『京城帝國大學 創立10년 紀念論文集』第5輯, 史學編, 大阪屋號書店, 1936. p.6.

년에 위조한 것이 아닌가 하고 의심을 하게 되었다.[240]

평양지방에서 출토된 유물의 골동적骨董的 가격이 높음에 따라 중국에서 출토된 유물을 수입하여 평양고분에서 출토된 것이라고 하는가 하면 토성에서 출토된 것이라고 하기도 했다. 당시에 간교한 상인들이 토성 내의 촌민들과의 연계가 이루어져 토성에서 본 것을 새로 만들어 나온 것도 나돌았다고 한다.[241] 사실 당시에 위조물이 상당히 시중에 나돌아 후지타藤田는 이러한 위조의 배후에는 반드시 상당한 전각 기술자가 있을 것이라고 하며 황갈색 적토를 사용하여 문자가 극히 정교하고 일부를 고의로 훼손하여 아주 교묘히 만들어 일본의 위조자가 가담되어 있을 것으로 추정하고 있다.[242]

조선총독부박물관은 무릇 한서지리지漢書地理誌에 기록되어 있는 25개의 낙랑속현樂浪屬縣 중 23현에 달하는 현명縣名의 봉니들을 고가로 구입하여 평양박물관과 덕수궁박물관이 보관하고 있으니 그 수가 76개에 달했다고 한다.

그런데 이 속에는 상당수가 위조가 있을 것으로 짐작되는데, 문정창文定昌은 『고조선사 연구』에서,

야마다山田는 날조捏造한 봉니 「낙랑태수장樂浪太守章」으로써 조선총독부박
물관으로부터 일금 150원을 받게 되었던 것이다. 그러한바 야마다의 그
소위 「낙랑태수장」에는 이마니시 류슈西龍마저 날조捏造라 하고 크게 반발

240 藤田亮策,「朝鮮封泥續攷」,『京城帝國大學 創立10년 紀念論文集』第5輯, 史學篇, 大阪
    屋號書店, 1936, p.109.
241 今西龍 遺著,『朝鮮古史の研究』, 國書刊行會, 1970, pp.227-228.
242 藤田亮策,『朝鮮封泥攷』, 朝鮮考古學研究, 1934, p.351.

하였다. 다시 새로운 봉니 날조자들이 나타나게 되었으니, 그 이름만 들어도 조선인 일반이 벌벌 떠는 평양복심법원 검사장 세키구치 나카바關口半, 평양경찰서 나카무라中村 등이었다. 그리하여 그들 또한 그 습작한 바 진흙 조각으로써 야마다山田와 비등한 액수의 대금을 받았던 것이다. 이와 같이 하여 세를 얻게 된 봉니의 위작僞作 내지는 날조捏造는 하나의 붐을 일으키게 되었으며, 인하여 후지타 료사쿠藤田亮策가 말한바와 같이 조선총독부박물관은 낙랑군 25현 중 23현에 달하는 소위 봉니 76개를 매수하여 평양, 덕수궁 양 박물관에 보관하게 되고, 시중에서는 수십 개의 이른바 봉니들이 조선총독부의 매상賣上을 기다리고 있었으며 또한 오늘날에 이르러서는 전 경성제국대학 교수 우메하라 스에지梅原末浩의「조신고문화종감朝鮮占文化綜鑑」에 100여 개에 날하는 위작-날조의 봉니들은 호화찬란하게 게재하여 그 소위 봉니의 인식 강요에 광분하고 있는 것이다.[243]

라고 하고 있다.

후지타藤田은 총독부박물관에서 수집한 76과를 그의「조선봉니고朝鮮封泥攷」에 소개하고 있다.[244]

---

243 文定昌,『古朝鮮史研究』, 한뿌리, 1969, p.303.
244 당시 조선총독부박물관의 봉니매입(封泥買入)에 관한 전표의 예를 보면(文定昌,『古朝鮮史研究』, 한뿌리, 1969, p.303),

「낙랑태수장(樂浪太守章)」봉니(封泥)　　한 개 매입가격　　150원
　　　　　　　　　　　1922년 10월 30일 납입자　야마다(山田)
「낙랑태수장(樂浪太守章)」봉니　　　　한 개 매입가격　　100원
　　　　　　　　　　　1931년 11월 12일　납입자　김 성도(金聖道)
「낙랑대윤장(樂浪大尹章)」　　　　　　매입가격　　100원

당시 도굴이 얼마나 성행했는지 「낙랑 출토 경(조선고적도보 및 본보고서 채록) 종별표種別表」[245]에 낙랑경樂浪鏡이 126점이 실려 있는데 이중 90%는 모두 개인의 소장으로 되어 있다.[246] 당시 도굴 상황을 핫타 쇼메이八田蒼明는 다음과 같이 회고하고 있다.

다이쇼大正11년경(1922)에는 개성부근의 고려 조시대의 고분에서 고려도기의 도굴에서 배운 한패들이 낙랑고분에 눈을 돌려 점차로 도굴을 시작하여 가장 도굴이 성행하였던 것은 다이쇼13년부터 14년까지인데 이 4, 5년간은 학계에도 고분 그 자체에도 큰 수난의 시대가 계속하게 되었던 것이다.

그런데 이 5년간의 대도굴시대大盜掘時代가 전개되었었는데 까닭에 평양부내에는 갑자기 낙랑열樂浪熱이 전염병처럼 만연蔓延되어 낙랑의 명성은 천

1931년 2월 12일   납입자   김성도(金聖道)

1934~1937년 사이의 고적보존 관계철에는 다음과 같은 내용이 있다.
지금으로부터 2천 년 전의 문화를 간직한 낙랑군치지(樂浪郡治址)의 발굴에 대하여 뜻하지 않게도 이 가치가 매우 조루(粗漏)하였다는 비난의 소리를 듣게되어 최근 또다시 위 입증하는 사례가 있어서 세평을 더욱더 낙랑군치지 발굴이 극히 불성실 한 것이었음을 폭로하고 비난을 받고 있다. 최근 부내 욱정 모 고물상에게 「대방영인(帶方令印)」, 「00강위(江尉)」라 새긴 2개의 봉니를 1개 백 엔으로 팔아치우고 가 버린 자가 있는데 이 것은 당시 사용(使傭)한 인부인 것 같고 경찰당국도 조사를 진행하고 있으나 봉니는 낙랑 연구상 매우 참고가 되는 호자료인데 지금까지의 발굴로 약 10개 정도밖에 출토하지 않고 있으며 평양박물관에는 겨우 2, 3개를 진열하고 있을 뿐인데 이와 같이 진중한 것이 성하게 시정에서 매매되는 것은 발굴시 엄중한 취체와 신중한 주의가 필요하며… "
(黃壽永 編,「日帝期 文化財 被害資料」,『考古美術資料, 第 22集』, 韓國美術史學會, 1973)
245 「樂浪郡 時代 遺蹟」, 『古蹟調査 特別報告 第4冊』, 朝鮮總督府, 1927, pp.343-344.
246 「樂浪郡 時代 遺蹟」, 『古蹟調査 特別報告 第4冊』, 朝鮮總督府, 1927, pp.303~342, 圖版 131~200.

하에 떨쳐 퍼지게 되었다. 그때는 당국도 취체取締가 금일과 같이(1934) 엄중하지는 않고 오히려 관도官途에 있는 일부의 인사들이 고분부터의 출토품을 대중보다 앞질러 다투어 구한 것 같음은 지금에 와서 생각해본다면 전연全然 꿈과 같은 시대가 있었고 다이쇼14년경의 평양부민은 낙랑의 출토품에 1원이나 2원을 던져 고경古鏡의 1매나 소소素燒의 호호 1개쯤은 가지고 있지 않으면 남한테 멸시 당했다고 하는 거짓말과 같은 이야기도 있다. 심지어는 관립학교의 선생이 백주에 당당히 수명의 인부를 거느리고 무덤의 위쪽부터 마구 파헤쳐 쓸 만한 부장품을 꺼냈던 것이다. 이 시대에 가장 많은 일품逸品이 자연히 민간의 수집가의 손에 들어갔던 것이다.

낙랑고분의 도굴은 이 다이쇼13, 14년경의 대난굴 후 세1 노굴하는 백성 쪽이 평양의 수집가만에 팔아버린다면 좋은 돈벌이가 될 수 없음을 알고 어디의 어떤 연줄을 끌어 연락하였는지 성盛히 경성이나 교토 방면의 호사가好事家외 디리를 놓아서 도굴품 중에서 일품은 몰래 이곳에 보내서 평양의 수집가 큰마음 먹고 지불하는 대상의 2배나 3배가 되는 보수報酬를 손에 넣었다. 1만원의 거섭원년居攝元年의 재명在銘이 있는 화문경花文鏡이나 1원 주고 산 평양고등보통학교의 진벌녹유박산로秦伐綠釉博山爐, 녹유도호綠釉陶壺 등의 고고학상 고증자료로서도 또한 골동적 가치에서 보아도 일품의 다수는 이 시대에 발굴되고 있다. 도굴된 것이기에 그 출토지점이나 병併 출토품이 명백하지 않음을 전문가는 소리를 높이 하여 유감으로 여기고 있는 것 같다.[247]

247　八田己之助(八田蒼明),「樂浪の遺蹟」,『樂浪と傳說の平壤』, 壤研究會, 1934, pp.8-9.

1925, 1926년에 오가와小川, 노모리野守 두 사람이 총독부의 명을 받아 낙랑 고분군의 상세한 조사를 하여 고분을 동리별로 번호를 부여하고 목곽분木槨墳 전곽분磚槨墳으로 구분하여 고분분포도古墳分布圖를 작성한 그 현황표를 보면 다음과 같다.[248]

낙랑군 고분 현황 조사표

地名	種別	完全	完全(?)	調査濟	盜掘	小計	總計
大洞面 貞栢里	木槨墳	28	50	2	85	165	354
	磚槨墳	0	6	3	180	289	
同 石岩里	木槨墳	15	50	7	67	139	388
	磚槨墳	0	2	4	243	249	
同 將進里	木槨墳	1	15	0	12	28	50
	磚槨墳	0	3	0	19	22	
同 梧野里	木槨墳	0	2	0	8	10	17
	磚槨墳	0	0	0	7	7	
同 土城里	木槨墳	1	0	0	2	3	8
	磚槨墳	0	0	0	5	5	
同 助王里	木槨墳	8	11	0	6	25	68
	磚槨墳	0	3	0	40	43	
同 長梅里	木槨墳	0	5	0	7	12	84
	磚槨墳	0	4	0	68	72	

248 關野貞 外, 『樂浪時代の遺蹟(本文)』, 朝鮮總督府, 1927.

地名	種別	完全	完全(?)	調査濟	盜掘	小計	總計
同 柳寺里	木槨墳	2	7	0	2	11	75
	塼槨墳	0	1	0	63	64	
同 南井里	木槨墳	1	8	0	22	31	190
	塼槨墳	0	0	0	159	159	
동 甫城里	木槨墳	1	0	0	5	6	11
	塼槨墳	0	0	0	5	5	
同 道濟里	木槨墳	0	6	0	7	13	57
	塼槨墳	0	2	0	42	44	
同 波長里	木槨墳	1	7	0	11	19	62
	塼槨墳	0	2	0	41	43	
同 加鵲里	木槨墳	0	0	0	0	0	7
	塼槨墳	0	1	0	6	7	
龍淵面 巢里	木槨墳	0	0	0	3	3	15
	塼槨墳	0	0	0	12	12	
總計	木槨墳	58	161	9	237	465	1386
	塼槨墳	0	24	7	890	921	

위 현황표를 보면 대동강면, 용연면의 고분의 총수는 1386기로 도굴을 면한 것은 '의심이 가는 것까지 다 합하여도 243기뿐이다.[249] 특히 전곽분의 경우에는 성한 것이 단 한 기도 없는 것으로 조사되었다. 모두가 도굴 당하였으며 의

---

249 『每日申報』1926년 8월 4일자에는,
　　"총독부에서 현재 1,376기 중 아직 발굴되지 않은 것은 53基"라고 하고 있다.

심이 가는 것도 대부분은 지방민들이 그들의 가옥이나 담장을 쌓기 위해 전博을) 빼내 갔기 때문에 이미 많이 파괴되었다. 위의 표에서 보는 바와 같이 1916년 이후부터 1925, 1926년을 전후한 대동강 남안의 낙랑고분지역에서 전성기를 이루었던 대대적 도굴은 한국 역사유적과 지하의 매장문화재埋藏文化財를 얼마나 철저하게 유린 수탈하였는지를 보여주는 단면이라 할 수 있다.

『신라고와보』 발간

모로가 히데오諸鹿央雄 소장하고 있는 고와를 가지고 『신라고와보』를 우메하라梅原가 편찬 발간하였다.[250]

『신라고와보』 표지

모로가 히데오諸鹿央雄는 경주에 재주하면서 오래 동안 수집을 하여 양이나 질로서 가장 우수하다 할 수 있다. 그 고와의 일부는 총독부박물관과 경주박물관에 진열하기도 하였다.

『조선고적도보』 5책에는 신라고와가 600여 점이 수록되어 있는데 이 중에는 모로가의 것이 120여 점 수록되어 있다.

---

250 諸鹿央雄 藏, 梅原末治 編, 『新羅古瓦譜』, 慶州古蹟保存會, 1926.

朝日修好條規

大日本國與

大朝鮮國素敦友誼歷有年所

今欲重修舊好以固親睦遂以同親睦

全權辦理大臣陸軍中將兼

隆特命副全權辦理大臣議

華府朝鮮國政府簡列中樞府

承各遵所率論旨議立條款慨列于左

一 第一款

朝鮮國自主之邦保有與日本國平等之權嗣後兩

우리 문화재
수난일지

1927년

1927년 1월 14일

제26회 고적조사위원회

제26회 고적조사위원회는 1927년 1월 14일자로 위원회는 생략하고 "본 건은 지급至急을 요하는 사항"이라 하며 '고적대장 제125호 등록 평양 이문리 소재 종각을 대동문大同門공원 내로 이전하는 건'을 회람하여 안건에 대한 의견을 구하였다.

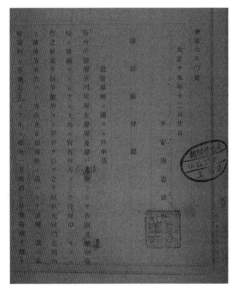

'유물 이전에 관한 건 신청' 공문

이 안건은 1926년 12월 20일자 평안남도지사가 조선총독에게 보낸 고적대장 제126호 등록 이문리 소재 종각을 대동문공원 내로 이전하기 위한 '유물 이전에 관한 건 신청'에 대한 심의이다. 이유는 평양종각은 이미 목재가 부패하여 수리의 필요가 생겨 경비 문제로 금일까지 수리를 하지 못했는데 이번에 평양남도지사로부터 평양부의 비용으로 종각을 대동문공원 내로 옮겨 이전 보존하고자 신청하게 되어 허가의 여부를 결정하고자 한 것이다.[251]

---

251 「제26회 고적조사위원회」, 『국립중앙박물관 소장 조선총독부박물관 공문서』, 목록번호 : 96-277.

평양 대동문공원 설치에 대하여는 1922년에 설계를 하였으나 예산 관계와, 그 시설지가 체신국의 소유이므로 평양부와 그 터를 교환하지 않으면 아니 되는 관계로 착수하지 못하고 있던 중에 1923년 1월 중순에 와서 체신국과 평양부 사이에 대지 교환이 이루어져 1923년 6월 상순부터 연광전을 중심으로 하여 목책을 세우고 공사에 착수하여 연차적으로 시설과 조경을 가꾸어 오던 공원이다.[252]

이 공원 한 모퉁이에 종각을 개축하고 종을 옮겨 오기로 한 것이다. 이 대종은 평양 북장대에 있던 종이 화재로 인하여 소실되자 1726년 당시의 평양감사 윤헌주가 도내 인민에게 다수한 동銅 및 소종小鐘을 수집하여 부벽루 정원에서 주조한 것인데, 대동문 위에 있어 평양성벽 동서남북의 성문을 조석으로 개폐할 때는 주간에 33회, 야간에 28회 타종을 하여 일제히 개폐하게 하였고 기타 화새, 수재, 도난 등이 있을 때 대종을 난타하여 일반에게 경고한 것이라고 한다.[253]

이 종을 일명 '에밀네종'이라고도 하는데, '에밀네'는 '어미네 때문이라는 뜻'으로 민간에 전해오는 다음과 같은 이야기가 있다.

처음 종을 만들 때 모은 쇠로 만든 종이 두드려도 울지 아니하여 그 까닭을 조사한 즉 쇠를 모을 때에 그 용도는 말하지 않기로 했는데, 어떤 중 하나가 쇠를 모을 때에 아름다운 처녀가 "그 쇠는 갖다 무엇하시오?" 하고 묻는 말에 절대 비밀로 하기로 했던 소용할 곳을 그만 가르쳐준 일이 있었다 한다. 그 처녀가 그 같은 것을 물을 때에 그 옆에 있던 그의 어미가 "실없은 계집애!

252 『每日申報』1923년 1월 26일자, 4월 11일자,
253 『每日申報』1927년 6월 26일자.

그 같은 방정맞은 말은 묻지도 말라"는 말이 있었기에 그 처녀로 인해 종이 울지 않는다고 하여 마침내 만들었던 소리가 나지 않은 종과 그 처녀를 함께 녹여 다시 만들었기 때문에 그 혼이 종에 붙어 종이 울릴 때마다 어미 때문에 죽었다는 의미로 '어미-네 어미-네'하여 '어미네종'이라 하였다 한다.[254]

이 같은 애화를 가진 평양의 종은 원래 평양 선원사禪院寺종으로 처음 만들어지기는 고려 태조2년에 주조되어 선원사에서 타종하여 전해오다가, 어떤 이유에서인지 대동문으로 옮겨져 사용되다가 1714년에 화재로 파손되어 다시 주조를 했는데 그 유래를 『동아일보』에 게재한 「헐려가는 평양종각의 애사」를 보면 대략 다음과 같다.

헐려가는 평양종각의 애사(1)
기보한 바와 같이 평양 종로 길가 한 모퉁이 종각 안에서 덧없는 침묵을 지켜오던 종은 장차 남의 손에 대동문 옆 공원 한 모퉁이로 옮겨 감은 부의 방침이라 그같이 팔자에 없는 거동을 하게 된 그는 뜻있는 이에게 무엇을 말하는가?
천유년의 장구한 역사를 가지고 동부 선원사禪院寺(지금은 시외 寺洞 절골이라는 곳)의 종이 되어 아침저녁마다 우렁찬 목소리로 대동강상에 풍류랑들의 인막을 울리어 '西京城外禪院寺夜半鐘聲到遊船'이라는 시흥을 돋우기도 하였고, 한 때는 서경의 새는 날과 닫히는 밤의 때를 따라 때를 알리고 수화

---

254 『東亞日報』 1927년 2월 20일자.

도난水火盜難의 재액을 알려주는 경종이 되었던 그는 갑오년 이래로 시운이 기울어 팔자에 없는 어색한 감금을 당하여 벙어리 노릇을 하게 되고 말았다. 그같이 학대를 받아 옛날의 소리를 내지 못하고 30여 년 동안이나 침묵을 계속하는 그는, 고려 태조9년 병술년에 동부 선원사의 중들이 민간으로 돌아다니며 숟가락 바리 등의 놋그릇 깨어진 조각을 모아 만든 것이라 한다. 그에 재미있는 전설과 신화를 소개하면 이러하다. <중략>

그 후 세상에 장차 미칠 재화를 알리기 위하여 아흔 번이나 스스로 우렁찬 소리로 만인의 귀를 울리었으나 한시의 앞을 내다보지 못한 세상 사람들은 물론 승려들까지도 배척하여 동사원으로부터 버림을 받았다. 그러나 며칠 후 어떤 이의 도움으로 다시 소생의 길을 얻어 대동문 위에 옛날색의 얼굴을 다시금 내어놓고 서경의 날이 새고 질 때 타종을 하였다(『동아일보』1927년 2월 20일자).

헐려가는 평양종각의 애사(2)
그가 대동문 안 대들보에 걸리어 아침저녁 때를 따라 33, 28수로 울려 나오는 종소리는 당시 태평건곤에 질려 날뛰는 백성의 마음을 더욱 부드럽게 하였다.

<중략> 그러나 대동문의 대들보를 상하게 할 염려기 있다는 협의로 홍경래의 혁명난을 치루고 난 지 얼마 되지 못하여 다시 西將臺(지금 장대현예배당이 있는 곳)의 조그마한 집으로 옮기게 되었다 한다. 그리하여 한참동안 서장대 위에서 전과 같이 타종을 하였다.

<중략> 그 같은 세도를 가지고 있던 종은 火神의 저주를 받았던지 불의의

화재의 변을 당하여 일신이 불구의 병신이 되어 그 우렁차던 목소리조차 만백성들의 귀에서 사라졌다.

그러나 지금으로부터 2백 년 전 영종2년 임인년에 평양감사 윤현주 씨가 산산이 조각난 그의 몸을 주어모아 뼈를 삼고 동으로 딴 살을 붙여 재생의 '에밀네'를 부활케 하여 부벽루 위에 매달아 새얼굴 새소리로 '에밀네 에밀네'의 구슬픈 소리를 다시 내게 하였다.

<중략> 지금으로부터 삼갑자 즉 144년 전 현재의 하수구리 명륜여자보통학교 부근을 남겨놓고는 온 평양이 화염의 향으로 화하던 갑자년 대화재에 그의 울림은 더욱 처량하고 슬펐다 한다.

변태무상한 세상풍진과 인간의 고락을 역력히 보며 다시 인간 가까이 대동문으로 내려오게 된 '에밀네'는 갑오년 일청전역에 낯선 사람들의 급한 말굽소리에 놀래어 피난의 경고를 최후로 오늘까지 침묵을 지켜왔다고 한다. 그러나 마음 아픈 을사년을 보내고 또 다시 지금 있는 종로 길가 한 모퉁이로 옮기게 되어 러일전쟁을 겪고 경술년에 뜻하지 않은 일을 당한 후로는 냄새나는 공동변소가 그 옆을 막아서고 지저분한 간판이 그의 모양을 가리었다. 그리하여 그의 존재조차 분명치 않은 동시에 찾는 이 조차 없었고, 또 다시 남의 손에 오래지 아니하여 대동문 옆 한 모퉁이로 자취를 감추게 된 것이라 한다(『동아일보』 1927년 2월 22일자).

『중외일보』 1927년 2월 19일자에는 다음과 같은 유래를 게재하고 있다.

천여 년 장수 평양의 대인경

옛 자리를 떠나게 된 신세, 구회갱신舊懷更新한 그 내력

평양성 한복판 종로 세거리 모퉁이에 있어 근 이백 년이란 세월을 아침저녁의 시간과 만일 불의에 재변이 있을 때마다 울리어 성내 성외 백성들에게 경보를 고하던 천여 년의 유래를 가진 대인경大寅磬은 그동안 갑오전란을 소리없이 쓸쓸히 지내오다가 금년에 평양부에서 그 종각을 대동문공원으로 옮기기로 하였는데 그 종각에게 유래 깊은 자리를 떠나는 설움과 바꾸어 아침저녁과 정오의 시간을 따라 세상이 바뀐 오늘에 다시 울려보자는 일부의 의견도 있다.

고려 태조9년 내동문에 처음으로 달게 되어 그 인경의 유래를 들으면 그 많은 시일은 상세치 않으나 때는 지금으로부터 천수백년 전 지금 바로 대동문 건너편 동대원리는 당시 고려시대에 서경 동부로 선원禪院이라는 절간이 있어 창생제도의 염불소리와 같이 아침저녁을 평화로운 대동강반에 울리는 종소리가 있었으니 고지古誌에 보면 실로 구십여 소리를 스스로 내었다하며 당시의 임금 고려 태조9년 병술에 대동문루상에 달게 된 것이 지금의 첫 유래라 한다.

영조조 임인 평양감사 윤헌주가 개주改鑄

그 후 인경은 대동문루상에서 장대현 고개턱에 세웠다가 다시 대동문으로 옮기어 그동안 수백 년간의 오랜 세월에 시간을 알리는 외에 만일의 재변과 적란이 있을 때마다 그 임무를 다하여 왔었는데 오랜 세월이라 많은 풍상을 보아 내려오던 중에 점차 파손도 하였고 몽고병란 때를 비롯하여 대동문이 수차 화재를 당하여 그 종은 일층 쓰기 어렵게 되었던 것이다. 그리하여 지금으

로부터 이백여 년 전 이조 영조 2년 임인에 당시 평양감사 윤헌주는 본래의 인경에 많은 금과 동을 섞어 지금 부벽루 서편 뜰에서 고쳐 만든 것이 오늘에 남아 있는 인경으로 이백여 연간을 한 자리에서 평양을 지켜온 것이라 한다.

일청전쟁 후 적적한 공루空樓에 다시 울리는가, 옮긴 후의 장래

그리하여 이조의 공예를 다 갖추어 만든 용의 머리를 가진 높이가 약 9척 직경이 약 4척의 큰 인경은 이백년간을 다시 하루같이 아침저녁 성벽의 문을 열고 닫는 것과 초경 이경의 시간을 알리는 동안에 큰 변으로 백팔십 년 전 화약고에서 일어난 대화재가 평양성을 전소시킨 것과 최근으로서는 갑오년 일청전역까지 종을 울리고 그 후는 죽은 듯이 소리 없이 자고 있다가 다시 종을 울리는 것은 아직 의견뿐이나 현재 자리를 옮기게 됨에 오고가는 사람들과 같이 인경도 천수 년의 옛 감회가 다시 깊을 것이다(『중외일보』 1927년 2월 19일자).

이 같은 유래를 가진 평양의 종은 평양부의 시가정리와 아울러 대동문공원이 조성되자 이곳으로 옮기기로 하였는데[255] 제26회 고적조사위원회 의안 '고적대장 제125호 등록 평양 이문리 소재 종각을 대동문大同門 공원 내로 이전하는 건'은 원안原案과 동일한 내용으로 결정되어, 1926년 12월 20일부 회제680호로 신청한 평양부 이문리 소재 종각을 대동문공원으로 이전하는 건은 1927년 2월 1일자로 허가하게 되었다.[256] (제26회 고적조사위원회(1927년 1월 10일 기안, 1월

---

255 『東亞日報』 1927년 2월 19일자.
256 「제26회 고적조사위원회(1927년 1월 10일 기안, 1월 14일 회의(廻議))」, 『국립중앙박물관 소장 조선총독부박물관 공문서』, 목록 번호 : 96-277.

14일 회의廻議) 목록 번호 : 96-277)

평양종각의 이전 허가에 따라 대동문 공원 내로 이전하여 1927년 6월 24일 오후 1시부터 부내 다수 관민을 초대하여 松井 부윤이 시종식을 거행했다.[257]

히기통보시

1927년 1월 24일

평안북도 구성군 동산면 동림사東林寺가 폐지되다.[258]

1927년 1월

매장물 신고의 저조함

'고적급유물보존규칙'에 의하면 매장물을 발견하면 관할 경찰서에 신고를 하도록 규정되어 있다. 그러나 빈번히 발견되는 매장물을 발견자가 신고를 하지

---

257 『每日申報』 1927년 6월 26일자
258 『朝鮮總督府官報』 1927년 1월 24일자.

않고 마음대로 처분하는 경우가 많아 당국으로서도 여간 고민이 아니었다. 『중외일보』 1927년 1월 11일자에는 다음과 같은 기사가 있다.

매장물 발견시 처치 방법 연구

조선 내 각지에서 최근 도자기, 석상, 왕관, 기타 등의 매장물이 빈번히 발견되어 학술상의 참고품으로 진중珍重되는 터인데 이런 등의 매장물을 발견한 시는 소관 경찰서를 거쳐 박물관으로 신고하도록 규정되어 있으나 이제까지 신고한 것이 매우 적을뿐더러 혹은 일본 방면으로 매매를 하거나 혹은 사유물로 하거나 혹은 학교 등에 기부하거나 하여 각기 마음대로 처분을 하는 고로 학술상 대참고가 될 귀중한 고물이 학계에서 알지 못하게 되고 그대로 매장되어 버리는 경우가 많아 총독부에서는 이 매장물 발견에 대한 처치에 대하여 목하 고구考究 중이라더라.

1927년 2월 11일

불상과 불경 발견

광주군 광주면 양림리 544번지 이봉섭은 지난 11일 오후 4시경에 그 집 앞에 있는 작은 언덕솔밭에서 솔나무를 하다가 갈퀴 끝에 이상한 것이 걸림으로 그곳을 파본결과 부처 1좌와 불경 4권이 나왔는데 불상은 작은 사람의 앉은 것만

큼이나 되고, 불경은 모두 연화경이라 한다.[259]

1927년 2월 16일

개성 옥천사(玉泉寺) 불상 강도

『중외일보』 1927년 2월 19일자

개성군 진봉면 옥천사에 2월 16일 괴한 2명이 침입하여 절의 주지를 위협하고 현금을 내놓으라고 위협을 하고 현금이 없으니 불상 1점을 가지고 달아났다.[260]

1927년 2월

괴산 발견 불상을 경복궁에 진열

충북 괴산군 청천면 사담리에 있는 고찰 공림사 부근에서 동리 김학준이란 사람이 밭을 개간하다가 금속불상 1체 기타 금속불구 130개 및 금속불 파편 40개를 발견했다. 이곳은 4, 5백 년 전에 병화로 부타버린 사지로 지금 공린사만

---

259 『東亞日報』 1927년 2월 14일자.
260 『每日申報』 1927년 2월 19일자.

잔존하였을 뿐임으로 그 시대의 유물로 추정되어, 총독부에서는 경복궁내의 박물관에 진열키로 했다.[261]

1927년 3월 8일

화장사 화재

경기도 장단군 진서면 화장사에서는 8일 오전 10시경에 불이 나 사원 5동을 태운 후 오후 5시경에 진화되었다.

불이 난 원인은 절과 접근한 운화당사무소의 밥하는 굴뚝으로부터 발화하여 남풍이 불었으므로 불길은 절의 건물에 옮겨 붙기 시작하여 건물 8동 중에 6동은 전소하고 2동은 반소하여 293평의 건축물을 태운 후 진화되었다는데 재건을 한다 할지라도 원상으로 회복하기가 어렵게 되었다.[262]

1915년 6월 23일 화장사를 방문한 숭양산인 장지연의 기록에,

대웅전 후벽에 지공指空, 나옹懶翁, 무학無學 삼사三師의 진영眞影이 있고 또 서산, 사명 제선사진과 고려공민왕의 진영이 있고, 나한전에 5백나한이 있고, 위서각位書閣에 제안용성, 안평, 영창 위비 및 유서를 봉안했다. 대웅전 앞에

261 『每日申報』 1927년 2월 28일자.
262 『每日申報』 1927년 3월 10일자, 3월 12일자; 『東亞日報』 1927년 3월 10일자.

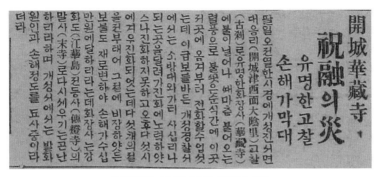

『중외일보』 1927년 3월 10일자 기사

는 7층고탑이 있고, 전면에 성문聲聞, 녹각綠覺, 보살菩薩, 여래如來 8자가 새겨

져 있고, 좌에는 사보살四菩薩, 뒤에는 옹호擁護 등의 문자가 새겨져 있다.

사에는 패엽경이 있었으나 도실되었다한다. 지난 융희2년 밤에 도난당하

였다 한다.[263]

라고 하는데 대웅전과 나한전에 남아있던 귀중한 유물은 모두 불타버린 것으

로 보인다.

거의 대부분의 건물을 소실한 화장사는 1932년 9월에 와서야 대웅전 재건에

착수하기는 했으나[264] 이미 귀중한 유물을 대부분 소실한 상태라 옛날의 존귀

한 모습은 아닌 것이다.

263 『每日申報』 1916년 6월 27일자
264 『每日申報』 1932년 9월 26일자.

불타버린 화장사 대웅전(국립중앙박물관 소장 유리건판)

1927년 3월 18일

평안남도 강동군 만달면 승호리 제3호분 발굴 조사

평안남도 강동군 만달면 승호리 131번지 오노다小野田 시멘트 회사 소유지의 제3호분은 1917년 3월 야쓰이 세이이치谷井濟一의 조사에 따라 등록된 3기의 고분 중 1기로, 1927년 오노다시멘트회사에서 제조공장증축을 위해 발굴허가원을 제출했다. 이에 따라 조선총독부에서는 노모리 겐野守健과 고원 간다 소죠神田惣藏를 파견하여 1927년 3월 18일부터 4일간 발굴 조사를 하게 되었다. 발굴 조사를 마치고 돌아와 같은 달 25일에 복명서를 제출했다. 발굴 경위, 고분의 구조,

승후리 제3호분

고분의 축조 시대 등이 기재되어 있다. 관련 도면, 사진 등이 첨부되어 있다.[265]

평안남도 강동군 만달면 승호리 오노다시멘트회사 정지의 북단인 만달산의 서남록 임야 및 구릉상에는 약 3백기의 고분이 산재하였는데, 시멘트회사를 건설할 때 산록의 정지에 있던 많은 고분 중 회사의 대공사로 인해 약 백여 기를 잃었다.[266]

265 「평안남도 강동군 만달면 승호리 제3호분 발굴 조사 복명서」, 『국립중앙박물관 소장 조선총독부박물관 공문서』, 목록번호 : 96-133.
266 野守健, 榧本龜次郎, 「晩達山麓高句麗古墳の調査」, 『昭和12年度 古蹟調査報告』, 朝鮮古蹟研究會, 1938.

1927년 3월 19일

성불암 말사 황해도 곡산군 곡산면 자효사資孝寺를 폐지하다.[267]

1927년 3월 20일

3월 20일경에 전북 금산군 남이면에 있는 영천사라는 절에 도적이 침입하여 불상을 훔쳐갔다.[268]

대전 진봉면에서 청자요지 확인

1927년 3월, 오가와 게이키치小川敬吉와 野守健은 충청남도 대전군 진봉면에서 청자요지 한 곳을 발견, 이로써 강진 외에서도 청자가 구워졌다는 것을 확인하게 되었다.[269]

---

267 『朝鮮總督府官報』 1927년 3월 19일자.
268 『東亞日報』 1927년 5월 17일자.
269 野守健, 「扶安郡に於ける高麗陶窯址」, 『陶磁』 제6권 제6호, 1934.

1927년 3월

충남 계룡산 도요지(陶窯址) 조사

충청남도 공주군 계룡산 아래에 위치한 도요지에 대한 도굴 빈번하여 오가와 게이키치小川敬吉와 노모리 겐野守健은 요지유적의 조사를 명받아 현장조사를 하고 상황 조사 및 도요지 유물 수집을 마치고 돌아와 1927년 3월 10일에 복명서를 제출했다. 계룡산 동록 도요지의 위치 및 현재 상황, 출토 유물, 연혁 등을 조사하여 기록한 보고서와 관련 도면, 사진이 첨부되어 있다. 조사 시기는 명확하지 않다.[270]

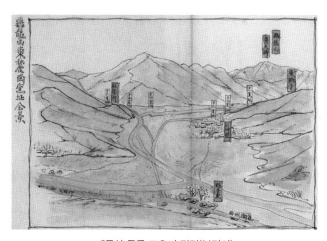

계룡산 동록 도요지 전경(복명서)

---

270 「충남 계룡산 도요지(陶窯址) 조사 복명서」, 『국립중앙박물관 소장 조선총독부박물관 공문서』, 목록번호 : 96-132.

1927년 4월 18일

이왕(李垠) 경주 방문

4월 18일 이왕李王: 李垠이 경주를 방문하여 19일에는 토함산에 올라 석굴암을 관람하다.[271]

이왕의 경주 방문 모습(『매일신보』 1927년 4월 21일자)

1927년 4월

공민왕릉 수리

경기도 개성군 중서면에 있는 고려공민왕릉玄陵과 동 비 노국대장공주릉正陵

---

271 『每日申報』 1927년 4월 21일자.

의 수리공사에 착수하다.[272]

1927년 5월 2일

제27회 고적조사위원회

제27회 고적조사위원회는 회의를 생략하고 안건에 대한 의견을 구하기 위해 1927년 5월 2일 기안한 의안 '낙랑군토성지樂浪土城址 등록 건'을 회람하였다.

의안 결의와 관련된 낙랑토성지는 고적 및 유물 대상 제192호로 등록하는 것으로 5월 6일자로 원안原案과 동일한 내용으로 결정되었다.[273]

1927년 5월 6일

평양 일대의 고분 특별등기

평양 일대의 낙랑고분이 빈번하게 도굴을 당하자 1927년 5월 6일에는 드디어 평양 일대의 고분을 보호하기 위하여 고분지대를 '특별등기特別登記'하는 특

---

272 『東亞日報』 1927년 4월 17일자.
273 「제27회 고적조사위원회」, 『국립중앙박물관 소장 총독부박물관 공문서』, 목록번호 : 96-277.

단을 내리게 된다.『중외일보』1927년 5월 7일자에는 다음과 같은 기사가 있다.

평안남도 대동군 대동강면 조왕리와 토성리에는 2000년 전 낙랑시대의 찬란한 문화가 지하에 잠재하고 있는 수 백기의 고분이 있는 곳으로 재작년 추기秋期에 도쿄제국대에서 고분발굴대가 와서 수십 점의 진기珍奇한 유물을 발굴하게 되어 조선 내에서 동양문화의 최고最高한 것으로 세계 고고학상에 경이驚異를 일으켜 차제에 총독부에서는 특히 동 고분지대를 일층 보호할 목적으로 고적유물의 특별등기를 지난 6일부로 하였는데 금후 동지는 소유자라 하여도 경작 외에는 임의로 개조改造 기타 일체의 지형변경을 하지 못하리라더라.

이러한 배경에는 도쿄제국대학의 발굴 약탈이 있은 후, 1926년 봄부터 토성리의 낙랑군치지 북측의 약 2정보에 이르는 곳에서 주로 와瓦를 파낼 목적으로 대난굴이 있었다. 심지어는 범죄망을 빠져나가기 위해 땅 소유주들이 지형변경 등을 빌미로 도굴을 하였다. 이때 출토된 와瓦의 명문은 '낙랑예관樂浪禮官', '대진원강大晋元康', '낙랑부귀樂浪富貴', '천추만세千秋萬歲', '대길의관大吉宜官', '천추千萬'의 6종이 나왔다. 핫타 쇼메이八田蒼明는 "조왕, 토성, 석암 기타 부근의 동리에 모여 있는 농부들이 일부 지주의 내락을 얻어 파냈다"고 한다.[274] 당시 지주의 대부분이 일인들이었으며, 또한 이들은 일본인 수집가들과 결탁하여 대대적인 도굴을 행한 것으로 추정된다.

274　八田蒼明,『樂浪と傳說の平壤』, 平壤研究所, 1934, pp.10-11.

1927년 5월 11일

미륵불상 발견

1927년 6월 23일자 경상남도지사가 조선총독에게 보낸 '유물발견에 관한 건'[275]에 의하면, 1927년 5월 11일 울산군 온양면 고산리 둔등산에서 박근경이란 자가 제방수리를 위해 채굴 중 미륵불상 1구를 발견하여 울산경찰서에 신고를 했다.

『매일신보』 1927년 6월 22일자에는 다음과 같은 기사가 있다.

발견한 미륵불

울산군 온양면 고산리의 박근경이란 사람이 고산리 근처 산에 흙을 파다가 속칭 미륵불을 발견했는데 높이가 2척 7촌 무게 2백 근이나 되는 석불로 주재소에 보관했다. 부근 주민들 중 아이가 없는 사람들이 자식을 점지해달라고 빌거나, 복을 비는 사람들이 매일 인산인해를 이룬다고 한다.

275 「경상북도 울산군 온양면 고산리 둔등산 발견 석불」, 『국립중앙박물관 소장 총독부박물관 공문서』, 목록번호 : 97-발견08.

1927년 5월 15일

운봉대첩비각(雲峰大捷碑閣) 중건 낙성식

전북 남원군 운봉 황산은 이태조께서 대승첩한 곳으로 그 산 아래에 당시를 기념하는 대첩비와 비각 및 부속건물이 있는바 세월이 흘러 건물이 퇴락하여 전주이씨 문중에서 중건공사에 착수하여 1925년부터 공사를 하여 5월 15일에 낙성식을 거행하였다.[276]

1927년 5월 16일

일본 사학회 제27회 대회에서 1925년 가을에 도쿄제국대학에서 발굴한 낙랑 유물을 동양문고 누상에 진열하여 공개했다.[277]

---

276 『每日申報』1927년 5월 22일자.
277 朝日新聞社 編,『日本美術年鑑』, 1927.

1927년 5월

순종의 유물 5천여 점 분배

순종은 일본에 의해 '이왕李王'의 신분으로 격하된 채 창덕궁에 기거하다가 1926년 4월 25일에 승하했다. 순종이 승하하고 1년이 지나자 5천여 점이나 되는 순종의 유물을 왕가 친척, 귀족, 이왕직 직원들이 서로 나누어 가졌다.『매일신보』1927년 5월 24일자에는 다음과 같은 기사가 있다.

선왕전하 어유물 5천여 점 어하사

창덕궁 선왕전하의 유물 5천여점을 골라 어친척 각 귀족 이왕직 직원 등 1천여 명에게 나누어 주게 되어 그 정리에 분방한 중이다. 이 유물 중에는 귀금속품은 물론이오 필육이며 은반상 비취문방구, 은사지, 수정문방구 등 값진 물건도 많아 대략 시가로 치더라도 무려 10만 원 가량 되겠으며 이강 공 전하께 수정문방구를 위시하여 각 귀족 친척들에게는 이미 한韓 장관의 이름으로 전부 분배되었으며 계속하여 아직도 발송 중이다.

창덕궁 안의 모든 보물은 전부 내전창고에 있는바 그 열쇠는 회계과장이 가지고 있다. 내전 옆에 높이 솟은 전 선원전 자리가 곳 그 창고이니 그곳은 전부 백여 평의 큰 창고로 층층이 선반을 매어가지고 첩첩이 싸여 있는지라 실로 거대한 것이니 선왕의 소지가 전례에 의하여 어유물을 하사가 계실 것임으로 회계과에서와 잡지사에서 위원을 뽑아 창고를 정리한 뒤에 할 부분과 남거사할 부분을 대략 길타놓은 우 시난번 이왕전하께 앞서 환궁하였을 때 하람을 청한 후 고재高裁를 받아 분배키로 결정된 것이라고 한다.

1927년 6월 25일

불상 전문 절도범 검거

6월 25일 인천경찰서에서 불상을 전문으로 절도하는 도적을 체포했는데, 그는 금불상 다섯을 장품으로 가졌다고 한다.[278]

1927년 6월

화장사 불상 도난

강원도 통천군 답전면 화장사華藏寺 5층석탑에서 발견한 불상 2체를 6월에 도난당했다.

1927년 8월 10일자 강원도지사가 조선총독에게 보낸 '유실물 발견에 관한 건'에 의하면, 1927년 6월 5일 화장사 주지 정재은이 화장사 경내에 있는 5층석탑을 본당 앞으로 옮기기 위해 해체하는 과정에서 탑의 최하층에서 불상 3체를 발견했다.

---

278 『東亞日報』 1927년 6월 28일자.

불상은 석가모니불상(높이 3촌8분), 관음보살상(높이 3촌8분), 문수보살상(높이 2촌3분)으로, 이 중 석가모니불과 문수보살상은 1927년 6월 19일 오후 9시부터 20일 오전 4시 사이에 어떤 자가 훔쳐 달아났다.

그러나 주지는 발견 및 도난에 관한 내용을 당국에 바로 신고를 하지 않고 있다가 1927년 7월 9일에야 신고를 했다.

'고적급유물보존규칙' 제3조는 "고적 또는 유물을 발견한 사람은 그 현상을 변경하지 말고 3일 이내에 구두 또는 서면으로 해당지역의 경찰서장(경찰서의 사무를 취급하는 헌병분대 또는 분견소의 책임자를 포함)에게 제출하여야 한다"라고 규정을 두고 있는데, 발견자 주지 정재은 법정기간에 계출(신고)하지 않아 '고적급유물보존규칙' 제3조를 위반하여 7월 20일 검거하여 훈계 방면하였다.[279]

광선문 이축

총독부도서관 현관 앞에 있던 석고단[280]의 정문인 광선문光宣門[281]은 1927년

---

279 「大正14년도~昭和3년도 매장물 관계」, 『국립중앙박물관 소장 총독부박물관 공문서』, 목록번호 : 97-발견08.

280 石鼓壇은 1901년 관민유지의 뜻에 따라 頌聖建議所를 설치하고, 고종의 성덕 표송을 위해 단을 축조하기로 결의하면서 조성되었다. 1902년 1월 6일 부지를 원구단 동쪽 현재 장곡천정 6번지 조선총독부도서관 부지 안에 마련하고, 기사 심인석의 설계에 따라 석고단과 광선문 축조에 착수하였다. 11월 말에는 외곽 공사를 마치고 이듬해 준공하였다(서울특별시 시사편찬위원회, 『국역 경성부사』 제2권, 2013).

281 1929년 9월에 발행한 『별건곤』 제23호에 실린 「碧海桑田가티 激變한 서울의 녯날집과 넷숙십」에 광선분과 관련하여 다음과 같은 내용이 있다.

6월 남산 오타니파大谷派 본원사별원本願寺別院의 문으로 이축하였다.[282]

1927년 7월 19일

충북 제천군 한수면 덕곡리 김진덕은 7월 19일 단양군 단양면 양당리 두악산에서 채벌을 하다가 불상 1체를 발견하여 도청에 신고를 했다. 불상을 발견한 자리는 옛 사지로 추정된다고 한다.[283]

朝鮮호텔과 小公主宮·圜丘壇

조선호텔은 원래 圜丘壇址다. 환구단에 관한 事는 명승고적에 詳載하였기 略하거니와 환구단의 원 기지는 태종 제2녀 慶貞公主(소위 小公主)의 邸니 평양군 조대림에게 下嫁하였다가 趙가 橫暴驕奢함으로 대사헌 맹사성, 지평 박안신이 상계치 않고 拷訊한 후로 그 궁은 수히 폐하였더니 그 후 의안군 珹(宣祖 三男 仁嬪金氏所生 早死)의 궁이 되었다가 임진란 때에 浮田秀家가 此에 留陣하였고 秀家가 退京 후 李如松이 또 留陣하였었다. 그 뒤 明이 亡하고 淸과 和約 후 그 사절의 영빈소를 삼았으니 소위 南別宮이 이것이다. 시구개정 전까지는 그 부근 일대를 소공동이라 하였으니 즉 小公主洞이란 의미다. 지금도 그 동문 光宣門은 아직까지 있고 其內는 총독부도서관이 되었다.

282 서울특별시 시사편찬위원회,『국역 경성부사』제2권, 2013.
283 『每日申報』1927년 7월 31일자.

1927년 7월 23일

제28회 고적조사위원회

제28회 고적조사위원회는 회의를 생략하고 1927년 7월 23일자로 안건에 대한 의견을 구하기 위해 의안 '소화 2년도 고적조사계획 건'과 '소화 원년도 고적조사 사무보고 건'을 회람하였다. 그 내용은 다음과 같다.[284]

소화2년도 고적조사계획 건(의안1)

제1 고적조사

   1. 충청남도 공주군 반포면 학봉리 요지 조사

   2. 경상북도 경주 남산지역 실측조사

   3. 경상북도 경주 석기시대 유적조사

   4. 강원도 원주 탑비 조사(현묘탑, 승묘탑, 연거탑)

   5. 경상북도 경주 임해전지 및 사천왕사지 조사

제2 보존공사

   1. 삼전도청태종공덕비 주위 목책 설치

   2. 경주 사천왕사지 및 임해전지 보존시설

   3. 강서 삼묘리고분 수리

   4. 강서 간성리고분 수리

---

284 『제28회 고적조사위원회』, 『국립중앙박물관 소장 총독부박물관 공문서』, 목록번호 : 96-277.

5. 성천군 동명관 수리

6. 용강군 신녕면 신덕리 및 대대면 매산리고분 수리

7. 용강군 지운면 진지동고분 수리

8. 용강군 해운면 점선비각 수리

제3 출판

1. 고적조사 특별보고 제3책『경주 금관총과 그 유보』하책

2. 고적도보 제8책

3. 고적도보 제9책 원고 작성

소화 원년도 고적조사 사무보고(의안2)

경주 황남리 고분, 경주 서봉총, 영일군 고인돌군, 전라남도 나주군, 고흥군 소재 고인돌, 평양 낙랑고분군, 경기도 암사리 유사 이전 유적, 경기도 선리 유적, 춘궁리 산성지山城址, 경기도 남한산성, 경기도 풍납리토성, 전라북도 옥구군 소재 산성, 부여 석성산성石城山城, 평안북도 농오산성籠吾山城 등을 조사하였다.

또한 개성 남산리 어릉御陵, 개성 영통사靈通寺 석비石碑 및 현화사비玄化寺碑, 평안남도 삼묘리 고분, 북창면 고분, 성천 동명관東明館, 안주 백상루百祥樓, 경주 금관총金冠塚, 평안남도 낙랑 을호乙號 고분, 경상남도 창녕군 원화비元和碑, 부여군 능산리 왕릉 등에 보존공사가 실시되었다.

보고서 인쇄는『낙랑군시대의 유적』,『양산 북정동 고적조사보고』등이 이루어졌다. 계획되었던 강원도 원주군 탑비, 경주 임해전지 및 사천왕사지, 경상남도 구포 패총, 해인사대장경판, 황해도 황주군 고분의 조사는 서봉총 조사 등의 긴급한 상황으로 연기되었다.

이 2개의 안은 1927년 8월 26일자로 원안대로 결의되었다.

1927년 7월

고서첩 등 절취범 체포

도난당한 일자는 정확히 알 수 없으나 박부양의 집에 비장하였던 중국과 조선의 유명한 역대 제왕과 고관대작의 필적을 모아 만든 서첩, 서적과 골동품을 도난당했다.

그 서적과 사첩 등은 경성 무교정 11번지 남작 박부양朴富陽의 부친 고 박제순朴齊純이 구한국시대에 수집한 것으로 고종, 순종의 친필을 비롯하여 역대 유명한 고관대작의 필적과 중국의 유명한 제왕과 대신과 영걸들의 서첩, 서간 등과 서적과 골동품 백여 점이나 되었다.

범인 5명 중 4명을 체포했는데, 이들은 훔친 장물을 경성 모리타 규사후로森田久三郎[285]와 골동상 이케우치 도라키치池内虎吉를 비롯한 여러 곳에 매각한 것을 대부분 압수하여 피해자 박부양에게 돌려주니 박부양의 집에서는 무엇을 잃어버렸는지 알지 못하다가 뜻밖에 받아보고 놀랐다고 한다.

다음과 같은 관련 기사가 있다.

285 1911년 빈손으로 朝鮮으로 건너와서 京城 本町 2丁目 58番地에 책방 개점했다.

2만 여원 가격의 고서첩 등 절취, 범인 5명 체포

부내 종로서에서는 4,5일 전부터 비밀히 활동을 개시하여 부내 본전통을 중심으로 종로통 안국통, 무교정 등 시내 각처의 고서적 상점과 골동품매매소, 고물상 등을 수색하더니 12일 아침에 이르러 지금에는 도저히 구하지 못할 골동품과 서첩, 사서삼경 외 가서家書 등 다수히 압수 하여 종로서에 산같이 쌓아놓고 한편으로는 부내 무교정 11번지 최윤기, 다옥정 177번지 이희상, 종로 5정목 최상오 외 2명을 검거하여 취조 중인데 그 서적과 사첩 등은 부내 무교정 11번지 남작 박부양朴富陽 씨의 부친 고 박제순朴齊純 씨가 구한국시대 세도 튼튼 때에 모아둔 보물로 고종, 순종 양전하의 어친필을 비롯하여 역대 유명한 고관대작의 필적과 중국의 유명한 제왕과 대신과 영걸들의 서첩, 서간 등과 서적과 골동품 백여점 그 가격이 2만여원어치나 되는 것이라는데 박부양 씨 집 고인雇人으로 있는 전기 최윤기가 연루자 4명과 공모하고 박부양씨 집 창고에 깊이 간수한 것을 교묘한 수단으로 절취하여 부내 본정 2정목 군서당群書堂서적포 외 각처 고물상과 서적점에 팔아먹었던 것인 바 아직도 압수치 못한 것이 많다더라 (『매일신보』 1927년 7월 13일자).

당명황唐明皇의 양귀비楊貴妃와 고종제어친필高宗帝御親筆 아직 찾지 못했다.

박부양 집에 비장하였던 중국과 조선의 유명한 역대 제왕과 고관대작의 필적을 모아 만든 서첩, 서적과 골동품을 도난당한 사건에 대하여는 그동안 종로서에서 계속 활동하여 부내 각처의 서적, 고물상점을 수색하는 한편 검거된 범인을 엄밀히 취조한 결과 거의 발견되었으나 그 중에 제일 귀중한 중국 당 명황의 양귀비를 그린 그림과 고종황제의 친필 등 몇 가지는 아무리 수색하여도 간 곳을 알 수 없게 되었다 하며 범인 5명 중 아직 검거치 못한 한 명이 있으므로 그를 체포하기 전에는 찾아내기가 묘연하다더라(『매일신보』1927년 7월 15일자).

보첩寶帖 전부 회심回尋

부내 무교정 11번지 자작 박부양 씨 집에서 유명한 역대 제왕과 고관대작의 서첩 등 보물을 절취한 범인 최모 등 4명에 대한 취조를 마치고 금명간 검사국으로 송치할 터이라는데 장물은 그 중 한 점을 제한 외에 전부 압수하여 박 자작에게 반환하였다는 바 범인은 그 장물의 대부분을 부내 본정 2정목 59번지 모리타 규사후로森田久三郎와 본정 2정목 11번지 이케우치 도라키치池内虎吉 등에게 팔았다는 바 이번에 전부 압수하였다 하며, 도리어 피해자인 박부양 씨 집에서는 무엇을 잃어버렸는지 알지 못하다가 뜻밖에 받아보고 놀랐다고 한다(『매일신보』1927년 7월 17일자).

 * 박부양朴富陽이 누구인가. 매국노 박제순의 아들로 1916년에 자작 박제순의 작위를 습작襲爵받았으며,[286] 1923년 3월 경성제일고등보통학교 졸업 후, 조선총독부에 들어가, 지방세조사에 관한 사무에 종사하다가 1937년에는 임실군수, 1942년부터는 중추원 서기관 등을 지낸 엄청난 부와 권력을 누린 대표적 매국행위자이다. 해방 후 1949년에는 반민족행위특별조사위원회에서 당연범

286 『朝鮮總督府官報』1916년 10월 6일자.

금동관음보살좌상
(『박물관진열품도감』제9집)

으로 특위 검찰부로 송치되었다.[287]

7월에 강원도 회양군 장양면 금강원리 자유동의 밭에서 금동관음보살좌상 1구가 출토되었다.[288]

김천군 감문국성지(甘文國城址) 조사

1925년에 경북 금천읍내에 거주하는 김옥배라는 자가 김천군 개령면 감문국성지 내의 국유지 전부를 대부받기 위해 경북도청에 출원을 했는데, 감문국성지가 있는 감문산은 을종요존임야로 지정되어 있었다. 이에 경북도지사가 요존임야 해제 신청을 해옴에 따라 1927년 7월에 총독부촉탁 이케다 나오쿠마池田直熊와 속 니시다 아키마쓰西田明松가 파견되어 김천군 개령면 감문국성지의 현상에 관한 조사를 하게 되었다.

이 조사는 전문적 조사가 아니라 단지 현재 성지의 현상과 주위의 상황을 조사하는데 그쳤으며, 거리측정과 같은 것은 목측에 의한 것이었다. 도청의 오규수 기수 및 군청 야마다山田 기수, 면장대리 허씨, 등과 함께 실지를 답사하여 현상

---

287 『朝鮮總督府官報』1937년 9월 8일자;『朝鮮人事興信錄』;『自由新聞』1949년 8월 4일자.
288 朝鮮總督府博物館,『博物館陳列品圖鑑』제9집, 1937.

을 목격했으며, 출원인 김옥배, 대리인 홍순원 일행도 수행하여 시찰을 했다.

감문산은 동부동, 양천동, 덕림동, 서부동의 경계에 있으며, 감문산성지 성지는 개령면사무소로부터 읍의 배면 동부동을 지나 계림사鷄林寺를 나와 계림사로부터 북방산복에 오르면 12, 13정의 성지의 남방중앙부에 도달한다. 그리고 감문국궁궐 유지는 읍의 동방에 있는데 수년전 민유지에 초석 2개가 있었는데 토지소유자가 경작에 불편하다고 이를 파괴하여 제거했다고 한다. 또 동남방 연지蓮池의 동측에 당시의 것이라 부르는 석불 1기가 직경 6척의 원형평판석에 좌상이 새겨져 있으며, 부근 노방에 수개의 와편 및 도기편이 발견되어 이케다 나오쿠마池田直熊 등은 이를 채집했다.[289]

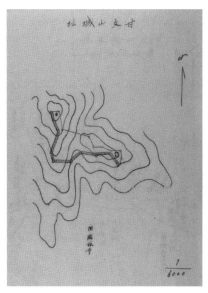

감문산성지 도면(복명서)

1927년 8월

서산군 안면 중장리 강모 등 세 명이 공모하여 서산군 부석면 부석사 법당

---

289 「경북 김천군 감문국성지(甘文國城址) 조사 복명서(소화2년 7월 31일, 池田直熊)」, 『국립중앙박물관 소장 총독부박물관 공문서』, 목록번호 : 96-132

침입하여 금불상 1좌를 절취했다. 이들은 이 불상을 인천으로 보내어 매각하려고 팔봉면 동리에 갔다 둔 것을 경찰서원이 탐문하고 세 사람을 일시에 검거했다. 이래 심리를 해오던 바 지난 15일에 징역형에 처했다.[290]

1927년 9월 29일

계룡산록 도요지 조사

노모리 겐野守健과 간다 소조神田惣藏는 1927년 9월 29일부터 10월 11일까지 13일간 충남 공주군 반포면 학봉리 계룡산록에 있는 도요지를 발굴조사를 하고, 다시 10월 25일 오가와 게이키치小川敬吉 기수와 함께 대전군 진봉면의 고려청자도요지를 조사하고 26일에 귀임하여 1928년 11월에 보고서를 제출했다.

이번의 조사는 1927년 9월 29일부터 10월 5일까지 별도로 토지소유자의 승낙을 얻어, 동월 6일부터 11일에 걸쳐 발굴조사를 하고 다시 대전 진봉면 사곡에 있는 청자요지를 조사했다.

반포면 학봉리 도요지는 계룡산록의 경사면에 고려말기부터 최근에 이르기까지 많은 요지가 발견되고 있는데 금회의 조사시에는 이미 "박씨 소유의 일부를 제외하고는 거의 전부 도굴되어 참담한 광경"이었다. 박씨 소유의 것도 대부분 도굴을 당한 상태였다. 금회 발굴조사의 개소는 가칭 제1도요지, 제2도요지, 제3

---

290 『中外日報』 1927년 8월 29일자.

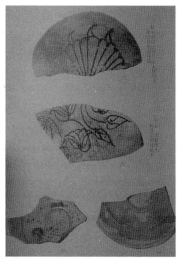

학봉리 출토 도자기파편 및 묘지도판 파편

도요지, 제4도요지, 제5도요지라 했다.

그리고 공주 대전간 도로의 공주로부터 약 4정 떨어진 우측 구릉에 유존한다는 소문을 듣고 야수건이 반포면의 요지를 조사하면서 답사를 하였는데 이미 도굴을 당하여 일부 파편을 채집하고 조사는 후일로 미루었다.

반포면 학봉리 제2도요지

이번 조사에서 자기 완전한 것 100여 점, 문자명이 이 있는 자기편 등 130여점을 채집했다.

그 동안 계룡산록 도요지의 조사는 1926년 12월 이래 충남 공주군 반포면 학봉리 계룡산록에 있는 도요지가 도굴되어 도기파편 등이 골동상들에게 매매되고 골동상들의 출입이 잦아 그 난편들까지 고가로 매매되어 멀리 도쿄東京, 나

고야名古屋, 오사카大阪 등으로 보내지고 있었다. 이에 총독부에서 1927년 2월에 처음 오가와小川 기수를 파견하여 이를 조사하고, 4월에 이르러 오가와小川, 노모리野守, 간다神田 등 3인이 명을 받아 학봉리에 이르러 공주경찰서장 및 토지 소유자 입회하에 발굴조사를 목적으로 도요지 일부를 지정하고 귀임했다. 그리고 이번 9월부터 10월에 이르는 조사가 이루어졌다.

이 같은 일련의 조사 과정에서 『세종실록지리지』 공주군부公州郡部에 나오는 자기소磁器所 두 곳 중 그 한 곳이 반포면 학봉리의 도요지임을 밝히고 이곳에서 '내자사內資寺'[291], '예빈禮賓'의 문자명文字銘이 있는 자기파편과 '경태원년景泰元年', '성화23년成化廿三年', '홍치3년弘治三年', '가정15년嘉靖十五年' 등의 연호명年號銘이 있는 파편을 채집하였다. 완전한 것은 다 도굴 당하여, 스스키 다케시鈴木武司, 노사키 아사키치野崎朝吉, 아사카와 노리다카淺川伯敎, 스미이 다쓰오住井辰男, 고시다 조타로越田常太郎 등의 손에 넘어 가고 나중에 파편破片들만 채집採集하였다.[292]

* 계룡산 도요지 도굴

1926년에는 충청남도 공주군 반포면, 학봉면의 계룡산 기슭에 있는 도요지에서 도기(대부분 분청사기)와 그 잔편을 도굴함이 빈번하여 골동상의 출입이 흥하였

---

291 東國輿地勝覽 京都部에 나오는 內資寺는 고려조의 義成倉으로 불렀던 곳으로 朝鮮太宗三年 內資寺로 改名한 것이다.

292 野守建, 神田忽藏, 「鷄龍山麓陶窯址調査報告」, 『昭和2年度 古蹟調査報告 1冊』, 朝鮮總督府, 1929, p.20.

고 심지어는 멀리 도쿄東京, 오사카大阪 등지에 보내져 비싼 가격에 거래되었다.[293]

계룡산의 요지를 최초로 조사한 것은 1918, 9년경으로 이왕가박물관의 야기 쇼자부로八木庄三郞와 총독부박물관의 오바 쓰네키치小場恒吉로 계룡산요지의 도기파편에 흥미를 가져 일반적인 조사가 있었다. 1926년 이후 도굴이 빈번하면서 1928년 1월에 공주지방법원 모일본인이 도굴한 계룡산도기를 서울로 가지고 올라와 매매를 하자, 골동상 이께우치池內가 그 일부를 먼저 매수하고 나머지는 경성미술구락부 동업자들에게 전화를 하여 모두 매각하게 되었다.

그 후에도 계룡산도기가 서울로 계속 올라오게 되고 일본에서 골동상들이 한국에 건너와 대량으로 사가게 되자 날로 그 구매욕이 높아져 갔다. 이렇게 되자 골동상 이께우치池內는 계룡산 요지의 밭을 통째로 매수하여 땅을 뉘시자 이에 뒤질세라 경성미술구락부의 회원(동업자)들이 다투어 도요지의 밭을 매수하여 도자기 및 그 파편을 구하기에 혈안이 되었다.[294]

도굴품을 매매하는 골동상들은 대부분 수명의 전문적인 도굴꾼들을 거느리

---

293 野守建, 神田忽藏, 「鷄龍山麓陶窯址調査報告」, 『昭和2年度古蹟調査報告 1冊』, 朝鮮總督府, 1929, p.1.

294 佐佐木兆治, 『京城美術俱樂部創業20年記念誌』, 株式會社 京城美術俱樂部, 1942, p.39-40.
처음 요지에서 몰래 시도되다가 나중에 이 지역의 도굴이 흥하면서 요지를 통째로 買入하여 파낸 사례가 이 외에도 黃壽永 編「日帝期 文化財 被害資料」(『考古美術資料』 韓國美術史學會, 1972)에 다음과 같은 사례가 있다.
* 古器物의 破片이 나옴을 들은 大田郡 以下 不詳 河岐某氏 本年 지난 一月 四日頃부터 約 7, 8日間 洞里 羅光順의 所有宅地 約 320平을 代金 5백원으로 매수하여 매일 인부 7, 8명을 使役 同所를 發掘하였으나 破片만으로서 ······
* 管下 公州面旭町 倉本淸一郞은 洞里 鶴峯里 姜奎鉉의 소유 택지 약 140평을 代金 300원으로 買入하여 하루에 인부 10명씩을 사용하여 약 3일간 발굴하였으나 어느 것이나 破片 뿐으로서 완전한 古器物을 얻지 못하였음

고 그들과 결탁하여 골동을 팔아 막대한 이익을 챙겼다.[295] 평양박물관장을 지냈던 고이즈미 아키오小泉顯夫는 일본잡지(『예술과 생활』, 1965)에서 다음과 같이 밝히고 있다.

계룡산 자기에 대한 도굴은 기업적 성격을 띠고 진행되었다. 당시 계룡산 골 안에는 수많은 골동상들이 모여들었는데 조선자기 도굴자와 골동상인간의 매매행위가 그칠 사이가 없었다. 일본의 한 출판물까지도 '20원에 산 이조진 사국화문병이 얼마 후에는 1만 4천원으로 매매되었다'는 사실을 밝혔다.[296]

이처럼 계룡산 일대의 도굴이 극심했던 것은 이곳에서 출토되는 소위 그들이 말하는 미시마三島계열[297]은 일본인의 다茶의 취미와 합치되어 다도의 다기茶器

295　小泉顯夫, 「古墳發掘漫談」, 『朝鮮』, 朝鮮總督府, 1932년 6월, p.87.
296　박현종, 『조선공예사』(북한 조선미술출판사, 1991)에서 轉載.
297　야나기 무네요시(柳宗悅)에 의하면,
　　日本에서는 에미시마(繪三島), 호리미시마(刻三島), 조강미시마(象嵌三島), 이도미시마(線三島), 하게미시마(刷毛三島) 등 여러 가지 이름이 있다. 붓으로 그림을 그린 것, 무늬를 새긴 것, 상감을 한 것, 실금처럼 선으로 고리를 거듭한 것, 솔로 희게 칠한 것 - 위의 것은 이러한 것들을 구별하기 위해 붙인 명칭들이라고 한다(공예, 제111호).
　　이것을 우리는 오늘날 粉靑砂器라 부르고 있는데, 高裕燮은 「高麗靑瓷와 李朝磁器」(『朝光』 第7卷 10號 1941년 10월)에서,
　　일본인들이 붙인 三島手라는 稱號에 대해 "三島手라는 것은 靑瓷의 系統 속에서 나온 것으로 靑瓷가 頹落되어 灰釉, 曹達釉 등의 混合 不充分한 還元焰 즉 酸化焰으로 化해져 들어가 그 瓷色이 灰黃, 灰靑을 이루게 되고 다시 末期의 靑瓷와 灰高麗라는 灰彩器의 手法이 혼합되어 粉粧手法이 加味된데서 나온 器物이다"라고 하고, "日本 茶人들이 맘대로 붙인 意味 不確實한 三島手라느니 보다 우리는 粉粧灰靑砂器라 함이 그 特徵을 잘 보이는 것이 아닐까. 따라서 從此론 이 三島手라는 것을 粉粧灰靑砂器란 稱號로써 부르겠는데 ……"라고 그 稱號를 처음으로 提唱하고 있다.

로 아주 적당하다고 생각했던 것이다. 즉 중국의 도자가 이지적理智的임에 비해 이곳에서 출토되는 것은 기술상 다소 떨어진다 할지라도 불규칙의 자유와 부드러움이 일본인의 기분과 합치되는 것이었다.[298] 계룡산의 명성을 일시에 높인 또 하나의 이유는 일본의 명기名器로 들고 있는 후지타가藤田家의 '아미가사網笠의 다완茶碗'과 동일한 것이 이곳에서 출토되어 '아미가사網笠의 다완'의 출소지出所地가 바로 계룡산 요지임이 판명됨으로서[299] 더욱 도굴을 부추겼던 것이다.

또 1928년에 도쿄의 마츠우라가松浦家에서 누대에 걸쳐 내려오던 귀물이라 할 수 있는 분청대접이 경매장에 나왔는데, 그 안에 '내자사內資寺'라는 문자가 있어 이것이 계룡산 요지에서 나온 것임이 알려지자 흥분의 도가니로 변하였다. 골동상들은 계룡산 도요지 산물이라면 파편소삭까지 수집하기에 혈안이 되었다.[300]

그러나 이 用語가 완전히 通用된 것은, 金元龍의『韓國美術史 硏究』(1987, 일지사)에 의하면,
국보 해외전시가 시작된 1957년경부터 國立博物館에서 사용하고 歐美展示目錄에 인쇄됨으로써 이제는 세계적으로 통용하게 된 것이라고 한다.
일본인들은 그 몇 개 종류에 대해서는 각각 다른 이름을 붙이고 있으나 우리는 그 전부를 통틀어 粉靑이라고 한 이름으로만 부르고 있어 불편과 불합리를 느껴 김원용은 이래와 같은 6종류로 분류하고 그것을 하나의 안으로 제안했다.
象嵌系 - 印化粉靑(日. 曆手, 三島, 花三島)
象嵌粉靑(日. 彫三島)
刻文系 - 剝地粉靑(日. 彫三島)
線花粉靑(日. 彫三島)
白土系 - 白土粉靑(日. 粉引, 刷毛目)
鐵畫粉靑(日. 繪刷毛目)
18세기 실학자 李圭景이 쓴『五洲衍文長箋散稿』에 보면 '砂器는 磁器의 속어다'라고 기술하고 있어 '粉靑磁器'라 해도 무방할 것 같다.
298 田中萬宗,『朝鮮古蹟 行脚』, 1930, p.258.
299 漆山雅喜,「朝鮮の陶器と高麗茶碗」,『朝鮮巡遊雜記』, 東京 泰東書院, 1929, p.28
300 漆山雅喜,『朝鮮巡遊雜記』, 1929, p.81.

마츠우라(松浦)가 구장 분청자문자입(内資寺)대접
『조선고적도보』에 도판번호 6161로 실려 있다

계룡산에서 도굴된 많은 것은 1936년 4월 9일부터 일주일간에 걸쳐 오사카
大阪의 판급백화점阪急百貨店에서 전시가 되어 일본열도를 들뜨게 하였다. 전시
의 명칭은《조선신출토고도일품전朝鮮新出土古陶逸品展》이라 했으며, '어내일御内
日'까지 정하여 선전하였다.[301] 1937년 6월에도 일본의 하루우미春海라는 곳에
서 '조선출토고도자전관朝鮮出土古陶瓷展觀'이라는 이름 하에 계룡산, 강진 등지
에서 도굴한 도자기 전람회가 열렸다.[302]

계룡산 일대의 도요지에서 출토되어 개인의 손에 들어간 소장품들은 일찍이
『조선고적도보』와『소화2년도고적조사보고) 제2책』에 실려 있다.

301 小田榮作, 『朝鮮 新出土 古陶逸品』, 春海商店, 1936.
302 美術研究所, 『日本美術年鑑』, 岩波書店, 1937년 11월.

1927년 9월

경복궁 정문인 광화문을 건춘문 북방으로 이전하는 공사가 완공되었는데 1926년 7월 22일에 기공된 이래 연인원 21,000여 명이 동원되었으며 총 경비 50,261원이 소요되다.[303]

경성부사 자료 수집

9월 15일 부터 수일간 총독부 촉탁 가토加藤와 성성부사편찬위원 오카다岡田 촉탁 외 2명은 뚝섬 방면 화양정華陽亭[304] 부근과 구정동九井洞[305] 부근 토성자리 와 또 대산臺山 태종왕 이궁 자리[306]를 조사했다. 결과 원형을 그대로 가지고 있 는 석도와 기타 신라, 고구려, 백제, 고려시대의 기와와 석기 등 부사편찬자료 에 주요한 자료를 발견하였다.

---

303 『東亞日報』1927년 9월 18일자.

304 華陽亭은 말 목장 안에 있던 정자로, 1432년에 세워져 군사훈련, 사냥, 계회 등에 이용 되었다. 1911년 낙뢰로 소실되어 표석만 남아 있다(표석 설명). 현재 서울 광진구 화양 동 110번지에 해당한다.

305 현재 서울 광진구 구의동에 해당 하는 곳으로, 아차산 기슭에서 한강변에 이르는 긴 지 형으로 자연촌락 구정도(九井洞)의 '구(九)'자와 산의동(山宜洞)의 '의(宜)'자를 따서 구 의리(九宜里)라 하던 것이 구의동(九宜洞)이 되었다(서울특별시 광진구 동명 유래).

306 太宗離宮은 일명 樂天亭이라고도 하고 속칭 鉢山이라는 臺山 위에 있던 것으로 태종 왕의 재위 19년 8월에 양위를 하고 대산에 이궁을 지으시고 좌의정 박어의 상주르 樂 大亭이라고 명명하였다고 전하는데, 현재 광진구 자양2동 673에 해당하는 곳이다.

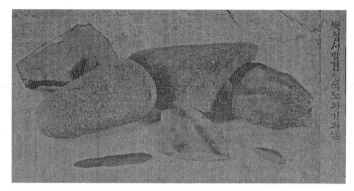

뚝섬서 발견한 기와, 석도, 족(『매일신보』1927년 9월 29일자)

특히 구정동의 가장 높은 고지를 답사하여 석기시대 돌로 만든 화살(石鏃) 2개를 발견하였으며, 그 외 고구려, 백제, 고려시대의 기와 십 수 종과 그 밖의 석기시대 원료석과 저석 등을 수집했다.[307]

1927년 10월 4일

불상 도적 체포

4일 어떤 자 2명이 구루마 위에 길이 3자 5치 가량 되는 적동赤銅으로 만든 불상 2체를 실고 경성부내 고물상으로 다니며 팔려고 하는 것을 순회 중이던 서대문경찰서원이 발견하여 취조를 한 결과 이들은 4일 오전에 부내 대화정의

---

307 『每日申報』1927년 9월 29일자.

조계사에 들어가 불당에 모셔둔 불상을 훔쳐 나온 것이라 한다.[308]

1927년 10월 8일

경상북도 군위군 소보면 백련암白蓮庵이 폐지되다.[309]

1927년 10월 13일

공주 송산리고분 조사

공주 송산리 고분군은 1927년 3월경에 도굴되어, 1927년 4월 공주군 보승회장 다카야마高山가 백제유적의 소개와 아울러 지방 발전책으로 이 고분의 성질을 밝히기 위해 총독부에 조사를 요청해 왔다.[310] 이에 따라 공주 학봉리 도요지를 조사하던 조선총독부 촉탁 노모리 겐野守健과 고원 간다 소죠神田惣蔵가 이곳에 출장을 하여 1927년 10월 13일부터 23일까지 공주 송산리(주외면 용당리) 소재 제1호, 제2호, 제5호 고분을 발굴 조사했다.

---

308 『每日申報』1927년 10월 6일자.
309 『朝鮮總督府官報』1927년 10월 8일자.
310 野守健, 「公州 松山里 古墳 調査報告」, 『昭和2年度 古蹟調査報告 第2册』, 1935, pp.2-3.

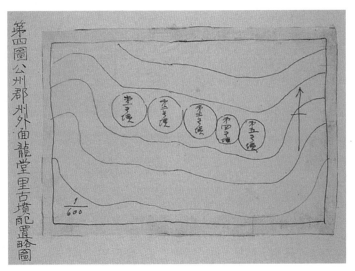

용당리(송산리) 고분 배치도

송산리 고분 조사의 정식보고서는 1935년에 발행한 「공주 송산리 고분 조사보고」(『쇼와昭和2년도 고적조사보고 제2책』)이 있고, 이에 앞서 작성한 총독부박물관 공문서 '쇼와昭和2~4년도 복명서' 철에 「공주 용당리 고분 발굴 조사」[311]가 있다.

같은 고분을 하나는 '송산리' 다른 하나는 '용당리'로 기록한 것은, 1914년 행정구역 통폐합에 따라 외약리外若里, 용당리龍堂里, 박산리朴山里, 서혈동西穴洞, 한산리韓山里, 소정리小亭里, 송산리宋山里, 하봉촌下鳳村의 일부를 합해 용당리라 하고 주외면에 편입했기 때문에 동명의 혼선이 온 것으로 보인다.

복명서에는 발굴 배경, 고분의 위치 및 현황, 구조, 발굴품 등이 기재되어 있다. 관련 도면이 첨부되어 있다. 제출 일자는 명확하지 않다.

공주군 주외면 송산리에 속하는 한 구릉에 5기의 고분이 동서로 병렬해 있는

311 『국립중앙박물관 소장 총독부박물관 공문서』, 목록 번호 : 96-133.

데 제1호분부터 제5호분까지 명명했다.

1927년에 조사된 고분은 오늘날 1~4호분으로 구분된 것들과 파괴분을 포함한 5기이다. 즉 1927년 5호분으로 구분된 것을 다시 1호분으로 보면서 가장 서쪽에 있는 것을 4호분으로 분류하여 오늘에 이른 것이다. 현존 송산리 고분의 현황을 토대로 1927년에 조사된 5기의 고분을 서쪽부터 1~5호분으로 분류하였다면 4호분은 당시 파괴되었을 것으로 보고 있다.[312]

제1호분은 동서 5기의 병렬 고분 중 가장 서단西端에 있는 것으로 당시에는 1호분으로 명명되었으나 현재 4호분으로 명명된 것이다.

제1호분은 봉토가 거의 유실되어 분형만 겨우 남아 있었다. 내부의 현실 천정과 벽에는 침식의 흔적이 있었다. 내부에서 절정 5개를 발견했다. 1927년 3월경 지역민이 천정을 파괴하고 내부로 들어가 유존한 명기明器의 잔편을 훔쳐 갔다고 하며 내부에서는 부장품이 거의 남아 있지 않았다. 겨우 사자의 허리부분에 해당하는 곳에서 은제투조대과銀製透彫帶銙 2매, 족부에 해당하는 곳에서 철도병두편鐵刀柄頭片, 목관의 장식용 두부도금식정頭部鍍金飾釘을 발견했다. 도굴공의 근처에서 오사카아사히신문지大阪朝日新聞紙 조각과 양초가 발견되고 도굴자가 유실한 것으로 보이는 철제창두 1본, 철족 수본을 발견했다.

제1호 고분에서 발견 유물은 은제투조대과 2매, 순금제동장금구純金製胴張金具 2개, 금동제영락金銅製瓔珞 12개, 금동장식금구잔결金銅裝飾金具殘缺 1개, 금동금구잔결金銅金具殘缺 1개, 철지금장금구잔결鐵地金張金具殘缺 2개, 식정飾釘 98개, 기타 약간이 발견되었다. 이 고분은 "종래 경기도 광주 지방, 부여 지방에서 조사한 백제고분

312 성상기, 「일제강점기 공주 송산리고분의 조사」, 『중앙고고연구』 제10호, 2012.

현실과 상위相違한 것으로 장래 연구를 위해 보존의 필요가 있다"고 하고 있다.[313]

제2호분은 제1호분의 동쪽에 접해 있는 것으로, 1927년 당시에는 제2호분으로 분류하고 있으나 이후 가루베 지온에 의해 재3호분으로 재분류되고 무령왕릉 조사보고서에도 제3호분으로 표시되어 있는 고분이다.[314] 현재 봉토가 역시 유출되어 겨우 분형墳形을 알 수 있을 정도인데 "정상부에 가까운 서남측에 도굴공이 있어 현실의 내부를 볼 수 있었다. 본 분은 전자와 동시에 도굴을 하고 다시 최근에 도굴을 한 것 같았다"[315]고 하는 것으로 보아 동일범으로 추정되고 있다.

제2호분은 도굴공을 통해 내부로 들어가 바닥 일부를 조사하고 금동제금구 잔결 1개, 금동제과대금구 개, 금동제식금구 2개, 식정 132개, 철지금동장행엽 잔결 1개, 은제식금구 1개, 기타 약간을 발견했다.[316]

노모리 등의 조사에서 제5호분으로 분류하고 있는 고분은 현재 외형으로 정비되어 있는 고분 중 가장 동쪽에 위치하고 있는 고분으로 1927년 확인된 고분 중 4호 또는 5호분 중의 하나로 추정되나 그 구체적인 내용 파악이 어렵다.[317] 1927년에 명명한 송산리 5호분의 경우에는 현실 천정이 이미 무너져 내부에는 토사가 가득 차 있었으며 "본 고분 역시 옛날에 도굴 파괴되어 귀중한 부장품은 이미 훔쳐 가버렸다"고 하며 다행히 이곳에서 도제감 2개 유리소옥 27개, 금

---

313 「공주 용당리 고분 발굴 조사 복명서」, 『국립중앙박물관 소장 총독부박물관 공문서』, 목록번호 : 96-133.
314 정상기, 「일제강점기 공주 송산리고분의 조사」, 『중앙고고연구』 제10호, 2012.
315 野守健, 「公州 松山里 古墳 調査報告」, 『昭和2年度 古蹟調査報告 第2册』, 1935, p.15.
316 「공주 용당리 고분 발굴 조사 복명서」, 『국립중앙박물관 소장 총독부박물관 공문서』, 목록번호 : 96-133
317 정상기, 「일제강점기 공주 송산리고분의 조사」, 『중앙고고연구』 제10호, 2012.

동제교구 1개, 금동제수하금구 1개, 금동제식금구잔결 1개, 유리소옥 27개, 연옥 269개, 도자刀子 1개, 도기파편 2개, 기타 약간을 발견했다.[318]

제1호분으로부터 1927년 3월경 지방민의 도굴로 구옥, 유리옥, 검, 부 등이 출토되어 공주읍내의 일본인이 소지하고 있고, 제2호분으로부터 금제이식 1대가 발견되어 이것은 현재 교토제국대학의 기요노淸野 박사의 소장으로 돌아갔다고 한다.[319]

복명서에는 고분 및 출토 유물 사진과 도면을 상당수 첨부한 것으로 보고되었으나 어떻게 된 것인지 모두가 누락되어 있다.

『매일신보』1927년 10월 21일자에는 다음과 같은 관련기사가 있다.

백제시대 유물 공주에서 고분 발굴

총독부박물관에서는 백제시대 유적을 수색하여 발굴하기 위하여 지난번 야수 촉탁을 파견하여 극력 조사케 하던 중 근래 주외면 용당리서 근사한 것이 있어 인부 수십 명을 고용하여 수일 전부터 발굴한 결과 3개소의 고분을 발굴하였으니 그 고분은 약 4평의 동굴로서 칠도漆塗를 시하였고 종래 부여방면에서 발굴한 고분은 흔히 석굴이나 공주의 것은 칠도漆塗한 것이 특징이며 또 백제유물로 입증할만한 이륜耳輪, 주도珠刀 등 귀중한 연구자료가 있으므로 공주에 잠시 출장하였던 관야 박사는 전남에서 급보를

---

318 野守健,「公州 松山里 古墳 調査報告」,『昭和2年度 古蹟調査報告 第2冊』, 1935. p.19;
「공주 용당리 고분 발굴 조사 복명서」,『국립중앙박물관 소장 총독부박물관 공문서』, 목록번호 : 96-133.
319 「공주 용당리 고분 발굴 조사 복명서」,『국립중앙박물관 소장 총독부박물관 공문서』, 목록번호 : 96-133.

받고 공주에 와 지난 18일 고교 재무부장, 고산 공주군수, 정목 공주서장, 환산 도청의원 등과 동반하고 현장에 닿아 종일토록 조사하였는데 그 고분은 금후 공주보승회에서 충분히 보존하기로 계획 중이라더라.

이상으로 본다면 최소한 송산리 제1호분과 제2호분은 1927년 3월경에 도굴당하였음이 명백하다. 또 그 도굴품은 모 일본인이 소장하고 있음을 알 수 있다.

그런데 여기에 대한 도굴의 단서는 『충청남도 향토지鄕土誌』에 기고寄稿한 가루베 지온輕部慈恩의 글에,

나는 공주를 중심으로 이 일대一帶의 산악, 구릉 등을 수색하여 조사한 결과 소화2년 3월에 공주읍의 서북에 접속接續한 송산리의 구릉지대丘陵地帶에서 제1호분에서 제4호분까지 4기를 발견하였고, 계속하여 공주읍을 중심으로 그 주위의 산구山丘에 한하여 다수의 백제분묘를 발견했다. <중략> 이미 도굴을 당하여 곽槨의 일부만 약간 남아 대부분 파괴된 것이 많았다. 여러 차례 나는 『고고학잡지』 등에 조사결과를 보고하였다.[320]

고 하고 있다.

가루베는 1930년 3월에 『고고학잡지』에 「백제식석불광배百濟式石佛光背에 대하여」와 5월에 「낙랑 영향을 받은 백제의 고분과 전」이란 제하題下의 조사결과

---

320 輕部慈恩, 「公州に於ける百濟遺蹟」, 『忠清南道 鄕土誌』, 公州公立高等普通學校 校友會, 1935, p.8.

를 발표하였다. 이 중 후자의 조사기록에 의하면,

이 고분은 앞에서도 말한 바와 같이 소화2년(1927) 3월 초순 겨울에 얼었
던 얼음이 녹을 때 상부上部의 석적石積과 흙에 틈이 생겨 떨어져 내린 것으
로, 그것을 근처의 아이들이 발견하여 현실玄室 안의 유물을 꺼내서 고물상
같은 데에 팔아버렸기 때문에 그 출토出土 상태가 전혀 판명되지 않았는데,
그 후에 내가 여러 곳에 부탁을 하여 유물의 행방을 수소문한 결과 겨우 제
4도第四圖에 나타낸 것 정도의 유물을 찾아서 그것을 촬영할 수가 있었다.
그리고 이 고분의 붕괴 당시 제일 처음 현실玄室 안에 들어가 (유물을) 실
제로 본 15,6세의 조선 이동 최싱희(?)라는 사에게서 당시의 유물의 배치를
상세하게 듣고 그것을 그림으로 나타낸 것이 제3도第三圖의 좌하左下이다.
이 고분의 붕괴 후 소화2년 9월 중순에 조선총독부에서 좌우의 3기와 그
부근의 송산리宋山里 구릉지대에 있는 고분 중의 몇 기를 발굴 조사했다고
하는데, 조선총독부 박물관의 오가와 게이키치小川敬吉 씨의 말에 의하면
(고분) 모두가 다 형식은 이 고분과 같은데 이미 도굴을 당해서 중요한 유
물은 하나도 건지지 못했다고 한다.[321]

가루베 지온輕部慈恩은 이 보고서에서 명확히 몇 호 분인지는 밝히지 않았으

321 輕部慈恩,「樂浪の影響を受けた百濟の古墳と塼」,『考古學雜誌』第20卷 第5號, 1930년
    5월, pp. 40 49.

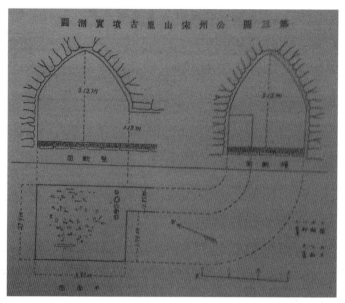

제3도: 송산리고분 실측도(가루베 지온의 「낙랑 영향을 받은 백제의 고분과 전」)

나 1-4호까지 자신이 발견했다고 하고,[322] 노모리 겐野守健의 보고에는 제1호분
이 1927년 3월경에 부근 주민에 의해 도굴되었으며 2호분도 동일범으로 추정
된다고 한다. 그리고 위 가루베의 『고고학잡지』에 발표한 내용에서도 1927년 3
월경에 도굴 당한 것을 들고 있음을 보아 가루베가 『고고학잡지』에 발표한 고
분은 『소화2년도 고적조사보고 제2책』에서 명명한 1, 2호분의 조사 내용임을
알 수 있다. 그런데 여기에는 두 가지의 의혹을 떨칠 수가 없다.

첫째, 가루베는 고분을 처음 발견하고 현실 안에 들어간 자는 근처의 아이들

---

322 輕部慈恩, 「公州に於ける百濟の遺蹟」, 『朝鮮』, 朝鮮總督府, 1934년 11월, p.127.
　　"나는 공주를 중심으로 일대의 山岳 丘陵 등을 搜索한 결과 소화2년 3월 공주읍 서북에
　　접속한 송산리의 구릉지대에서 제1호분에서 4호분까지 4기를 발견하고 계속하여 공주
　　읍을 중심으로 주위 산구릉에서 다수의 백제고분을 발견하여 그 수는 수백을 算한다."

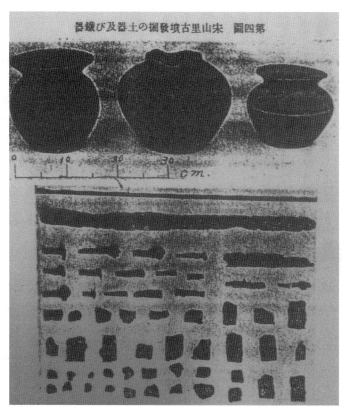

제4도: 공주 송산리고분 발굴의 토기급철기(가루베 지온의 「낙랑 영향을 받은 백제의 고분과 전」)
제4도상에 경질의 회흑색의 백제식 토기는 제4도에 보이는 연도입구에
5개가 일렬로 병립해 있었다고 하는데 2개는 현재 어느 곳에 있는지 소재를 알 수 없다.
제4도 아래의 철기는 검, 창, 鏃, 정, 창의 금구 등

이라고 하고 가장 먼저 현실에 들어간 자는 15,6세 가량이라고 했다. 그런데 노모리의 보고에는 도굴공이 있는 곳에서 오사카아사히신문지大阪朝日新聞紙 조각과 양초를 발견하였다고 하였다. 이는 처음부터 계획적임을 알 수 있다. 그런데 15,6세 가량의 선동들이 오사카아사히신문大阪朝日新聞을 볼 리 만무하고 당시로서는 귀한 양초를 쉽게 아이들이 소지하기는 쉽지 않는 일이다.

둘째, 가루베는 제일 먼저 현실 안에 들어간 15, 16세의 아동으로부터 유물

배치를 상세히 들었다고 하는데, 15, 16세의 아동이 그 배치를 어떻게 설명할 수 있으며 현실에서 유물을 훔쳐 나오는 자가 유물 배치를 생각하면서 도굴한 다는 것은 있을 수 없는 것이다.

이상의 두 가지 의혹을 본다면 도굴을 한 자는 일본인으로 추정할 수 있으며 유물 배치 운운하는 것은 가루베의 조작으로 볼 수밖에 없다. 이러한 점에서 가 루베에게 직접도굴 내지는 도굴을 사주한 혐의를 두지 않을 수가 없는 것이다.

1927년 10월 28일

도쿄박물관원 시찰

1927년의 도쿄박물관원의 출장 내역을 보면, 박물관의 감사관 미조구치 데 이지로溝口禎次郎는 미술자료 조사를 위해 조선 및 중국에 출장을 명받아 10월 28일 출발하여 부산, 대구, 경주, 경성, 개성, 평양, 봉천, 북경, 천진, 청도, 여순 등의 각지를 경유하여 12월 8일 귀경한 것으로 나타나 있다. 미조구치溝口는 출 발 전 10월 27일에 외무성 문화사업부로부터 한국, 중국고미술에 관한 조사를 위촉받았다. 귀경 후 그 보고 개요는 다음과 같다.

경주에서 경주박물관분관을 방문하여 유명한 봉덕사의 대종을 비롯한 유물 을 보고, 읍내 굴불사, 백률사, 분황사, 황룡사 등의 사지 및 안압지, 반월성지, 첨성대, 계림, 오릉, 포석정지 등을 답사하고 불국사 및 석굴암을 방문하여 우 수한 신라시대의 석불조각을 보고 또 괘릉, 성덕왕릉, 효소왕릉 등을 답사 했

다. 대구에서는 이치다市田와 오구라小倉가 수집한 경주 및 부여방면 발굴의 고
고자료를 보았다. 경성에서는 총독부박물관 및 이왕가박물관을 시찰하고 궁전
등을 돌아보았다.

개성에서는 고려왕조의 궁지 만월대를 방문하고, 원시대의 대종을 남대문에
서 보고, 다음으로 그 지역에서 유명한 정포은의 숭산서원 및 그 묘廟를 답사했
다. 평양에서는 낙랑의 고분 군지를 탐방하여 그 현실을 보고 또 고구려유적으
로 유명한 강서면 우현리삼묘에 이르러 그 대, 중 2묘의 현실 내 벽화를 보았
다. 또 평양중학교 역사자료진열실 및 하시도 요시키橋都芳樹와 도미타富田의 수
집품을 참관했다.[323]

1927년 10월

공주 금정 제1호분 조사

10월에 공주 금정 제1호분을 조사했는데, 이미 수년 전에 한 도자기업자가
도토陶土를 채굴採掘하다가 우연히 발견하여 유물을 모두 도거盜去했다. 근처 소
왕묘小王墓라 전하는 것에 대해서는 "소왕묘는 근년에 발굴한 흔적이 있기에 이
를 따졌더니 수년 전에 군수가 이를 발굴하려다가 석곽에 이르지 못하고 중지

---

323 「實地鑑査及出張」, 『帝室博物館年譜(昭和2년 1월~12월)』, 帝室博物館, 1928, pp.512-513.

1927년 319

한 것이라 하였다"고[324] 이 악행을 한국인에게 뒤집어씌우고 있다.[325]

석관 안에 있는 물을 약수라고 대소동

오래된 관에 고인 물을 마시면 고질병이 치유된다는 속설이 있어, 민간에서 만병통치약이라 하여 이를 마시곤 했던 모양인지 함흥에서 이와 같은 소동이 있었다. 『매일신보』 1927년 10월 6일자에는 다음과 같은 기사가 있다.

『매일신보』 1927년 10월 6일자 기사

함흥읍내 운흥리 함흥고등보통학교 뒷마을 인가 부근에서 지난 2일 흙을 파던 인부들이 사방 6척이나 되는 석관 1개를 발견하였는데 그 안에는 다른 고물은 하나도 없고 다만 흐릿한 물이 석자 가량이나 고여 있

---

324 野守健, 「公州 松山里 古墳 調査報告」, 『昭和2年度 古蹟調査報告 第2册』, 1935, pp.24-25.
325 북한학자 김석형은 『古代 韓日關係史』(1988, 한마당, pp.59-60)에서
    "역대 군수는 일제 통치 시기가 시작된 후부터 일본사람이었다는 것은 증거를 댈 필요가 없다. 경찰서를 끼지 않고 무뢰한으로 하여금 도굴을 시켜서 이득을 본다는 것은 생각조차 할 수 없는 일이며, 아무리 산골에서도 일제기는 경찰서 서장뿐만 아니라 주재소 주임도 일본인이었다는 것도 증명할 필요조차 없는 일이다. 무뢰한들의 민족적 구성을 구태어 더 따질 필요는 없는 것이다. 다 일본제국주의 자들이다. 간교한 일제는 도굴현장에는 한국사람이 더 많았으리라는 것을 가지고 오늘까지도 도굴의 책임을 한국사람에게 씌워 보려고 시도하지만 이는 턱도 닿지 않는 강도적 논리다"라고 반박하고 있다.

음으로 부근 주민들은 그것이 약물이라고 하여 앞을 다투어 가며 길어가노라고 요즘 그 부근은 인산인해를 이루다시피 되었다. 아직 어느 시대의 것인지 알 수 없으나 여하튼 상당히 오래된 연대를 가지고 있는 것은 사실인 듯 하며 더욱 지난 4일에 중야中野 지사가 계원 몇 명을 대동하고 현장에 까지 출장하여 시찰한 후 목하 보존방법에 대하여 협의 중이라는데 이것으로서 고고학자들의 연구거리가 또 하나 늘었다고 볼 수 있다더라.

1927년 11월 10일

금관총 유물 도난사건이 발생하다.

1927년 11월 10일에 금관총 유물 도난 사건이 발생했다.

이 사실을 제일 먼저 발견한 사람은 당시 박물관으로 있던 일본인 와타리 후미야渡理文哉였다. 그는 그의 딸과 함께 박물관 숙직실에 기거하였는데 11일 아침 7시에 세수를 하려고 우물가로 가던 중 금관고의 철문이 열려 있는 것을 발견하고 들어가 보았더니 진열실에는 금관만 남아 있고 다른 순금제 유물이 모두 없더라는 것이다.[326]

금관을 제외한 순금제들을 훔쳐 간 것이다. 당시 신문에는 다음과 같은 기사

---

326 崔南柱, 「신라의 얼 찾아 한평생」, 『博物館學報 -石堂 崔南柱 先生 102周年 記念-12 · 13, 韓國博物館學會, 2007, p.86.

도난사건이 발생할 당시의 경주분관 모습(『매일신보』 1927년 12월 13일자)

가 실렸다.

　10일 새벽 경주박물관에 도적이 침입하여 왕관 이외의 보물을 전부 총계
90점을 절취 도주하였는데 11일 아침 이 사실을 발견하고 경주서에서는
전원 총동원으로 범인 체포에 대 활동을 개시하였으나 아직 범인의 종적
은 묘연하다하며 동관同館에서는 금회의 피해로 폐관할 지경이더라[327]

　도난당한 이튿날인 11일 아침에 도난을 발견한 분관 당국자와 이 고발을 접
한 경주서에서는 일체의 내용을 극비에 부치고 팔방으로 비상선을 늘려 수색
을 하였다. 인접한 영천서에서는 응원경 십 수 명을 파견하였고, 경북 경찰부에

327 『中外日報』 1927년 12월 13일자.

서도 순사 십 수 명을 파견하였다.[328]

우메하라梅原에 의하면 "경주 수장고에 수장된 금관총 황금, 주옥류珠玉類의 도난 사건이 일어났다. 일의 관리자는 보존회의 모로가諸鹿 씨가 오가와小川 씨의 결혼식으로 경성으로 올라가고 부재 중 야간에 일어났다"[329]고 한다.

이 금관고金冠庫는 본관의 온고각溫古閣과 석조물 진열의 집고관集古館 사이에 있는 건물로 불인질不燃質의 견고

『매일신보』 1927년 12월 13일지 기사

한 조선식을 가미한 건물로, 당시 진열 상태는 중앙의 선반엔 금관을 높이 전각 위에 두고 그 밑 주변에 대형구옥大形勾玉(고대 장신구 중 끈에 꿰어 목에 거는 구부러진 옥돌) 수십 개를 진열하고 동과 서의 창가 선반에는 금속제의 출토품, 남쪽 벽면 선반에는 허리장식 한 점과 귀걸이, 가락지 등을 진열해 두었는데 금관과 구옥勾玉을 제외한 나머지는 몽땅 도난을 당한 것이다.

당시 금관이 도난을 면한 것은 오사카大坂에 의하면,

중앙 선반의 유리문은 상하에서 차입폐쇄식差込閉鎖式으로, 유리라도 깨지

---

328 『東亞日報』 1927년 12월 13일자.

329 梅原末治,「日韓併合の期間に行なわれた半島の古蹟調査と保存事業たすさわつた一考古學徒の回想錄」,『朝鮮學報』第51輯, 1969년 5월 朝鮮學會, p.120.

지 않으면 열리지 않는다. 그래서 금관과 구옥勾玉은 도난에서 무사할 수 있었던 것 같다. 다른 선반은 조금 생각하면 바로 열 수 있으니, 거기에 있던 순금제품은 전부 도둑맞았다. 물건 점수로 말하면 수십 점이 되나 보통 보자기 한 장으로 쌀 수 있는 용량이었던 것이다.[330]

총독부 측에서는 학무국장을 비롯하여 어떻게 하든지 한시바삐 범인을 검거하라는 엄명을 내리어 경북 경찰력의 반수 이상을 도난 사건에 집중케 하여 범인을 수색 하였다. 그러나 쉽게 범인에 대한 단서가 나타나지 않자 그 배후에 어떤 흑수가 있지 않나 하는 소문이 자자했다.[331]

금관총 유물의 도난 사실이 전해지고 시일이 지나면서 시중사람들은 우울하고 침통했다. 모두가 걱정을 했으며 도난당한 유물을 하루빨리 찾기를 기원하고 점을 치기도 했다. 경주경찰서에서는 경주읍내에 거주하는 사람의 대부분을 조사하였다.

금관총 유물 도난사건의 범인 수색은 미궁에 빠지고 말았다. 유물 도난 당시 박물관 사환으로는 안금술이란 한국인이 있었는데 경찰은 안금술을 범인으로 지목하여 모진 고문을 가했다고 한다. 나중에 안금술은 석방이 되었으나 애매한 고문을 당한 것이다.

관장인 모로가諸鹿의 가택수사까지 하고 모로가諸鹿의 집에서 일하는 사람들까지 혐의자로 유치까지 하였다. 모로가諸鹿는 경찰이 수사이탈을 하였다는 이유로 경주지청 검사분국에 고소를 하는 한편 총독부 경무국장에게 직접 단판을

330 大坂金太郎,「在鮮回顧 十題」『朝鮮學報 第45輯』, 1967년 10월, 朝鮮學會.
331 『東亞日報』 1927년 12월 14일자.

하겠다고 극도로 분개하기도 하였다.

　이처럼 순사들이 사방으로 조사를
하였으나 전혀 단서조차 찾을 수가 없
었다. 당시 신문에는 다음과 같은 기사
가 실렸다.

　경주박물관 황금속黃金屬 고적품 도
　난사건에 대하여서는 거의 경상북
　도의 전 경찰력을 집주하고 경주읍
　내에 사는 사람들 중 소금이라노 혐
　의를 가질 만한 사람은 전부 취조를
　받았을 뿐 아니라 그 취조방법이 너

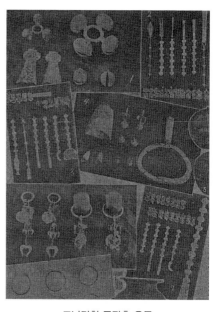

도난당한 금관총 유물
(『매일신보』 1927년 12월 18일자)

무나 준열하다고 하여 박물분관장 총독부촉탁 모로가諸鹿씨로부터는 경
찰 당국에 항분을 분출한 사실까지 있었는데 그러나 오늘까지 아무 유력
한 단서를 얻지 못함은 물론이고 이제는 거의 절망적이므로 수일 전 서
장은 일체 수색서류를 가지고 경찰부에 올라와 선후책에 대한 협의를 하
는 한편 모로가諸鹿씨도 함께 하여 영구히 도난품을 수색치 못한다면 금
후로는 어떻게 할 것인가에 대하여 도지사와 기타 관계자와 함께 협의한
바 있었는데 만약 영구히 없어진 고적품을 찾지 못한다는 상상을 함에 있
어서도 적지 않은 유감을 깨닫지 않을 수 없으며 또 나라로서의 얼마만한

큰 손실인지 다시 생각하여 볼 때 사람마다 눈물을 머금게 한다.[332]

도난 유물을 찾기 위해
1천원의 현상금을 걸었다는 기사
(『매일신보』 1928년 2월 3일자)

도저히 단서조차 찾을 수 없게 되자 나중에는 하나의 꾀를 내어 보기도 했다. "오래된 금은 아무리 녹여도 분간이 된다." 또 조선에는 예로부터 묘지에서 나온 것을 집으로 가져가면 집에 필시 좋지 않은 일이 생긴다는 미신이 있기 때문에, "병자가 있는 집이나 혹은 죽은 사람이 나오는 집, 혹은 괴아인怪兒人이 있는 집을 경찰서에서 특별히 주의하여 살피고 있다"고 선전을 했다. 그래도 소식이 없어 나중에는 금관 총유물 발견자에게 천원의 현상금懸賞金까

지 걸었으나 발견자가 나오지 않았다. 금을 완전히 녹여서 변형시켜버렸는지, 아니면 이미 국외로 나갔는지 거의 절망적이었다.[333]

1928년 2월에는 경주맹인조합에서 5일 동안 목욕재계를 하고 정성으로 기도를 하고 신대神竹로 보물을 찾기에 나서기도 했다.

일천원 현상으로 현품 수색과 범인체포에 노력하였으나 아직껏 효과를 나타내지 못한 채 그렇게 한해가 가고 이듬해 지난 5월 20일 오전 5시경에 비료를

---

332 『每日申報』 1927년 12월 26일자.
333 大坂六村, 『趣味の慶州』, 1929, 慶州古蹟保存會.

주려 가는 농부의 손에 그 찾고자 애쓰던 고물이 발견 되었다.

그때의 전말을 『동아일보』 1928년 5월 26일
자 기사를 보면 다음과 같다.

서장집 문전에서 도실보물 발견

작년 12월 경에 경주박물관 분관에 보존하여
오던

반년동안이나 지내도록 단서를 얻지 못했을
뿐만 아니라 경주번영회에서도 경주에 대하
여는 중대 문제라 하여 일천원 현상으로 현
품 수색과 범인체포에 노력하였으나 아직껏
효과를 나타내지 못한 지난 20일 오전 5시경
에 비료를 주려 가는 농부의 손에 그 찾고저 애쓰던 고물이 발견 되었다
는데 그때의 전말을 들으면 경주군 경주면 성건동 김지동(42세)이가 거
름망태를 메고 경주군청 입구에 있는 고각루鼓角樓를 지나려는데 언듯 보
니 경찰서 울타리 밖에 있는 서장관사 문밖에 백지로 싼 것이 있음을 발
견하고 아무 생각없이 주어보았는데 뜻밖에 금색 찬란한 보물이 있음으
로 놀라서 경찰서에 고발하야 동 서장 입회하에 열어본 결과 틀림없는 박
물관에서 도난당한 물건인지라 경찰서측에서는 각 주재소에 비상소집을
하여 극비리에 범인 검거에 착수하고 발견한 보물은 21일밤 10시 반경에
동서장으로부터 고적보존회에 보내어 보물고에 보관 중이오 22일 오후 4
시경에 현품발견을 발표하고 목하 읍내 일대에 호별적으로 검병식檢病式

호구조사를 하는 한편 필사적으로 범인 수색에 활동 중이라는 바 발견한 금품 중에 순금제수하패垂下佩 1개, 모발毛髮 1개와 지환 1개 합 3개가 부족할 뿐이요 90여점 그대로 있다하더라

문제의 도난품이 회수되자 중외일보 경주지국에서는 특별광고로 일반인에게 알리기까지 하였다. 경주고적보존회의 관계자들은 당시를 회고하면서 눈물을 흘리기까지 하였다고 한다.

범인이 유물들을 내놓게 된 동기에 대해서도 구구한 설이 나돌았다.

1928년 5월 24일에는 군인 800여 명이 경주에서 훈련을 받게 되어 경주읍내의 많은 집에 군인 수명씩 숙박을 하게 되어 혹은 이 기회에 발각될까 염려하여 미리 내놓은 것이라는 설까지 나돌기도 하였다.

잃은 유물 98점 중에서 96점은 조금도 상한 데가 없이 원형 그대로 회수 할 수 있었다. 회수한 유물에는 약간의 흙과 물기가 있어 범인은 이 유물들을 흙속에 파묻어 두었을 것이라는 단서 외에는 아무런 단서를 찾을 수가 없었다. 찾은 유물은 경찰서에서 봉인하여 고적보존회관 보관고에 보관하여 일반인에게는 미공개 하였다. 없어진 것은 금쪽집개 한 개와 금지환 한 개라 한다.

그런데 경찰서에서 박물관에 돌려줄 때 경찰서장이 모로가諸鹿에게 "이것이 다입니까? 없어진 것은 없는지요?" 하고 염려하자 모로가諸鹿는 "다입니다. 없어진 것은 없습니다" 라고 대답하고 가지고 갔다고 한다. 그러나 가지고 돌아가 보니 허리에 차는 물건에서 제일 무거운 숫돌형의 것이 한 개가 없어진 것이다. 이것을 확인한 모로가諸鹿는 자신의 과실을 축소하려 했음인지 없어진 한

점에 대해서는 관원 일동에게도 말하지 않았다고 한다.[334]

당시 분실한 유물 중에서 어떤 것이 얼마나 회수하지 못했는지 명확하지 않다. 3점, 2점, 1점 각각이고 물건도 서로 다르다. 여하튼 도난당한 유물은 수점을 제외한 나머지는 무사히 회수하였으나, 범인은 끝내 잡지 못하고 말았다.[335]

이 유물들은 다행히 돌아오기는 했지만 회수 물건을 경찰로부터 돌려받을 때 일부의 유물이 미회수 되었음에도 불구하고 확인을 하는 과정에서 모로가는 모두 회수한 것으로 대답하고 박물관으로 가져왔다.

그는 이 사건으로 하여 가택 수색을 당하고 경찰서에 출두하여 조사를 받기도 하였다. 이 과정에서 그의 집에 은닉한 상당수의 도굴품으로 추정되는 유물이 발견되기도 했다.

당시 금관총 도난 사건에 대해 세 가지 점에서 모로가에게 혐의점을 두지 않을 수 없다.

첫째, 도난 사건이 있던 날은 모로가가 오가와 게이키치小川敬吉의 결혼식에 참가하기 위해 경성에 올라간 날의 밤인데 모로가가 경성으로 올라간다는 사실을 일반인들이 알 리 만무한데 하필 모로가가 박물관을 비운 날에 일어났다는 사실이다.

둘째, 당시 금관고의 관리 상태를 들 수 있는데, 당시 신문에는 자물쇠를 부

---

334 大坂金太郎,「在鮮回顧 十題」,『朝鮮學報 第45輯』, 1967년 10월, 朝鮮學會.

335 최남주의 회고에 의하면, 해방이 되어 일본인들이 본국으로 돌아갈 때 최남주는 우연히 안금술을 만났다고 한다. 그런데 안금술은 최남주에게 해방이 되어 본국으로 돌아가던 경주의 어느 일인이 안 군을 찾아와 머리를 굽히며 「미안하다」라는 의미심장한 말을 남긴채 총총히 사라졌다고 한다. 이에 대해 최남주는 "당시 諸鹿은 경주의 세도가로 군림하여 같은 일본인에게도 인심을 잃어 지탄을 받던 인물이었으므로 그를 미워한 일인들의 소행"으로 추정하고 있다(崔南柱,「신라의 얼 찾아 한평생」,『博物館學報 -石堂 崔南柱 先生 102周年 記念-』12·13, 韓國博物館學會, 2007, p.87).

수고 들어가서 훔쳐간 것이라고 하였다 그러나 오사카大坂의 기록에,

이 금관고 입구 문짝은 삼중으로 안쪽문과 가운데 문에는 서양식의 작은
자물쇠, 바깥문은 처음에는 서양식의 큰 자물쇠였으나 파손되어서 임시로
조선식 쇠자물쇠를 걸어 놓았다. 그 조선식 쇠자물쇠는 앞은 모양은 크나
불안전한 것으로 조금 강하게 잡아당기면 빠지는 간단한 것으로 도난을
당한 후에야 간수인도 깨달았다고 하니, 관리책임자로서는 참으로 무책임
한 일로서 모로가諸鹿도 그 일에 대해서는 할 말이 없었다고 한다.[336]

이를 보면 아무나 쉽게 이 금관고에 들어 갈 수 있도록 열어둔 상태라고 할
수 있다.

셋째, 도난 된 유물을 경찰서에서 돌려받으면서 일부 분실된 것에 대해 함구
했다는 점이다. 당시에 도난품을 경찰서에서 돌려받으면서 분실된 것이 없었
다면 곧 바로 전시가 가능했을 것이다. 그러나 이 유물이 일반인에게 다시 공
개가 된 것은 상당한 시일이 지난 후 가능했던 것이 이상한 일이다.『중외일보』
1928년 7월 7일 기사에는 다음과 같은 내용이 실려 있다.

전국적으로 떠들은 도적맞은 경주 보물을 찾았다 함은 이미 보도한 바이
며 그 뒤로 범인을 수색하기 위하여 그 보물을 봉인하고 임시로 박물관 분
관에 맡기어 두었던 것인데 지난 3일에는 경찰로부터 정식으로 인도하고

---

336 大坂金太郎, 「在鮮回顧 十題」, 『朝鮮學報 第45輯』, 1967년 10월, 朝鮮學會.

개봉을 하였다고 하나 박물관에서는 총독부에서 훌륭하게 진열하기 전에
는 일반에게 공개치 않기로 되었다 함으로 일반의 눈에 보이기까지는 앞
으로도 몇 날을 더 지나야 할 모양이더라.

또 처음 발굴 당시에 일부 산일된 것에 대하여, 오사카 긴타로大坂金太郎야 모
로가와 함께 금관총을 직접 발굴한 자이니 가급적 숨기려 했을 것이다. 그러나
발굴 당시 이미 일부가 도난당했거나 아니면 발굴자들이 뒤로 빼돌렸음이 확
실한 것이다.

1927년 11월 11일

제29회 고적조사위원회

제29회 고적조사위원회(1927년 11월 11일) 안건은 '천연정 및 부지 기타 무
상 양여 건'으로, 천연정의 관유지를 공립보통학교 부지로 사용할 목적으로 무
상 양여 신청을 해옴에 따라 회의 결과 11월 28일 승인함.[337]

---

337 「제29회 고적조사위원회(1927년 11월 11일)」, 『국립중앙박물관 소장 총독부박물관 공
문서』, 목록번호 : 96-277.

1927년 11월 23일

신라시대 토기 발굴

조선총독부 초량토목출장소에서 경상남도 밀양 가곡리의 낙동강 개수공사 중 지난 1927년 11월 23일 강바닥에서 신라시대 토기 7개를 발굴했는데, 토기는 호壺, 화통火筒, 병, 토병, 화발 등으로 고고학상 희귀한 일품이라 한다.[338]

1927년 11월

평북 숭정면 룡연동의 고분에서 1,500년 전의 유물인 금속제창수金屬制槍穗 3개, 겸鎌, 족鏃 추錐와 철제의 포정鉋丁, 부斧 및 동제의 협鋏이 발견되다.[339]

대구 대봉동 지석묘 조사

11월에 고이즈미 아키오小泉顯夫와 사와 슌이치澤俊一는 대구에 출장하여 대구

338 彙報(大阪朝日新聞 1927년 12월 20일자 기사)」, 『考古學雜誌』 제18권 제2호, 1928년 5월.
339 『東亞日報』 1927년 11월 13일자.

대봉동 지석묘 발굴 상태, 사진 중에 X표는 금번 발굴한 석창(『매일신보』 1927년 11월 23일자)

대봉동 중학교 앞의 지석묘를 조사하여 석족, 석창 등 석기시대의 발견했다.[340]

경성제일고등보통학교 동맹휴학

경성제일고등보통학교 맹휴盟休에 관계되어 무기정학 처분을 받은 3학년생 1백여 명은 동교 교장에게 「조선 사람 된 우리가 조선을 이해하기 위하여 조선 역사를 가르쳐 달라는 것이 무엇이 그르냐」라는 내용의 항의문을 제출하다.

경성제일고등보통학교 2년생과 4학년들은 학교당국에 다음과 같은 진정서를 제출하고 동맹휴학을 단행하다.

1. 조선력사를 조선인 선생을 초빙하여 교수하여 주시오.

340 藤田亮策,「大邱大鳳町支石墓調査」,『朝鮮考古學研究』, 高桐書院, 1948; 梅原末治, 藤田亮策,『朝鮮古文化綜鑑』 제1권, 養德社, 1947, p.89.

2. 조선어 교수의 철저와 조선어문법을 교수하여 주시오.

3. 기숙사를 수리하여 빈궁한 생도를 수용 구제하여 주시오.

4. 기하선생 다케후武藤 씨를 배척합니다.

5. 이시가와石川, 하시모토橋本, 네하라根原, 가지하라梶原, 혼다本多 등 제선생의 비인간적 대우에 반항하며 대우개선을 요구합니다.

6. 학우회를 창설하고저 하오니 허가하심을 바라나이다.[341]

고인돌 경북 의성서 다수 발견

경북 의성군 각 면에 흩어져 있는 돌멘(고인돌) 다수를 읍내 보교장이 발견했다. 소문면 초전동에서 16개, 동면 귀련동龜蓮洞에서 28개, 또 산운면 제오동에서 12개, 동면 산운, 수정 두 동에서 18개와 기타 가음, 봉양, 점곡, 사음 등각 면과 군위군 산성면 우보면 등지에 무수히 돌멘이 흩어져 있음을 그곳 읍내보통학교 교장이 발견하였다.[342]

341 『東亞日報』 1927년 11월 29일자.
342 『東亞日報』 1927년 11월 18일자.

평북 위원군 용연동 유적 조사

1927년 4월 평북 위원군 숭정면 용연동 도로공사 중 유물 발견되어, 동년 11월에 고이즈미 아키오小泉顯夫가 총독부의 명으로 출토 유적지를 조사하여 명도전明刀錢, 동제대구銅製帶鉤, 동제모銅製鉾, 동족銅鏃, 철부鐵斧, 그 외 다수의 유물을 발견했다.[343]

용연동 고분 출토 명도전 및 철기 동기
(『博物館陳列品圖鑒』 제4집)

1927년 12월 13일

불상 강탈

경남 함양면에 있는 법화사法華寺라는 절에 12월 13일 오후 12시경에 복면을 한 강도 3인조가 침입하여 승려들을 위협하고 불상 하나를 강탈해 갔다.[344]

---

343 梅原末治, 藤田亮策, 『朝鮮古文化綜鑑』 제1권, 養德社, 1947, pp.12~16;『東亞日報』 1927년 11월 13일자.
344 『東亞日報』 1927년 12월 20일자.

같은 해

경주 도림사지(道林寺址) 확인

도림사는 삼국유사에 "도都의 입구에 있다"고 하는데 동서남북 어느 쪽 입구를 가르키는 지는 불명이다. 1927년 가을 동쪽 입구 즉 내동면 구황리 분황사 동남 수정數町의 곳에 폐탑이 유존하는 사지에서 '道林' 이라 양각한 평와平瓦가 발견되어 이곳을 도림사지로 추정하게 되었다. 문자와는 경성제국대학에 기증하였다.[345]

『동경통지東京通誌』崔浚, 鄭寅普 共編, 1933) 권 제7 분황사조에, "또 동남쪽에는 고탑(고탑)이 있는데 이미 무너졌고 돌더미에는 금강역사상 및 석병石屏

구황리 폐탑(유리건판)

---

345 大坂金太郎,「慶州に於ける新羅廢寺址の寺名推定に就て」,『朝鮮』, 朝鮮總督府, 1935년 10월.

석재를 한 곳에 모아둔 모습

(금강역사상이 새겨진 면석) 8개가 있다" 라고 하는 곳이 바로 '道林' 명 문자와를 발견한 곳으로 추정된다. 현재 구황리 폐탑 이 소재한 곳에 해당한다.

봉인사(奉印寺) 부도탑(보물 928)의 일본 반출과 반환

1958년 6월에 오사카大阪미술관 전정前庭에서 이 부도탑을 발견한 황수영 박사가 『고고미술』 2권 10호(1961년 10월)에 이 부도탑을 소개한바 있다. 당시 황 박사는 이 사리탑의 반출시기와 그 경위를 밝히기 위해 노력을 하였으나 정확한 확증을 얻을 수 없으며 단지 일제시 한국에서 활약하던 변호사 일인 모가 해방 전에 오사카大阪미술관에 기탁한 후 그때까지 아무런 연락이 없어 주인이 없는 것 같이 되었다고 한다. 그 후에도 황 박사는 관리당국자에게 문의한 바도 있었으나 회보回報늘 받지 못하고 사진과 비문만을 소개하였다. 그 일부는 다음과 같다.

오사카미술관 소재 시 사리탑(『고고미술』 2권 10호)

이 탑의 반출 시기와 경위 등은 정확히 알 수 없으나 기록에 의하면 일제 시 한국에서 활약하던 고베神戶 거주의 변호사 일인 모가 전전戰前에 상기 미술관에 기탁한 후 금일에 이르기까지 아무런 연락조차 없어 무주물無主物과 같이 되었다는 것이다. 필자는 그 후 이 탑에 관한 지견知見을 관리당국자에게 문의한 바도 있었으나 아직 회보를 받지 못하고 있으므로 사진과 비문만으로써 간단히 소개한다. <중략> 일본에 반출된 후 새로이 건립된 탑신의 각면各面에는 다음과 같이 기각記刻되어 있어 이 탑이 만력萬曆48년(1620)에 천마산 봉인사奉印寺에 건립되었으며 그 후 융희隆熙24년(1759)에 중수입비重修立碑된 사실과 관련된 승속명僧俗名을 알 수 있다. 비표碑表의 탑중塔中 고문古文은 해체 시에 발견된 것으로 짐작된다.[346]

1961년에 황수영 박사에 의해 국내에 소개된 후에도 그 반출 경로는 오래 동안 미궁에 있다가 1987년에 사리탑 일체가 한국에 자진 기증 반환됨에 따라 구체적인 내용이 밝혀지게 되었다. 소유자 일본인 이와타 센소岩田仙宗의 대리

---

346 黃壽永, 「日本 大阪美術館의 李朝舍利塔」, 『考古美術』 2권 10호, 1961년 10월.

인 이와타 고우코岩田幸子가 제출한 '사리탑에 대한 반출 경위'는 이호관李浩官의
「봉인사 사리탑」(『三佛 金元龍教授 停年退任 記念論叢』, 1987)에 수록하고 있
는데, 사리탑의 건립에 대해서는,

석존사리탑은 만력47년 여름 "불사리 일과一顆"를 중국으로부터 조선으로
도래渡來한 것을 당시의 조선국왕 "광해황제光海皇帝"가 그 이듬해 48년 5
월 예관禮官에 명하여 세자무술世子戊戌(萬曆26년) 생의 수복무강성자창성
壽福無疆聖子昌盛을 기원하기 위해 오중탑을 조각하여 탑의 중앙환석中央丸石,
5층째)에 전기 불사리 1과를 납입納入하여 경기도 양주군 건천면 성릉리
일마산 봉인사 경내에 선정하여 이곳에 당을 세워 당내堂內에 이 탑을 안
치하고 탑 주위에 팔각형의 담을 세워 이를 석존사리탑묘釋尊舍利塔廟라 이
름을 붙여 중인衆人으로 하여금 예배케 한 것으로서, 당시부터 중인이 숭
경崇敬하고 참배하는 자가 그치지 않은 연유이다.

라고 하고 있다. 이 사리탑의 반출경위는 한국에 반환되면서 소장자에 의해 그
대략이 밝혀졌다.

이 사리탑은 1911년 봉인사 감수인監守人 이환송李煥松이라는 자가 석존사리
탑, 고문古文을 새긴 비, 범종 3구를 조자권趙資權이라는 자에게 팔았다. 조자권
이라는 자는 이것을 다시 일본인 고물상에게 팔았고, 일본인 고물상은 다시 위
3종을 1911년 8월에 일본인 이와타 센소岩田仙宗에게 양도했다.

이 일은 당국에서 탐지하여 봉인사 감수인 이환속은 무허가로 매각한 죄[347]로 1911년 10월 9일 경성지방법원에서 징역 10개월의 형을 받아 복역을 하였다. 그러나 당국에서는 이것을 사들인 일본인 고물상이나 이와타 센소岩田仙宗에게는 아무런 처벌도 가하지 않았으며 유물 3점에 대해서는 환송조치還送措置를 취하지 아니하였다.

이와타 센소는 자기가 소유하고 있던 것 중에서 범종 3구를 1917년 여름에 경성(서울)에 거주하는 일본인 다카키高木 모에게 양도하였다. 다카키高木 모라는 자는 1917년에 봉인사 범종을 일본으로 반출하려고 세관에 출원出願을 하였다. 처음에는 허가를 하지 않다가 나중에는 이환송이 무허가로 매각한 죄로 이미 징역형에 처해졌음이 재판소의 증명에 의해 사건이 마무리 된 것으로 하여, 「고적급유물보존규칙」이 발포된 이후임에도 불구하고 유유히 반출되고 말았다.

이와타 센소가 사리탑과 비를 사들인 후 얼마 되지 않아 사원경내에 있는 불상, 탑, 석등 등의 매매를 금지한다는 취지가 총독부로부터 발해졌다. 이어서 1916년 7월 4일 조선총독부령 제52호로 「고적급유물보존규칙」이 제정 발포되어 소정의 유물을 소유한 자는 「고적급유물보존규칙」 제2조에 의해 고적 및 유물 중에 보존의 가치가 있는 것은 고적 및 유물대장에 등록하도록 되어 있으며, 제3조에 의해 해당지역 경찰서장 등에게 신고해야 하고 이를 이행치 않으면 제8조에 의해 처벌을 받도록 되어 있다. 또한 허가를 받지 않고는 국외로 반출할 수가 없었다. 그런데 이와타 센소는 당시에 외국에 유학중이고 자신의 집을 관리

---

347 日帝는 寺刹令이 發布되기 前에 1911년 2월 14일자로 각도 장관에게 '寺刹寶物 目錄牒'을 작성하여 보고하도록 명했으며, 1911년 6월 3일에는 '사찰령'이 발포되어 사찰령 제5조, 제6조에 사찰에 속하는 귀중품을 조선총독부의 허가 없이 처분을 하였을 경우 2년 이하의 징역이나 500원 이상의 벌금에 처하도록 되어 있다.

하는 자는 이를 신고하지 않아 고물보존대장에 기재되지 않았다. 이와타도 1917년에 유학을 마치고 한국에 돌아왔으나 그는 신고를 하지 않고 그대로 두었다.

1919년에는 조선식산은행 미시마三島총재로부터 이 사리탑 등을 양수讓受하겠다는 신청이 있었지만 이와타岩田은 1만원을 주장하고 미시마三島는 8천원을 주장하여 매매가 이루어지지 않았다.

1919년 봄에 이와타는 일본으로 떠나면서 사리탑 반출의 허가를 받기 어렵다는 것을 알고 경성 본원사 경내에 맡겨 두었다. 그 후 한국에서 무슨 이유에서인지 일본으로 반출하는데 있어서 허가를 필요하지 않게 됨으로서 1927년에 마침내 일본으로 반출을 하였다고 한다.[348]

이와타 센소岩田仙宗란 자의 경력을 살펴보면, 1899년 일본법률학교를 졸업하고 1901년부터 지방판사직을 역임한 후 1906년에 한국에 건너와 변호사 개업을 하였다. 1911년에는 경성거류민단의원, 1913년에는 경성변호사회장을 역임했다.

1914년에는 상법연구를 목적으로 독일에 유학하여 1917년 1월에 한국에 돌아와 다시 변호사 생활을 하다가 [349] 1919년에 일본으로 돌아갔다.

부도탑과 사리장엄구 6점은 일본

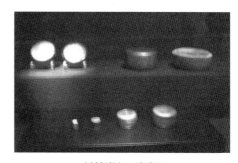

봉인사부도 사리구

---

348 이상 반출경위는 李浩官의 「奉印寺 舍利塔」(『三佛 金元龍教授 停年退任 記念論叢』, 1987, 一志社)에 收錄한, 所有者 일본인 岩田仙宗, 代理人 岩田幸子가 提出한 '舍利塔에 관한 搬出經緯'를 參考하였다.

349 朝鮮公論社 編纂, 『在朝鮮內地人紳士名鑑』, 朝鮮公論社, 1917, pp. 22-23; 川端源太郎, 『朝鮮仕仕內地人 實業家人名士辭』, 朝鮮實業新聞社, 1913, pp.17-18.

으로 반출된 후 오사카大阪시립미술관에 전시되어 오다가 1987년 이와타 센소의 대리인 이와타 고우코岩田幸子에 의해 자발적인 기증반환으로 경복궁에 복원하였다. 당시 박물관신문(제 186호, 1987년 3월 1일)에 다음과 같은 기사가 있다.

지난 60년 동안 일본에 반출되어 있던 조선시대 사리탑이 2월 6일 박물관에 돌아왔다. 이 사리탑은 일본인 소유자 이와타 센소岩田仙宗가 본인의 생존 시 한국에 무상으로 기증할 뜻을 밝혀 그 동안 주 오사카 총영사관과 반환 교섭 끝에 이번에 한국으로 돌아오게 된 것이다. 이번에 반환된 조선시대 사리탑은 1620년 광해군 때 제작된 후 1759년 중수되어 남양주 봉인사 부도암에 세워졌다. 60년 전 일본인에게 넘어가 그동안 대판시립미술관 정원에 보존되어 왔었다. 돌아온 사리탑은 8각원당형으로 탑신을 받치고 있는 대석은 하대, 중대, 상대의 3부분으로 구성되어 있으며 하대석에

봉인사 부도

는 연꽃 중대석에는 구름무늬 상대석에는 연꽃과 당초문이 조각되었다. 탑신은 원형으로 구름 속을 날고 있는 용이 조각되었고 지붕돌 위에는 보주를 얹고 있으며 조선왕실이 당대 최고의 조각가를 동원하여 만든 것으로 경기노 남양주 회암사에 있는 무학대사부도와 조금도 뒤떨어지지 않는 작품인 것으로 밝혀졌다. 앞으로 이 사리탑은 원래 모습으로 복원되어 국립중앙박물관 뜰에 세워질 계획이다.

그 동안 소유하고 있던 이와타 고우코岩田幸子의 자진반환으로 사리탑은 현재 경복궁 뜰에 보존되어 있으며, 함께 일괄 기증된 사리함은 현재 국립중앙박물관 전시실에 전시되어 있다. 불사리佛舍利는 옛터에 재건된 봉인사의 모형사리탑 속에 안치되어 있다.

봉인사는 경기도 양주군 진건면 송릉리 천마산 서쪽에 자리하고 있다. 창건시기는 미상인데 1619년(광해군11년)에 중국에서 석가법인釋迦法印, 불사리佛舍利가 들어와 왕명으로 나음해 예관을 시켜 봉인사로 보내어서 사리탑을 세워 봉안奉安케하고 당을 지어 부도암浮圖庵이라 했다. 1757년 풍암 취우대사가 사리탑과 당을 중수하였다. 그 후 1887년(고종24년) 위국치성爲國致誠의 뜻으로 대궐로부터 향촉을 하사 받아 밤샘 치성을 드리다가 향촉이 넘어지면서 화재가 발생하여 대웅전, 응진전, 시왕전이 전소되었다. 1907~1910년에는 이천응李天應이란 자가 사우를 헐어 판매하고 그 재목은 지금의 홍유릉洪裕陵 건물을 짓는데 사용하였다.[350] 이후 부분적으로 재건을 하였으나 그 규모는 완전히 위축

---

350 임병규,『남상수의 사찰』, 남양주문화원, 2000; 경기도박물관,『경기도 불적자료집』, 1999.

되었다. 이곳에 보존되어 오던 사리탑과 사리장치는 시기는 명확하지 않으나 불순한 자들에 의해 사지로부터 반출되어 일본인에게 매도되었던 것이다.

도쿄국립박물관의 기증 및 구입품

1927년에는 이시다 시게사쿠石田茂作와 도쿄박물관 평의원이자 조선총독부박물관 협의원(1927-1928) 다카하시 겐지高橋健自로부터 기증 받은 평양 대동강면 고분 출토물과 후지타 료사쿠로부터 기증받은 경주 부근 고분 출토물이 보인다.

또 충남 부여군 규암면에 거주하던 도미나가 고타로富永光太郎로부터 규암면 지방에서 발견한 석기, 석제품, 토기 18건을 1927년에 기증받은 건이 보인다. 도미나가에 대한 기록은 1907년에 도미나가의 집에 의병이 불을 지르기도 했다는 기사가 보이고 있으며,[351] 충청남도 부여군 은산면 합도리 거주, 구룡면 현암리 소재 만진산의 국유임야 113정보 여를 양여 받았다는 기록이 보인다.[352] 도미나가는 일제강점 이전에 한국에 건너와 부여에서 농장을 경영했다. 그는 여가를 이용하여 부여 일대의 유물을 수집하여 집안에 진열하기도[353] 하고 일부는 박물관에 기증했던 것이다.

---

351 『皇城新聞』 1907년 2월 19일자.
352 『朝鮮總督府官報』 1924년 6월 5일자.
353 蘇峯生의 「百濟王朝의 遺蹟」(『每日申報』 1917년 4월 24일자)에는 다음과 같은 내용이 있다. 우리들은 와편을 채집하면서 낙화암에서 고란사 아래에서 배를 타고자 백마강을 내려가 규암리에 닿았다. <중략> 규암리에서 배마강의 鯉羹으로 午餐을 마치고 차를 구하여 羅福里인 富永 모씨의 집을 방문하니 富永씨는 이 부근 내지 이주자의 가장 오래된 사람으로 유사이전의 유물을 다수 채집하였다. 먼저 나의 눈을 뜨게 함은 그 軒頭에 幾

후작 도쿠가와 요리사다德川賴貞가 한국 고분에서 출토된 유물을 대량 기증한 건이 보인다. 1927년에 도쿠가와로부터 1만 9백14점의 물품을 기증 수리했는데, 그 중에는 역사부 제2구上古遺物에 속하는 것이 가장 많아 7,819점에 달했다. 그 다음으로 역사부 제11구(각국 풍속품)에 1,216점이나 되었다.[354] 이 중 한국 유물은 역사부제11구 218점, 미술부 제1구 2점 이상이다.

* 1927년도 도쿄국립박물관 유물 구입 및 기증품

유물 명	출토 지역	출처	비고
조선총독부박물관열품 사진 22매		『年譜(1927)』[379]	구입
耳飾	평안도 대동강면	『年譜(1927)』	기증. 高橋健自
磚殘缺	평안도 대동강면	『年譜(1927)』	기증. 高橋健自, 石田茂作
磚殘缺	평안도 대동강면	『年譜(1927)』	기증. 高橋健自, 石田茂作
磚殘缺		『年譜(1927)』	기증. 高橋健自, 石田茂作
帶金具(金銅製鉸具 1개, 五銖錢 9개, 金銅製鳩目形 金具殘缺 7개)	경북 경주부근 고분 발견	『年譜(1927)』	기증, 藤田亮策
十字形石器	충남 부여군 규암면 발견	『年譜(1927)』	기증, 富永光太郎

組의 擊劍道具를 列置함이라. <중략> 이 부근 일대는 산이던 岡이등 밭이든지 모두 그 위는 석기시대로부터 아래는 이조시대까지의 유적이오 민가의 담벽 중에는 석기시대의 砥石과 백제시대의 棺石과 혹은 고려자기의 파편과 혹은 이조시대의 기와가 혼재하여 담벽이 기천년 연속의 기록사라 하여도 무방하더이다. 돌아오는 길에는 부여군청을 방문하고 다시 평백제탑의 탁본에 착수하였다.

354 帝室博物館, 『帝室博物館年譜(昭和2년 1월~12월)』, 1928.
　　역사부제11구는 한국, 중국, 대만 등지에서 발굴한 유물들로, 그 역사성을 저하시켜 각 국 풍속품으로 분류하고 있다.

355 帝室博物館, 『帝室博物館年譜(昭和2년 1월~昭和元年12월)』, 1928.

유물 명	출토 지역	출처	비고
美豆良形石器	충남 부여군 규암면 발견	『年譜(1927)』	기증, 富永光太郎
鈕付石器殘缺	충남 부여군 규암면 발견	『年譜(1927)』	기증, 富永光太郎
磨製石器(2개)	충남 부여군 규암면 발견	『年譜(1927)』	기증, 富永光太郎
石環殘缺	충남 부여군 규암면 발견	『年譜(1927)』	기증, 富永光太郎
垂飾具	충남 부여군 규암면 발견	『年譜(1927)』	기증, 富永光太郎
勾玉	충남 부여군 규암면 발견	『年譜(1927)』	기증, 富永光太郎
土器殘片	부여군 규암면 발견	『年譜(1927)』 『東博圖版目錄』2004	기증, 富永光太郎
石鏃殘缺	부여군 규암면 발견	『年譜(1927)』	기증, 富永光太郎
石鏃殘缺	부여군 규암면 발견	『年譜(1927)』	기증, 富永光太郎
石鏃殘缺	부여군 규암면 발견	『年譜(1927)』	기증, 富永光太郎
玉	부여군 규암면 발견	『年譜(1927)』	기증, 富永光太郎
未成石器	부여군 규암면 발견	『年譜(1927)』	기증, 富永光太郎
半磨製石斧	부여군 규암면 발견	『年譜(1927)』	기증, 富永光太郎
磨製石斧	부여군 규암면 발견	『年譜(1927)』	기증, 富永光太郎
打製石器	부여군 규암면 발견	『年譜(1927)』	기증, 富永光太郎
磨製石斧	부여군 규암면 발견	『年譜(1927)』	기증, 富永光太郎
加工石片	부여군 규암면 발견	『年譜(1927)』	기증, 富永光太郎

유물 명	출토 지역	출처	비고
朝鮮里程標		『年譜(1927)』	기증, 伊能キヨ
蓋付高杯 16개		『年譜(1927)』	기증. 1927년 10월 6일, 德川賴貞
高杯蓋 6개		『年譜(1927)』	기증. 德川賴貞
蓋付高杯 4개		『年譜(1927)』	 기증. 德川賴貞
脚付盌		『年譜(1927)』	기증. 德川賴貞
片耳付坩		『年譜(1927)』	기증. 德川賴貞
壺		『年譜(1927)』	 기증. 德川賴貞
脚付壺		『年譜(1927)』	기증. 德川賴貞
壺 2점		『年譜(1927)』	기증. 德川賴貞
片耳付盌		『年譜(1927)』	기증. 德川賴貞

유물 명	출토 지역	출처	비고
耳付壺		『年譜(1927)』	기증. 德川賴貞
耳付壺		『年譜(1927)』	기증. 德川賴貞
瓶 2개		『年譜(1927)』	기증. 德川賴貞
壺 3개		『年譜(1927)』	기증. 德川賴貞
盌 2개		『年譜(1927)』	기증. 德川賴貞
壺		『年譜(1927)』	기증. 德川賴貞
脚付坩		『年譜(1927)』	기증. 德川賴貞
瓶		『年譜(1927)』	기증. 德川賴貞
壺		『年譜(1927)』	기증. 德川賴貞
脚付盌		『年譜(1927)』	기증. 德川賴貞
壺		『年譜(1927)』	기증. 德川賴貞

유물 명	출토 지역	출처	비고
脚付壺		『年譜(1927)』	기증. 德川賴貞
瓶		『年譜(1927)』	기증. 德川賴貞
蓋付高杯		『年譜(1927)』	기증. 德川賴貞
蓋付盌		『年譜(1927)』	기증. 德川賴貞

유물명	출토 지역	출처	비고
蓋 5개		『年譜(1927)』	기증. 德川賴貞
巫人襗		『年譜(1927)』	기증. 德川賴貞
巫人長衫		『年譜(1927)』	기증. 德川賴貞
巫人裳		『年譜(1927)』	기증. 德川賴貞
脚帶		『年譜(1927)』	기증. 德川賴貞
巾着 2개		『年譜(1927)』	기증. 德川賴貞
指環		『年譜(1927)』	기증. 德川賴貞
鐵鈴		『年譜(1927)』	기증. 德川賴貞
襪 2점		『年譜(1927)』	기증. 德川賴貞

유물 명	출토 지역	출처	비고
袴		『年譜(1927)』	기증. 德川賴貞
裳		『年譜(1927)』	기증. 德川賴貞
冠		『年譜(1927)』	기증. 德川賴貞
上衣 2점		『年譜(1927)』	기증. 德川賴貞
冠		『年譜(1927)』	기증. 德川賴貞
上衣 2점		『年譜(1927)』	기증. 德川賴貞
更紗布		『年譜(1927)』	기증. 德川賴貞
男子夏着 2점		『年譜(1927)』	기증. 德川賴貞
男子用夏袴		『年譜(1927)』	기증. 德川賴貞
平紐		『年譜(1927)』	기증. 德川賴貞
袋		『年譜(1927)』	기증. 德川賴貞
財布 3점		『年譜(1927)』	기증. 德川賴貞
樺皮箱 2점		『年譜(1927)』	기증. 德川賴貞
水汲		『年譜(1927)』	기증. 德川賴貞
木製鉢		『年譜(1927)』	기증. 德川賴貞
袋		『年譜(1927)』	기증. 德川賴貞
打木編紐		『年譜(1927)』	기증. 德川賴貞
木偶 3개		『年譜(1927)』	기증. 德川賴貞
垂飾具		『年譜(1927)』	기증. 德川賴貞
飾小刀		『年譜(1927)』	기증. 德川賴貞
垂飾具 2점		『年譜(1927)』	기증. 德川賴貞
扇		『年譜(1927)』	기증. 德川賴貞
籠		『年譜(1927)』	기증. 德川賴貞
銅製匙 7개		『年譜(1927)』	기증. 德川賴貞

유물명	출토 지역	출처	비고
木製桶形容器		『年譜(1927)』	기증. 德川賴貞
竹製簾		『年譜(1927)』	기증. 德川賴貞
鐃鈸		『年譜(1927)』	기증. 德川賴貞
鐵製神刀		『年譜(1927)』	기증. 德川賴貞
幡		『年譜(1927)』	기증. 德川賴貞
履		『年譜(1927)』	기증. 德川賴貞
草鞋		『年譜(1927)』	기증. 德川賴貞
木製茶托		『年譜(1927)』	기증. 德川賴貞
木鉢		『年譜(1927)』	기증. 德川賴貞
眞鍮製鋺		『年譜(1927)』	기증. 德川賴貞
眞鍮製盌		『年譜(1927)』	기증. 德川賴貞
蓋物		『年譜(1927)』	기증. 德川賴貞
眞鍮製鋺 2개		『年譜(1927)』	기증. 德川賴貞
眞鍮製壺		『年譜(1927)』	기증. 德川賴貞
眞鍮製鉢		『年譜(1927)』	기증. 德川賴貞
眞鍮製盌		『年譜(1927)』	기증. 德川賴貞
眞鍮製蓋		『年譜(1927)』	기증. 德川賴貞
眞鍮製鋺		『年譜(1927)』	기증. 德川賴貞
鐵製神仙爐		『年譜(1927)』	기증. 德川賴貞
陶製注口付壺		『年譜(1927)』	기증. 德川賴貞
琵琶		『年譜(1927)』	기증. 德川賴貞
神仙爐		『年譜(1927)』	기증. 德川賴貞
眞鍮製匙 4본		『年譜(1927)』	기증. 德川賴貞
靑銅製匙殘缺		『年譜(1927)』	기증. 德川賴貞

유물 명	출토 지역	출처	비고
靑銅製鋏		『年譜(1927)』	기증. 德川賴貞
靑銅製耳付毛拔		『年譜(1927)』	기증. 德川賴貞
靑銅製留針		『年譜(1927)』	기증. 德川賴貞
銅鋺 2개		『年譜(1927)』	기증. 德川賴貞
陶製鉢 7개		『年譜(1927)』	 기증. 德川賴貞
鐵製兜 2개		『年譜(1927)』	기증. 德川賴貞
木履		『年譜(1927)』	기증. 德川賴貞
弓		『年譜(1927)』	기증. 德川賴貞
草笠		『年譜(1927)』	기증. 德川賴貞
方格蝶文鏡		『年譜(1927)』	기증. 德川賴貞
海獸葡萄鏡		『年譜(1927)』	기증. 德川賴貞
四鸞四禽鏡		『年譜(1927)』	기증. 德川賴貞
雙鸞唐草八稜鏡 2면		『年譜(1927)』	기증. 德川賴貞
皇丕昌天八稜鏡		『年譜(1927)』	기증. 德川賴貞
瑞華五花鏡		『年譜(1927)』	기증. 德川賴貞
雙鸞唐草五花鏡		『年譜(1927)』	기증. 德川賴貞
皇丕昌天八稜鏡		『年譜(1927)』	기증. 德川賴貞
雙鸞唐草文八稜鏡		『年譜(1927)』	기증. 德川賴貞
湖洲素文柄鏡		『年譜(1927)』	기증. 德川賴貞
四字鏡		『年譜(1927)』	기증. 德川賴貞
羅漢樓閣八稜鏡		『年譜(1927)』	기증. 德川賴貞

유물 명	출토 지역	출처	비고
海浦旭日瑞獸八花鏡		『年譜(1927)』	기증. 德川賴貞
唐草六花鏡		『年譜(1927)』	기증. 德川賴貞
雙獸鏡		『年譜(1927)』	기증. 德川賴貞
八卦十二支星宿鏡		『年譜(1927)』	기증. 德川賴貞
鴛鴦唐草鏡		『年譜(1927)』	기증. 德川賴貞
鴛鴦唐草八稜鏡		『年譜(1927)』	기증. 德川賴貞
瑞花鏡		『年譜(1927)』	기증. 德川賴貞
方格四神鏡		『年譜(1927)』	기증. 德川賴貞
凹面柄鏡		『年譜(1927)』	기증. 德川賴貞
素文八花鏡 3면		『年譜(1927)』	기증. 德川賴貞
雙鳥唐草八稜鏡		『年譜(1927)』	기증. 德川賴貞
素文鏡		『年譜(1927)』	기증. 德川賴貞
雙龍鏡		『年譜(1927)』	기증. 德川賴貞
素文鏡		『年譜(1927)』	기증. 德川賴貞
雙鳳唐草鏡		『年譜(1927)』	기증. 德川賴貞
雙龍文鏡		『年譜(1927)』	기증. 德川賴貞
龍樹佛閣鏡		『年譜(1927)』	기증. 德川賴貞
素文鏡 2면		『年譜(1927)』	기증. 德川賴貞
七寶文鏡		『年譜(1927)』	기증. 德川賴貞
素文長方鏡		『年譜(1927)』	기증. 德川賴貞
素文八花鏡		『年譜(1927)』	기증. 德川賴貞
鴛鴦唐草八稜鏡		『年譜(1927)』	기증. 德川賴貞
湖洲角入方鏡		『年譜(1927)』	기증. 德川賴貞

유물 명	출토 지역	출처	비고
湖洲方鏡		『年譜(1927)』	기증. 德川賴貞
花文五花鏡		『年譜(1927)』	기증. 德川賴貞
菊花飛雀鏡		『年譜(1927)』	기증. 德川賴貞
鴛鴦唐草八稜鏡		『年譜(1927)』	기증. 德川賴貞
花文方鏡		『年譜(1927)』	기증. 德川賴貞
雙龍六花鏡		『年譜(1927)』	기증. 德川賴貞
煙草入		『年譜(1927)』	기증. 德川賴貞
石鍋 2개		『年譜(1927)』	기증. 德川賴貞
碗 4개		『年譜(1927)』	기증. 德川賴貞
網巾		『年譜(1927)』	기증. 德川賴貞
花鳥草文鏡		『年譜(1927)』	기증. 德川賴貞
人物畫像八稜鏡		『年譜(1927)』	기증. 德川賴貞
朝鮮箕子廟巴瓦		『年譜(1927)』	기증. 德川賴貞
開城南大門下棟飾	개성	『年譜(1927)』	기증. 德川賴貞
靑磁鉢 2점		『東博圖版目錄』 2007, 圖6, 7	기증, 1927년 10월 6일, 德川賴貞

朝日修好條規

大日本國與

大朝鮮國素敦友誼歷有年所

洽欲重修舊好以固親睦迄以此

金權辦理大臣陸軍中將兼◯

隆特命副全權辦理大臣議官◯

華府朝鮮國政府簡列中樞府◯

承各遵所奉諭旨議立條款慨列于左

一 第一欵

朝鮮國自主之邦保有與日本國平等之權嗣後兩

月日參予於長見

우리 문화재 수난일지

1928년

1928년 1월 29일

평양 화정사(華頂寺) 소실

1월 29일 오후 3시에 평양시 화정사에 불이 나 전소되었다.[356]

1928년 2월 13일

경남 및 전남지방의 고성지 조사

1928년 2월 13일부터 3월 6일까지 23일간 학무국 종교과 기수 다나카 쥬조 田中十藏에 의해 경남 및 전남지방의 고성지에 대한 조사가 행해졌다. 다나카의 조사 복명서에 나타난 일정은 대략 다음과 같다.

1928년 2월 13일 경성을 출발 창원에 도착

2월 15일부터 17일까지 웅천면에 체재하면서 웅천면 성지, 능천면 남내리 소재 웅포성지, 능동면 안골리 소재 일본성지를 조사했다.

2월 18일에는 웅천면을 출발하여 통영군 거제면에 도착하여 통영군 거제면 구영리 일본성지, 거제면 장목리 개성산성지, 농암산성지 등을 조사했다.

2월 19일부터 20일까지 거제면에 체재하면서 거제면 장수리 일본성지를 조사했다.

---

356 『每日申報』 1928년 2월 1일자; 『東亞日報』 1928년 2월 1일자.

2월 20일에는 장수면을 출발 사천군읍내에 도착하여 2월 24일까지 사천군읍
내에 체재하면서 사천읍 일본식성지, 읍동면 예수리 성황산성지 등을 조사했다.

2월 25일에는 사천을 출발 진주에 도착했다.

2월 26일에는 진주를 출발 순천에 도착하여 28일까지 순천에 체재하면서 순
천군 해룡면 신성리 성지, 순천군 순천면 용당리 봉화산성지, 인제리 산성지 등
을 조사했다.

2월 29일에는 순천을 출발 여수를 경유하여, 3월1일에는 부산에 도착했다.

3월 2일부터 5일까지 부산
에 체재하면서 동래군 사상면
고장성지 등을 조사했다.

3월 6일에는 부산을 출발,
경성에 도착했다.[357]

순천군 순천면 신성리 일본성 천수각(天守閣)

1928년 2월

공주의 가루베 지온輕部慈恩이 1928년 2월에 서혈사지西穴寺址를 확인하고 두
부를 잃은 불상들을 발견함과 아울러 수편의 와당을 수집하다.[358]

---

357 「경남 및 전남 성지(城址) 조사 복명서」, 『국립중앙박물관 소장 조선총독부박물관 공문
　서」, 목록번호 : 96 132.
358 輕部慈恩, 「百濟の舊都熊津に於ける西穴寺及び南穴寺址」, 『考古學雜誌』 19-4, 1929년 4월, 5월.

1928년 3월

이순신을 언급하다 퇴학 처분

일제는 교과에서 일본사를 가르치면서 조선사는 가르치지 않았다. 보통학교와 고등보통학교에서 가르치는 일본사 교과서 중에 여기저기 조금씩 끼어 있는 조선에 관한 두어마디 나오기는 하지만 계통적으로 알 수 없게 하였을 뿐 아니라 일제에 순종하는 민족으로 만들기 위해 위인이나 민족자존을 나타낼 수 있는 부분은 일체 왜곡하거나 삭제했다.

1928년 3월에 대구고등보통학교에서 일본인 모 교유(교감)가 일본역사 시간에 "지난 임진란 때의 적은 이순신이다"라고 가르쳤다. 이에 학생들은 "이순신은 조선의 유명한 충신이란 말을 들었는데 이상하다"라고 몇 마디 질문을 하였다. 수일 후 학교 측은 관련 학생 14명을 퇴출시켰다. "관공립학교는 전학할 수 없으나 사립학교에는 전학을 할 수 있으니 우리 학교에는 다시 오지 말라"고 하며 첫 질문을 한 학생과 이에 동조하는 모든 학생들을 사실상 퇴학 처분한 것이다. 다음은 『동아일보』 1928년 4월 3일자 기사다.

이충무공李忠武公 문제로 14명 강제 전학
관공립학교에 전학은 아니 되겠지마는 사립학교로 가고 우리학교 오지 마라
대구고보의 괴조처怪措處
경북 대구고등보통학교에서는 금년 새 학기가 열리면서 돌연히 그 학교
2, 3, 4학년생도 14명에게 대하여 "관공립학교에는 전학을 할 수가 없으나

사립학교에 가고 우리 학교에는 다시 오지마라"고 형식을 조금 바꾸어 사실상 퇴학 처분을 하였으므로 생도 간의 공기는 매우 험악하고 학부형 중에서도 물론이 자자하다는데 이제 그 학교에서 돌연히 같은 처분을 하게 된 원인을 듣건대 수일 전 동교 일본인 모 교유가 일본

역사를 가르칠 때에 지난 임진란壬辰亂 때에 공을 세워서 영명을 만고에 전하는 충무공 이순신李舜臣 씨는 적敵이라고 말하므로 생도 측에서는 이순신 씨는 조선에 유명한 충신이란 말을 들었는데 적이라 함은 이상하다 하여 몇 마디 질문한 일이 있었는데 이것으로 인하여 학교 당국에서는 전기와 같이 14명 학생에게 전학 처분이란 기이한 처분을 하였다 하여 일반 사회에서는 여러 가지로 비난이 많다더라(대구지국 전화).

이 같은 14명에 대한 퇴학 처분에 대한 불만이 교내의 학생들 사이에 번져나가자 이를 막기 위해 또 다른 징계 처분을 단행했다. 다음은 1928년 4월 12일자 『동아일보』 기사다.

3, 4, 5학년에 한한 대구고보의 괴처분怪處分
한 학기만 더 다녀 보라는 괴상한 선언

학생 측은 불안과 공포에 싸여 있는 중

암운저미暗雲低迷하는 문제 내용

한 번에 14명의 형식만 바꾼 퇴학 처분을 하여 세상의 주목을 끌게 된 대구고등보통학교에서는 다시 전하는 바에 의하면 14명 퇴학 처분 이외에 또 다시 3, 4, 5학년에 뻗치어 10여 명에 대하여 이전에 보지 못하던 정학 처분도 아니요, 징계 처분도 아닌 처분이라면 처분이요 경고라면 경고라고 할 "지금으로부터 한 학기만 더 다녀 보아라. 그동안 어떻게든지 하마"하는 선고를 내리었다는데 이리하여 선고를 받은 그 학생은 물론 전교 생도를 통하여 참으로 불안과 공포에 싸이어 수선한 가운데에서 그날그날을 지내는 형편으로 여기 아무러한 처분이라도 달게만 받고 있을 수 없다는 학생들 사이에 어떠한 반동의 공기가 일기 시작하는 형세를 보이어 혹은 동맹휴교의 단행까지 이르지 않을까 하는 험악한 저기압이 도는 모양이라는데 지금 대구의 거리거리에는 동교로 에워싼 가지가지의 재미스럽지 못한 문제가 전하여 그 이야기로 들썩거린다는바 이리하여 동교에 대한 상서롭지 못한 의운疑雲은 첩첩히 싸이어 갈 따름으로써 세상의 주시를 받게 되었다더라(대구).

이러한 예와 같이 당시 충무공 이순신에 대한 왜곡된 교육과 언급을 회피함으로서 민족정신의 발로를 차단하려 했던 것이다.

* 일제의 충무공 이순신에 대한 왜곡

충무공 이순신은 일본의 입장에서 보면 임진왜란 때 그들에게 결정적인 타격을 주었을 뿐 아니라 임진왜란의 최고의 승장이다. 그래서 충무공 이순신이란 이름은 가장 들쳐 내기 싫은 이름이라 할 수 있다. 이는 피지배국의 명장 이름을 밖으로 드러내는 것은 민족 결집의 모체로 발전해 간다는 것을 너무도 잘 알고 있기 때문이다. 그렇기 때문에 충무공에 대한 공적을 은폐하거나 왜곡하기에 여념이 없었다.

충무의 수항루受降樓는 임진왜란 때 왜군의 항복을 받아낸 장소에 세워진 것이다.『통영지』에는 수항루가 왜란 후 1677년 당시 수군통제사 윤천래가 충무공의 업적을 기려 시건한 것으로 나타나 있다. 그 후 불탄 것을 1699년에 수군통제사 이홍술이 재건했으며 1755년 수군통제사 이장오가 부분적으로 보수한 것이다. 그 후 일제가 이 땅에 들어오면서 파괴한 것으로 짐작이 된다.

이종학이 1907년 일본 박문관에서 출판한 한 고서에서 수항루의 사진을 발견하였다. 이종학이 사진 자료를 발견한 것은 1907년 일본 박문사에서 출판한 제목미상의 지리지이다. 이종학의 설명에 의하면 사진과 함께 다음과 같이 기술하고 있다고 한다.

제국군함 '니이타카新高' 호가 과거 한국 만안을 순항할 때 동군함의 함장 시데지마秀島중좌가 촬영한 것으로서 '수항루受降樓'는

『한국일보』, 1998년 12월 16일자 기사

통영 해안에 있다. 토요토미豊臣秀吉 정한征韓(임진란) 당시 이곳은 한국 수군의 근거지로서 이순신이 일본 수군을 격파하고 여기에서 항복을 받았다고 하는 곳이다. '수항루受降樓'라고 대서大書해서 현을 걸었고 지금까지도

아직 한인이 크게 자만하는 문이다. 그러나 이것들이 있는 곳은 모두 우리

가 경영하는 속에 있다(『한국일보』, 1998년 12월 16일자).

당시 이미 일제는 한국정부를 완전히 장악하고 마음대로 경영하고 있던 때이
다. 더구나 눈에 가시인 수항루를 그냥두지 않았던 것이다. 그 시기가 언제인지는
정확히 밝혀진 것은 없다. 1982년에 이종학이 현지를 답사하면서 현지 태생인 80
대 노인들을 상대로 탐문을 하였으나, 노인들은 어렸을 적에 수항루에 관한 이야
기는 많이 들어 위치는 알고 있으나 수항루를 본적이 없다고 한다. 그래서 이종
학은 한일합방을 전후하여 파괴된 것으로 추정하고 있다.[359]

이에 비해 삼전도비는 병자호란 당시 인조가 삼전도에서 치욕적인 항복을
한 장소에 세워놓은 것으로 갑오경장 이후 나라의 수치라 하여 한강가에 쓰러
트려 놓았다. 한국을 강점한 총독부는 "역사적 기념물이니 없애서는 안 된다"
고 1913년에 다시 그 자리에 복원함으로서 우리의 기를 꺾고자 하였다.

일제는 이와 함께 유인원의 비도 1913년 2월에 비각을 세워 새로 단장하였
다. 당나라 장수 유인원의 비는 충청남도 부여군 부여면 궁북리 부소산의 산성
내에 일찍부터 도괴되어 있었다.[360] 이것을 새로 단장하고 1934년에는 <조선보
물고적명승천연기념물보존령>에 의해 보물 제 34호로 지정을 하였다.

이러한 일제의 행위는 우리 역사에서 치욕적인 사실을 기록한 비를 부각시
킴으로 식민정책에 활용하고자 했다.

359 『한국일보』 1983년 11월 11일자; 『중앙일보』, 1987년 3월 26일자.
360 葛城末治, 『朝鮮金石攷』, 大阪屋號書店, 1935, p.158.

일제는 충무공의 유적비를 개명·파괴를 획책했다. 이순신 장군이 북쪽 오랑캐를 쳐부순 것을 기리기 위해 후대에 세운 승전비를 조선총독부가 고의로 비명을 바꾸고 이를 파괴하려 했던 것이 밝혀졌다.

승전대비勝戰臺碑는 이순신 장군이 임진왜란 5년 전인 1587년 함경도 북단 국경지역 조산에 만호萬戶(초급장교)로 근무할 때의 공적을 기린 비이다. 지금은 러시아 땅으로 병합되어 버린 녹둔도에 가을 곡식을 약탈하러 오랑캐들이 쳐들어 왔다. 장군은 선봉에 서서 압도적으로 많은 적을 탁월한 전술로 적을 패주케 하였다. 그리고 적의 침입을 근원적으로 봉쇄하기 위해서 두만강 건너 적의 소굴을 소탕시켜버렸다. 이렇듯 큰 공훈을 세웠음에도 당시의 병마절도사는 그 공훈을 시기하여 만호벼슬에서 파직케 하였다. 그 후 1762년 함경도 관찰사 조정명이 충무공의 애국적 업적을 높이 기리기 위해 조산 동북쪽 산봉우리를 승전봉으로 명명하고 동문밖에 비각을 세워 승전대라 불렀다. 여기에 이순신 장군 승전대비가 화강석으로 된 받침돌 위에 대리석으로 다듬어 세우고 화강석 지붕돌을 얹었다.[361] 이 비가 최초로 일본에 소개된 것은, 1915년 다니이谷井濟一가 이 일대를 조사 중 발견하여 비문을 탁본하고 1915년 1월에 일본 고고학회에 소개하면서였다.[362] 그런데 충무공의 승전은 그 자체가 왜군을 상대로 한 것 같은 인상을 주기 때문에 일본제국의 위신을 훼손하고 한국민들의 민족정신을 부추긴다는 이유로 「녹보파호비鹿堡破胡碑」란 이름으로 왜곡했다. '녹보파호비'는 '녹둔

361 『한국일보』 1998년 12월 16일자.
362 「考古學會記事」, 『考古學雜誌』 5-6, 1915년 2월, p.73.

이순신 종손가와 조선사편수회, 조선사편수회 나카무라(中村榮孝 : 왼쪽부터 5번째) 일행이
충청남도 아산지방 사료조사 당시 이순신 종손가의 사람들과 함께 찍은 사진(국사편찬위원회 자료)

도 진지에서 오랑캐를 무찌른 비'란 뜻으로 왜와의 관련을 배제한 것이다.[363]

일제는 1911년 조선교육령(전문 30조와 부칙)을 공포하였다. 본령은 한국인 교육 방침을 규제한 것으로 일본어의 보급과 일본화의 촉진을 목표로 하고, 교육 정도를 천박한 학식과 기술에 제한하여 생활 경제에 몰두케 함으로서 민족의식의 말살을 기하고자 한 것이다.[364] 이어 1917년에는 교과서 편집과장 오다 쇼고小田省吾는 보통학교 교과서에 관한 일반 방침 11개항이 수립하여 한국은 일본의 속국임을 명백히 하고 일본에 충성을 다할 것을 가르치게 했다.[365] 이후 보통학교에서는

---

363 양진태,『미리가보는 북한의 문화 유적』, 백산출판사, 1974.

364『매일신보』1920년 4월 10일자.

365『매일신보』1917년 6월 23일자 기사에 의하면, 교과서에 관한 일반 방침 11개 항 중에서 '교과 내용의 방침'의 제 3항은 다음과 같다.

(1) 조선은 內地 대만 등과 같이 我國家의 일부인 事를 명백히 知得케 할 事.

(2) 我帝國은 萬世一系의 천황이 이를 통치하시는 바를 知케 할 事.

한국 역사과목 자체를 없애고 중등과정 학교에서는 혹 일본 역사와 병합하여 가르치되 극히 제한적으로 가르쳐 조선 역사관과 민족관을 소멸시키고자 하였다.

야나기 무네요시柳宗悅는 1920년 4월 14일 동아일보에 '조선인을 상想함' 이란 제하題下의 글에 다음과 같이 증언하고 있다.

> 금일의 조선인 간間에 전래하는 미담 즉 의사니 충신이니 하는 옛이야기는 거의 전부가 왜구에 대하여 용감히 저항한 인사들의 이야기뿐이라는 것을 들었다. 금일 총독부가 조선인 학교에 역사를 교수치 않는 사실은 이러한 죄가가 있기 때문이다. 나는 나의 지인知人인 모 일본 역사가가 조선인에게 읽히기 위하여 특별한 역사 교과서를 편찬하는 것을 보았다. 그러나 특별한 말은 물론 일본이 조선을 괴롭게 한 부분을 역사로부터 삭제함을 지칭함이다.

조선사편수회에서는 1924년에 이나바稻葉 등을 파견하여 충무공의 유보遺寶에 대한 조사를 했다. 1928년에도 나카무라 에이고中村榮孝 일행에 의해 『난중일기』, 『간첩簡帖』 등을 비롯한 고문서류, 장검, 금대 등에 대한 재조사가 있었다.[366] 하지만 충무공 이순신에 대한 의도적인 왜곡과 언급족쇄로 인하여 일반인에게 희미한 존재로 인식되게 하였다.

일본인들이 우리 민족정신을 앙양하는 귀중한 전적과 위인의 수록手錄, 고문

---

(3) 我國이 금일과 같이 국력이 발달됨과 함께 조선인이 대일본제국 신민으로 밖으로는 인민과 어깨를 나란히 하고 안으로는 행복한 생활을 영위케 함은 전혀 황실의 恩澤에 有함임을 印象케 함이며 각기 본부을 지켜 皇室을 尊케 하여 국가에 충성을 다함을 知게 할 事.
366 中村榮孝,「忠武公李舜臣の遺寶 -朝鮮役海軍史料の發見-」『朝鮮』, 朝鮮總督府, 1928년 3월.

서 등을 보물로 지정하기를 주저한 태도는 더욱 현저하다. 이 종류로 과거 국보(일제기 보물)로 지정된 것으로는 안동의 류성룡 관계의 문서뿐이다. 충무공 가전의 귀중한 고문서와 수록은 그들이 수 차 조사하고 그 중 공의 친필 난중일기는 간행까지 하였어도 비본秘本으로 하여 일반에게 공개하지 않았다.[367] 이는 민족정신을 발로하는 이순신의 수기와 같은 것은 가급적 은폐하려는 일종의 기만적 정책에서 나왔다고 할 수 있다.

충무공에 대한 한국인의 인식이 얼마나 미미했는지 당시 잡지 기사를 보면 다음과 같이 개탄하고 있다.

> 이충무공은 누구시며 무슨 일을 하신인지는 모른다. 동경과 대판에서 사온 박물표본은 시간마다 보지만 두만강에 어떤 어류가 있고 제주도에 무슨 새가 있는지 모른다. 우리가 배우고 있는 교과서 중에서 조선 사람이 저작한 책이 몇 권이나 되고 조선 사정을 쓴 책이 얼마나 되는가. 반만년 역사를 가지고 공간으로 화려한 금수강산에 태어났지만 우리의 역사를 모르며 명승고적을 알지 못한다(「제1회 학생작품 경기 발표」, 『동광』 제31호, 1931).
> 다 죽게 된 조선 사람을 다시 살리게 한 이 충무공의 이름은 몰라도 춘향이의 이름을 모를 사람이 없고 한글을 창제한 세종대왕은 몰라도 춘향이는 모를 사람이 없다(『별건곤』 47호, 1932).

일제의 식민지 정책상 충무공에 대해서 가르치지도 않았을 뿐 아니라 왜곡

---

367 李弘稙, 「國寶 古蹟攷」, 『新天地』 제5권 6호, 1949년 6월.

시키기 까지 하였다.

1928년 4월 23일

경기도 광주군 남종면 도요지 조사

경기도 광주군 남종면 도요지 조사를 명받아 1928년 4월 23일부터 29일까지 7일간 노모리 겐野守健에 의해 경기도 광주군 남종면 분원리 도요지, 퇴촌면 금 륵리도요지, 삼백곡도요지, 도마리도요지 등에 대한 조사가 행해졌다.[368]

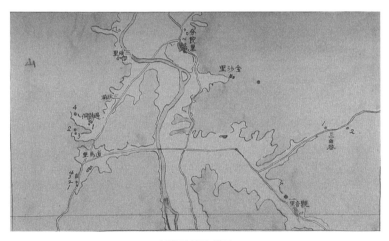

분원리 부근 약도

368 「광주군 남종면 도요지(陶窯址) 조사 복명서(소화 1년 3일 촉탁 野守健)」, 『국립중앙박 물관 소장 조선총독부박물관 공문서』, 목록 번호 : 96-132.

1928년 4월 26일

평양 숭인전(崇仁殿)의 화재

4월 26일 오전 9시경에 평양 하수구리에 있는 숭인전 뒤 솔가지에서 불이나 본전 한 채를 전소하고 정오경에 소방대가 출동하여 겨우 진화를 했다. 장소가 시가 중심가로 화재 당시에 많은 사람들이 몰려들어 대혼란을 이루었으며, 소방대원 두 명이 중상을 입기도 했다.

화재 전의 평양 숭인전

이 숭인전은 명륜당 동편에 있어 기자의 위패를 모시고 제사를 지내던 곳이다. 고려 숙종 때 건설한 것으로 조선 태조 때 개수를 하고 조선 인조 때 다시 개수를 하여 숭인전이라 명명하고 춘추로 제사를 지내던 곳이다.[369]

---

369 『중외일보』1928년 4월 27일자, 28일자;『매일신보』1928년 4월 27일자;『동아일보』
　　1928년 4월 28일자.

1928년 4월

익산미륵사지 조사

1928년 4월과 11월 2회에 걸쳐 오가와 게이키치小川敬吉는 전북 익산군 미륵 사지에 출장하여 탑, 금당, 강당 등의 배치를 조사하고 보존의 계획을 세우게 된다. 1928년도에 사지에 포함된 사유전답을 매수하고 사지에 남아 있는 서탑 (속칭 왕궁탑)은 고적보존규칙에 의해 등록하여 보호하기로 했다.[370]

60, 70여 태봉 한 곳도 완전한 곳이 없다

왕가에서는 전국의 명당자리를 살피어 길지는 일반인이 침범할까 하여 새 생명이 태어나면 태봉胎封을 정하여 장차 능원으로 쓰고자 했다. 그것이 전국적 으로 60, 70여 곳이나 되었는데, 이것을 한일합방 전까지는 혹여나 민간이 침 범할까하여 각 도의 관찰사가 관리해 왔다. 그러나 강제합방 후에는 이를 살피 지 않아 풍우에 파괴되자 민간에서 태봉에 매장된 태를 파내고 조상의 유골을 묻어 민간 분묘로 된 곳도 많고 태봉의 보물을 도적하려고 도굴하는 사례가 빈 번하여 완전한 태봉이 한 곳도 없다고 한다.

---

370 朝鮮總督府,「昭和3年度古蹟調査事務槪要」,『朝鮮』, 1929년 4일,「昭和3年度の古蹟調 査」,『朝鮮』, 朝鮮總督府, 1929년 8월.

이 같은 상황에서 이왕직에서는 더 이상 태봉을 보호할 능력이 없음에 따라 각 태봉을 한 곳에 모으고 전부를 불하하기로 하고 이장에 착수하기로 했다. 이에 전주이씨 종중에서는 태봉 폐지에 대하여 반대 의견을 가지고 있었으나 별 대안이 없었다.[371]

1928년 5월 13일

평양 대동군 미림리 석기시대 유적 조사

1928년 5월 평남 대동군 대동강면 미림리 석기시대 유물포함 지대에 수리조합공사가 시행되어, 오다 쇼고小田省吾, 모리 다메조森爲三, 요코야마 쇼자부로横山將三郎는 5월 13일부터 3일간 유적지를 임시 조사하여 골편 등 석기시대 유물을 발굴했다.[372]

371 『東亞日報』 1928년 4월 6일자.
372 森爲三, 「朝鮮石器時代に飼養せし犬の品種に就て」, 『人類學雜誌』 제44권 제2호, 동경 인류학회, 1929년 2월; 「昭和3年度の古蹟調査」, 『朝鮮』, 朝鮮總督府, 1929년 8월.

1928년 5월 23일

경남 용안리에서 금불상 등을 발견

5월 23일 경남 고성군 개천면 용안리에 사는 김수선이라는 자가 그 동네 동편 망선봉 상봉에 올라 나물을 캐다가 도기항아리 한 개를 발견했다. 즉시 뚜껑을 열어본 즉 그 안에 순금으로 만든 불상 1개와 순은불대純銀佛臺 1개와 안에는 순은으로 만들고 밖은 동으로 만든 불당佛堂 1개가 있었다. 김은 즉시 고성 경찰서에 신고를 하고 발견물을 동 서에 보관케 했다.

유물을 발견한 망선봉 상봉에서 약 조금 아래쪽에 송태암松台庵이라는 사찰이 있었다고 한다.[373]

1928년 5월

강원도 이천읍 남산에서 황금요종黃金搖鐘이 발굴되다.[374]

---

373 『東亞日報』1928년 6월 4일자
374 『東亞日報』1928년 5월 12일자.

강원도 이천에 명승지를 보존하기 위한 이천보승회伊川保勝會가 조직되다.[375]

『근역서화징』 간행

1917년에 편찬 완성한 위창 오세창의 『근역서화징槿域書畵徵』이 최남선의 권유로 1928년 5월에 계명구락부啓明俱樂部에서 간행하다.

『매일신보』 1928년 5월 30일자에는 다음과 같이 소개하고 있다.

근역서화징槿域書畵徵

위창 오세창 씨 저, 정가 2원50전

조선은 오래된 예술국이만은 실물과 한 가지로 역사에 징徵할 것이 없음으로 내외가 한 가지 유감으로 삼으나 수집이 심상尋常한 문사文士로서는 가히 기획할 배 아니어서 지금까지 그 전서를 보지 못한 것인데 이제 위창 오세창 씨는 예원藝苑의 기숙耆宿으로 일찍이 이에 고심력색박인방증苦心力索博引傍證한지 수십년에 역대 서화 미술가 처수백인의 실사일문實事逸聞의 특장特長 명작 등에 관한 유문실기遺文實記를 편찬한 것이니 이는 불후의 대문헌이라 하겠다. 시내 인사동 152 계명구락부에서 발행 이 같은 명저는 누구라도 좌석에 비치할 만한 것이라더라.

---

375 『東亞日報』 1928년 5월 11일자.

당시 사정은 학교에서 조선역사를 가르치지 않고 조선역사를 일본역사 교과 속에 조금씩 끼워넣기식으로 교육을 하여 조선은 볼품없는 역사를 가진 민족으로 전락시키고 있는 즈음, 위창의 『근역서화징』이 세상에 나옴은 광명과 같았다. 삼국시대부터 조선시대까지 1,117인의 위대한 서화가들에 대한 성명 · 자 · 호 · 본관 · 출생연도 · 수학受學 · 관직 · 사망연도 등을 소개한 후, 해당 작가의 예술 세계에 대한 기록과 논평을 싣고 그 서목을 밝히고 있다.

위창이 『근역서화징』 서문에서 "먼 옛날 솔거로부터 내가 지금 어깨를 맞대고 가까이 지낸 사람들에 이르기까지 기록하여 그 간에 잃어 버렸던 것은 대개 따라서 증명할 수 있게 되었다" 라고 밝힌바와 같이 삼국시대부터 현존하는 사람까지의 인명사전인 동시에 조선미술사라 할 수 있다.

위창 오세창은 서화 감식에 있어서 당대 1인자라 할 수 있다.

위창 오세창의 부친은 구한말 역관으로 개화파 지식인이었던 역매亦梅 오경석吳慶錫으로 청조 왕래가 잦은 추사문인들과 친교를 하였다. 역매는 중국을 드나들면서 서화 골동에 높은 안목을 키웠으며, 금석학에도 조예가 깊어 삼국시대부터 고려시대까지의 146종의 금석문 탁본을 수집하여 『삼한금석록三韓金石錄』까지 편찬하였다. 오경석은 『천축재차록』에서,

계축, 갑인년(1853-1854)에 처음 중국에 유람가서 그곳 동남의 박아博雅한 선비들을 만나 본 다음 견문이 더욱 넓어지게 되어 차츰 원, 명 2대의 서화 백여 점과 삼대(하, 은, 주)와 진, 한의 금석과 진, 당의 비판碑版을 사들인 것이 또한 수백여 종이 넘었다. 비록 당, 송인의 진적을 얻지 못한 것이

유감이나 이만하면 스스로 우리나라에서는 자랑할 만 하게 되었다.[376]

라고 하고 있다.

오경석은 글씨에도 뛰어 났는데, 오세창은『근역서화징』의 부친 오경석 조에,

선군의 행서와 해서는 안노공顔魯公을 배웠고 예서는 예기비禮器碑를 배워
서 집에 계시면 항상 밤늦도록 서첩을 임모하셨다. 불초가 곁에서 모시고
있을 적에 매양 필법을 가르쳐 주셨는데, 그 때 내가 너무 어리고 어리석
어서 잘 알아듣지 못했으니 우리 집안의 계통을 떨어뜨린다는 송구스러움
이 그칠 날이 없었다. 불초 세창은 기록한다.[377]

라고 기술하고 있다.

위창은 이런 부친의 밑에서 어려서부터 서화를 배웠고 집안에 소장된 서화
류를 보고 일찍부터 감식안을 키워 근대 최고 감식가에 위치하였다. 위창은 국
운이 기울자 자강회, 대한협회 등을 조직 구국운동에 앞장섰으며, 만세보, 대한
민보, 한성순보 등에 관계하여 국민계도에도 앞장섰다.

위창의 나이 39세 때인 1902년에는 친로파親露派의 득세로 인하여 위기에 닥
치자 일본으로 망명을 해야만 했다. 그 후 4년간의 망명생활을 하고 1906년 1
월에 귀국하니 집안이 엉망이 되었다. 집안에 대대로 내려오던 진보珍寶와 선대

---

376 홍찬석,「校註 槿域書畵徵」,『위창 오세창』, 1996.
377 吳世昌,『國譯 槿域書畵徵』, 東洋古典學會 譯, 시공사, 1998.

에서부터 수집한 서화 등이 대부분 흩어져 버린 것이다. 위창가에서 잃어버린 것 중에는 부친인 오경석이 그의 스승 추사 김정희로부터 전수받아 위창에게 물려주었던 청의 서화가 장경張庚의 화첩 '장포산진적첩張浦山眞蹟帖'이 있었다. 이것을 1935년에 간송이 구입하여 위창에게 가져갔었다. 34년 만에 가전家傳 화첩을 대하는 위창은 감격하여 화첩 말미에 다음과 같이 제발을 첨가하였다.

위창

전에 임인년(1902)에 내가 정란에 연루되어 집을 버리고 해외로 달아남에 있어서 소장품은 모두 흩어졌는데 이 화첩도 그 중 하나였다. 이제 굴러서 간송 전군의 그림 보따리 속으로 돌아옴에 잠시 한번 빌려 읽어보니 선군의 손때가 아직 남아 있다. 백겁을 지난 듯 어렵게 살아남은 사람이 어찌 아득한 느낌을 금할 수 있겠는가. 뒤이어 시로 읊는다.

삼십사년 꿈결 속에, 전해오던 옛 물결 일시에 사라졌구나. 완당 노인 제사題詞 아래 내가 지금 이으며, 거듭 대하니 슬픔과 기쁨이 스스로 같지 않구나.[378]

그 흩어진 것은 위창 본인이 목록을 구체적으로 밝힌 것이 없기 때문에 자세히 알 수 없으나, "해외로 달아남에 있어서 소장품은 모두 흩어졌는데"라고 하는 점으로 보아 그 양은 엄청나리라 본다.

---

378 崔完秀, 「澗松이 葆華閣을 設立하던 이야기」(『澗松文華』 55, 1998)에서 옮겨옴.

1902년 개화당 사건으로 일본 망명시절의 사진, 앞줄 오른쪽이 위창, 그 옆이 손병희이다

이 후에도 계속 서화 수집에 열중하였는데, 그가 일찍부터 골동서화를 수집한 이야기는 매일신보 1915년 1월 13일자 '별견서화총瞥見書畵叢'이란 제하의 기사에,

근래에 조선에는 전래의 진적서화珍籍書畵를 헐값으로 방매하며 조금도 아까워할 줄 모르니 딱한 일이로다. 이런 때 오세창씨 같은 고미술 애호가가 있음은 경하할 일이로다. 10수년 이래로 고래의 유명한 서화가 유출되어 남은 것이 없는 것을 개탄하여 재력을 아끼지 않고 동구서매東購西買하여 현재까지 수집한 것이 1,175점에 달하였는데 그 중 150점은 그림이다. <중략> 씨는 앞으로 1백여 점만 더 구득하면 조선의 명서화는 누락됨이 없으리라 하여 고심 수집 중이며 다만 서화를 수집함에 그치지 않고 그 필자, 별호, 연대, 이력 등을 상세히 조사하여 참고케 하였는데 그 목록만 하여도 세상에서 가히 구독치 못할 가치가 있겠더라. 기자는 씨에 대하여 이를 사진판으로 출판하여 조선의 고미술을 동호자에게 할애함을 권유하였고 씨도 이 계획이 유하여 그 기회를 살피는 중이라 하며 우선 그 목록을 정리 출판하

여 서화동호자의 참고자료에 공供하리라더라.

하고 있다. 이것은 『근역서화징』을 완성하기 위한 원대한 포부를 가지고 수집 정리해 가는 과정을 기술한 것으로 보인다.

만해 한용운은 「고서화의 3일」이라는 제하의 글을 매일신보에 1916년 12월 7일 부터 12월 12일까지 5회에 걸쳐 게재하였다. 이는 1916년 11월에 돈의동에 있는 위창 댁을 찾아가 위창이 당시 『근역서화징』을 편찬하기 위해 수집한 자료와 편찬 과정을 보고, 단순히 수집한 서화를 완상함이 아니라 『근역서화징』을 편찬하기 위 해 고군분투하고 있는 노고를 함께 기술하고 있다. 1회부터 4회까지는 수집한 자 료에 대하여 기술하고, 5회 마지막에는 위창의 노력을 다음과 같이 기술하고 있다.

조선의 서화를 이렇듯 수집함은 일조일석—朝—夕의 일이 아니라 그 가전家 傳의 사업인데 중간에 세고世故의 황파荒波로 인하여 유실된 것도 적지 않고 그가 전력으로 착수하기는 지금으로부터 7년 전 일인데 그 신노辛勞와 성 근誠勤에 대하여는 어떤 사람이라도 동정을 표하지 아니할 수 없도다. 서화 의 원본을 취집聚集함에는 종종種種의 방법을 시施하여 혹 중가로 매득도 하 며 혹 타인의 기증도 있으며, 혹 차득借得하기도 하여 심수박방深搜博訪함에 는 멀리까지 닿지 아니한 땅이 없고 심深을 궁窮치 아니한 곳이 없으며, 원 본을 득함에 그 필주筆主의 역사를 고구考究하여 그 년대를 심사하여 폭幅의 차서次序를 정돈하며 폭幅을 연련聯하여 축軸을 제제製하기에 골몰汩沒하여 정신 상으로나 체력상으로나 거의 편시片時 가극暇隙이 없다고 하니, 그는 이외 에는 낙사樂事도 없고 또한 이 외에는 우려憂慮도 없었을 것이다. 7년의 성상이 오래지 아님이 아니거늘 7년을 하루같이 노고도 불구하고 금전도 희생하여 중국이나 일본의 것도 아닌 서양의 것도 아닌 그리 명필 명화만도 아닌 또 깃도 좀먹고 한 조선 고인古人의 수적手迹을 이같이 모은 것은 무엇을 위함인가 고물이 무엇인지 모르는 조선인의 안목으로는 심상尋常히 보지 아니하면 반드시 편괴偏怪하다 하기 쉬우리다. 나는 이 고서화를 견見할 때에 대웅변의 고동연설鼓動演說을 듣는 것보다도 무엇에 얻음보다도 더 큰 자극을 받았노라. 위창 선생은 조선의 독일무이獨一無二한 고서화가로다.

<중략> 장차 조선인의 기념비를 세울 날이 있다하면 위창 선생도 일석一石을 점령할 만하다 하노라.[379]

두 거인의 만남은 서로에게 강한 인상을 남겼을 것이다. 만해는 "대웅변의 고동연설鼓動演說을 듣는 것보다도 무엇에 얻음보다도 더 큰 자극을 받았노라. 위창 선생은 조선의 독일무이獨一無二한 고서화가로다" 한 것처럼 "미술의 황야를 개척" 하는 위창에게서 무한한 민족애를 발견하였으며, 위창 역시 만해의 민족애에 감화를 받아 더욱 열정을 바쳐 박차를 사했을 것이다. 후일 3·1 독립선언 이후 혹독한 감옥생활과 일인들의 감언에도 끝까지 변절하지 않은 민족애를 이때 이미 서로에게서 발견하였던 것이다.

『근역서화징』은 선대에서부터 오랜 기간의 수집과 각고의 노력에 의하여 1917년에 편찬 완성하였다.

1918년에 발기한 서화협회에서 1921년 10월에 『서화협회보』를 발행하였는데 이

---

379 『매일신보』, 1916년 12월 15일자.

는 순순한 한국인에 의해 간행한 한국 최초
의 미술 잡지라 할 수 있다.[380] 여기에 위창은
「서화열전」을 실었는데 신라~고려편으로『근
역서화징』의 일부를 추려 실었던 것이다.

그 후 1928년에 최남선의 권유로 계명
구락부啓明俱樂部에서 간행함으로서 세상에
들어나게 되었다.

「서화협회보」 창간호

위창의『근역서화징』은 한국 서화사 뿐 아니라 한국 미술사 연구의 햇불이라
할 수 있다. 방대한 자료의 축적과 이에 따른 철저한 분석을 통하여 서술함으
로서 한국 서화가를 제대로 평가할 수 있는 길을 열었다. 한국인은 당당한 문
화민족임을 밝혀 한국인에게 자긍심을 불어 넣고, 한국인이 창조 생산한 서화
를 밝힘으로서 한국 미술품에 대한 애호심을 갖게 하였던 것이다.

흩어져 가는 수많은 고서화를 판독 정리하여 만든『근역서화징』은 후세의 서
화 연구에 모체가 되고 있다.『근역서화징』이 나오자 육당 최남선은 동아일보
에 3회에 걸쳐 서평을 싣기도 하였다.

최남선은『근역서화징』에 대해,

---

380 1921년 3월에는「書畵協會報」를 발행하였다. 이것은 21면에 불과한 얇은 간행물이지만
　　한국 최초의 미술잡지라 할 수 있다. 조선총독의 祝筆이 실려 있고, 초대회장 안중식과
　　2대회장 조석진의 작품 사진과 김돈희 회장의 창간사가 실려 있다. 최남선, 장덕수 등
　　의 축사가 실려 있고, '특별강좌란'을 두어 김돈희의「書의 淵源」, 이도영의「東洋畵의
　　淵源」, 고희동의「西洋畵의 淵源」, 小園草衣(소세징의 벌호)의「畵家列傳」을 선새하였
　　다. 맨 뒤에는 회원 명단을 싣고 있다.

『동아일보』 1928년 12월 8일자 기사

1인의 힘으로 초창의 업에 능히 이만한 성적을 나타내어 줄잡아도 『서사회요書史會要』 『화사회요畫史會要』를 합하고, 거기 『철망산호鐵網珊瑚』 『회사비고繪史備考』만한 용用을 겸케한 것은 질로나 양으로나 족히 경이에 치値한 다할 것이다. 홀으로 예술의 일반 저술로도 가장 높은 수준을 보이는 것이 『근역서화징』이라 한 수 있다.

라고 평하고 있다.

일본인 아유카이 후사노신鮎貝房之進이 일본인들의 한국 문화재 수집을 부추겨 한국인들을 안타깝게 하였는데, 위창은 한국문화재를 일본인들의 손에 넘어가지 않도록 한국인들의 수집을 돕고 한국문화재의 가치를 널리 인식케 한 사람이다.

또한 한국 서화 골동수집가들에게 감식안을 키워주어 해외로 반출되기 쉬운 때에 한국인 수장가들이 수집함으로서 문화재 보호에 큰 역할을 했다할 수 있다. 특히 간송에게 고미술품 수집에 감화를 주어 간송미술관을 낳게 한 것은 그의 위대한 산물이라 할 수 있다. 간송은 23세 때 춘곡 고희동의 소개로 위창을 만난 이후 줄곧 위창의 지도를 받아 문화재 수호에 모든 것을 바쳤다. 1938년 한국 최초로 사립박물관인 '보화각'의 상량식이 치루어지자 위창은 정초명定礎銘에 다음 같이 기록하였다.

내가 북받치는 기쁨을 이기지 못해 이에 명을 지어 축하한다. 우뚝 솟아 화려하니, 북곽을 굽어본다. 만품萬品이 뒤섞이어 새집을 지었구나 서화 심히 아름답고, 고동古董은 자랑할 만, 일가에 모인 것이 천추의 정화로다. 세상 함께 보배하고 자손 길이 보존하세.

위창은 그렇게 열망하던 민족문화재의 보존이 간송에 의해 이루어지자 "북받치는 기쁨"을 이기지 못하겠다고 하고 있다.

1929년 오봉빈이 서화전시와 판매를 목적으로 한 조선미술관을 개설한 것도 오세창의 권고와 지도 덕분이었다.

위창은 부친으로부터 내려온 수집품에다가 겸재, 단원, 현재, 추사 등 역대 대가들의 서화를 추가시켰다. 그러한 업적으로 『근역서휘』와 『근역화휘』를 들 수 있다. 『근역서휘』는 우리나라 역대 명가 1,100명의 필적을 모은 것으로 37책으로 정리하였다. 『근역화휘』는 7책의 편제로 251점의 그림을 정리 편집하였다. 그 일부는 현재 서울대학교박물관에 소장되어 있다. 또 『근묵첩』을 남겼는데 이는 『근역서휘』의 속편적인 성격을 띤 것으로 고려말 정몽주에서 조선말 이도영에 이르기까지 1,136명의 서화가 학자들의 친필을 34책으로 엮은 서책이다. 이들은 모두 전시대를 망라한 방대한 자료로서 우리나라 서화사 연구의 획기적인 업적이라 할 수 있다.

경희궁의 회상전(會祥殿) 매각

경희궁慶熙宮의 회상전會祥殿은 숭정전의 동북방에 위치하였는데, 통감부시대에는 경성거류민단이 세운 남대문공립소학교의 교실로 사용하였으며, 동시에 1911년 4월부터 1915년 3월까지 경성중학교 부설 임시소학교 교원양성소(1922년 4월에는 관립사범학교로 옮김)의 교실 및 기숙사로 사용하였다.[381] 1913년 5월에는 경성종로공립심상소학교 경희궁분교장 설치를 허가하여 1915년 4월까지 종로공립소학교 교사의 신축 중 임시 가교실假敎室로 사용하였다. 1928년 5월에 필동 남산 기슭 일본 조동종 조계사曹谿寺에 매각하여 조계사 건물을 짓는데 사용했다.[382]

1928년 6월

고려시대 고기 발견

경북 성주면 성산동 교외에 있는 고려시대의 고분 옆에서 토석을 채취하던 중 그 내부의 석곽이 노출되어 다수한 고도기가 매장되었음이 발견되었다. 이

---

381 朝鮮總督府告示 제132호(官報 1913년 5월 5일).
　　朝鮮總督府告示 제111호(官報 1915년 4월 19일).
382 京城府, 『京城府史』 第2卷, 1934, pp.355~357.

것을 발견한 유모는 경찰서에 신고하여 조사한바 고분의 옆에는 장 7척5촌, 폭 4척8촌, 고 4척1촌의 석곽으로 고려시대 고기 백여 개와 부패한 철제기와 은기의 부속품 십 수점이 발견되었다.[383]

강진 대구면 도요지 조사

1928년 6월 조선총독부박물관의 노모리 겐野守健과 오가와 게이키치小川敬吉는 관명을 받아 전남 강진군 대구면 도요지를 답사하여 다수의 청자파편을 수집했다. 그 중에는 문자가 있는 명皿과 청자와靑瓷瓦도 있었다.

과거 세키노가 고려왕궁지 만월대에서 발견하였다고 하는 청자와를 경성의 고물상에서 구입하여 도쿄제국대학에 기증한 것이 있는데, 그와 같은 청자와를 바로 이곳 대구면 도요지에서 발견했다.

또 대구면 수동리의 아동에게 구입한 파편에는 「正陵」, 「謂」가 상감되어 있었는데 채집 지점은 명확하지 않다.[384]

---

383 『每日申報』1928년 6월 4일자.
384 小川敬吉, 「大口面窯址の靑瓷2題」, 『陶磁』 제6권 제6호, 1934, p.51; 小山富士夫, 「高麗の古陶磁」, 『陶器講座 7』, 雄山閣, 1938.

1928년 6월

대전 진봉면 청자도요지 조사

1928년 6월에 노모리 겐野守健과 오가와 게이키치小川敬吉는 전남 강진군에서 고려시대 도요지를 발굴조사 후, 다시 충남 대전군 진봉면에서 고려청자요지를 새로 발굴 조사하여 강진군 이외 새로운 고려청자의 제작소를 밝히게 되었다.[385]

1928년 7월 7일

1928년 7월 7일 학무국 촉탁 와타나베 아키라渡邊彰가 내무국의 다케우치武內, 아오야마靑山 두 기수와 같이 석굴암으로 가서 석불을 증기로 씻었다.

1928년 7월 19일

제30회 고적조사위원회

제30회 고적조사위원회를 생략하고 안건에 대한 의견을 구하기 위해 의안

---

385 朝鮮總督府,「昭和3年度古蹟調査事務槪要」,『朝鮮』, 1929년 4월.

'소화3년도 고적조사계획', '소화2년도 고적조사 사무보고'를 7월 19일 회람하였다. 그 내용은 다음과 같다.[386]

의안1 소화3년도 고적조사계획

제1. 고적조사

  1. 경기도 광주군 남종면 문원리 도요지陶窯址 조사

  2. 전라남도 강진, 광주, 대전 도요지 조사

  3. 고구려 고분 발굴조사

  4. 경상북도 경주 남산지대 실측조사

  5. 경상북도 울산군 서생포증성西生浦甑城 실측조사

  6. 강원도 원주군 탑비塔碑 조사

     고려시대의 우수한 불교유물이 원주군 부론면 현묘탑지 및 동비, 원주군

     지정면 흥법사지에서의 염거화상탑지를 조사

  7. 익산군 금마면 미륵사지 조사

  8. 경주 흥륜사지 조사

제2. 보존공사

  1. 평안남도 성천 동명관東明館 수리

  2. 평안남도 안주 백상루百祥樓 수리

  3. 평안북도 의주 통군정統軍亭 수리

  4. 평안남도 용강군 신덕리 및 매산리 고분 수리

---

386 「제30회 고적조사위원회」,『국립중앙박물관 소장 총독부박물관 공문서』, 목록번호 : 96-277.

제3. 유물 소재지 매수

 1. 대구 고인돌 소재지

 2. 전라북도 익산군 금마면 미륵사지

 3. 경주 황룡사지

제4. 출판

 1.『조선고적도보 제9책』

 2.『고구려 유적』

 3.『도요지 조사보고』

의안2 소화2년도 고적조사 사무보고

제1. 고적조사

 1. 경상남도 창원군 웅천면 소재 성지城址 조사(기수 田中十藏)

 2. 경상남도 통영군 거제면 소재 성지 조사(田中十藏)

 3. 경상남도 사천군 읍남면 성지 조사(田中十藏)

 4. 전라남도 순천군 성지 조사(田中十藏)

 5. 경상남도 동래군 성지 조사

 6. 경상북도 경주 유사 이전 유적조사

 7. 남선南鮮의 고인돌 조사

 8. 평안북도 위원군 용연동 명도전明刀錢 출토 고분 조사

 9. 충청남도 공주군 반포면 학봉리 도요지 조사

 10. 충청남도 공주군 주외면 용당리 고분 발굴조사

 11. 고건축물 촬영

의주 통군정, 의주 남문南門, 안주 백상루百祥樓, 평양 대동문大同門, 평양

보통문普通門, 평양 부벽루浮碧樓, 성천 동명관東明館, 순천 고구려 고분

제2. 보존시설

1. 평안남도 낙랑고분 보존시설

2. 평안남도 삼묘리 고분– 철책 기타 수리

3. 평안남도 간성리 고분– 철책 및 고분 입구 벽돌 적환積換 기타 수리

4. 평안남도 북창리 고분– 문 교체 및 철책 수리

5. 평안남도 신덕리 및 매산리 고분– 철책 등 수리

6. 평안남도 진지동 고분– 철책 및 입구 및 계단 문 수리

7. 평안남도 점제秥蟬 비각碑閣– 철책 및 비석 수리

8. 평안남도 동명관東明館 지붕 등 수리

9. 충청남도 부여 백제시대 대석조大石槽 보존시설

10. 경성 종로 보신각普信閣 수리

11. 평안남도 안주 백상루百祥樓 수리

제3. 출판

1.『조선고적도보 제8책』

2.『경주 금관총과 그 유보』

제30회 고적조사위원회 2건의 의안은 특별한 의의 신청이 없어 1928년 8월

1일자로 원안原案과 동일한 내용으로 결정되었다.

1928년 7월

광희문(수구문)과 혜화문(동소문)이 헐리다.

원 광희문光熙門은 속칭 남소문南小門으로 원래 장충단 계류의 상류, 즉 한강
통로의 오지 성벽에 있었는데 풍수학상에 이 문이 그곳에 있는 것이 좋지 않다
고 하여 폐하고,[387] 광희문光熙門 현판을 수구문水口門에 이현移懸함으로써 수구

---

387 『동아일보』 1928년 4월 27일자에 실린 「9문 팔자타령-남소문(1)」에는 남소문의 폐쇄에
대한 다음과 같은 일화가 있다.
설상가상의 누명
폐허의 흔적도 의희(依俙)
동남지간에 있는 남소문을 光熙門이라 합니다. 그러나 이 광희문은 수구문이라고 하는
왕십리 나가는데 있는 문이 아니라 장충단으로부터 남산 산록을 넘어 한강을 나가는
길목에 있는 광희문인데 그 정말 광희문은 태조5년에 건설되었으나 명종 때에 이르러
문이 폐쇄되었다가 숙종 때에 아주 메워버려 흔적이 없어지고 빈 간판만 수구문루상에
달려서 남소문 흔적이 여기 남아 있답니다.
명종 때에 폐쇄되었다가 숙종 때 메워졌다면 그만이겠습니다마는 <중략> 내막을 조사
하여 보니 기괴망측하여 담은 입이 열리지 못하였습니다. 그러나 내 영혼은 인생과 같
이 죽어도 오히려 남아 있는 터임으로 밤중 고요한 때에 내 자리를 찾아오면 조용히 신
세타령을 들을 수 있지요.
내 입 벌려놓으면 장안부녀 놀아나
궁궐지 같은 역사에는 나의 방위가 풍수학상으로 보아 좋지 못하므로 만일 그대로 열
어두면 장안부녀가 놀아난다는 이유로 나를 없애버렸다고 기록되었습니다. 이것을 주
장한 이가 金安老라. 김안로로 이를테면 그 당시 세도 있기로 조선에서 누를 사람이 없
었던 터이므로 누구의 말이라 거역할 사람이 있었겠습니까. 한 번 말이 떨어지매 두말
없이 나는 꼼짝을 못하게 되었지요.
서슬 푸른 김안로 새벽잠을 깨운 탓
아무리 미신이 심하기로니 내가 있다고 어찌 장안녀자가 모두 달아날 리야 있겠습니
까. <중략> 지금은 거지가 죽어도 제멋대로 내다 묻었지만 옛날은 으례히 서소문과 내
문으로 출상하되 새벽이나 저녁때에 인적이 드물 때에만 허락하였지요. 그러므로 자연

혜화문과 광희문(『동아일보』 1928년 7월 12일자)

문이 광희문이 된 것이다. 광희문은 수구문이나 시구문屍口門이라고도 불렀다. 청계천이 간수문이 가까워 수구문이라고 했고, 도성의 장례 행렬이 통과하던 문이어서 시구문이라고도 했다.[388]

히 나는 낮보다 새벽에 더 분주했는데 우연히 내 문안에 그 굉장한 김안로 대감의 궁이 있었던 모양이외다. 그래 어이 어이하는 요란한 상여가 나가는 소리에 새벽잠을 잘 수 없었으므로 필경은 애매한 죄를 내가 입게 되었을 뿐이지요.

설상가상의 누명

내가 애매한 죄를 입은 것이 또 한 가지 있지요. 숙종 기미년에 許積이라는 어른이 남소문은 방위사 巽方에 있으니 王嗣가 번성치 못함은 그 문을 닫은 연고라 하여 열기를 주창하였으나 金錫周 라는 사람의 반대로 열지 못하였다니 아마 그 사람은 김안로의 후손이든가 봐요. 그러나 나를 반대하여 잘되는 법이 없습지요. 일세의 세도 김안로도 동대문과 남대문에 좋을 채 못 닫고 지를 익기 않았습ᅵ끼.

388 「京城 八大門과 五大宮門의 由來」,『별건곤』 제23호, 1929년 9월.

헐리게 될 광희문(『매일신보』 1928년 7월 12일자)

　이 문도 그동안 수리를 하지 않아 나날이 퇴락해가서 문루가 위험 지경에 이르자 1928년 7월에 보존경비保存經費가 없다는 이유로 철거하게 되었다.[389] 『매일신보』 1928년 7월 12일자 기사에는 그 과정을 다음과 같이 설명하고 있다.

　헐리는 광희문과 동소문
　경성의 각 문 중에 광희문, 동소문, 창의문 등 3문은 문루가 퇴락하여 대수리를 가하지 아니하면 매우 위험한 지경이라 총독부 관유재산계에서는 고심 중이던 바, 특히 광희문은 이전부터 부정문不淨門이라 하여 부중府中 각 문 중에 이 문에 한하여 죽은 사람을 내보내는 문으로 되었으므로 그 때에는 일반 부민은 이에 대하여 비상히 혐기嫌忌하였는데, 근자에는 걸인, 행려行旅, 병자 등의 주접처住接處가 되어버려서 심히 부결할 뿐 아니라 작년 같은 해에는 문루상에 걸인의 변사자가 있었으므로 소할 본정서에서도 이

389 『東亞日報』 1928년 7월 13일자.

를 보존하려면 보존할 만한 대수리를 가하지 아니하면 위험하다고 총독부에 상신하였으므로 본부에서는 그 처치에 대하여 경성부의 의견을 물었는데 경성부에서는 국보로서 보존을 한다하면 부에서는 이를 관리해도 좋다는 회답이 있었다. 그리고 종교과에서는 그만한 역사적 가치가 있지 않다는 의견이 있었으므로, 관유재산계에서는 필경 이를 철거해 버리고 창의문만은 파손된 정도가 적고 역사적 가치도 다른 두 문 보다는 많이 있으므로 보존하기로 하고 광희문, 동소문 두 문은 입찰에 붙였는데, 경성부내 진봉근이란 사람이 1085원에 낙찰하여 두 문을 철거하는 중이다.

혜화문은 1396년(태조5년)에 완공되었는데, 당시는 홍화문弘化門이라고 했다. 1511년(중종6년)에 창경궁의 정문인 홍화문과 발음이 같다 하여 혜화문으로 이름을 고쳤다. 1592년에 문루가 불탔으나, 1744년(영조20년)에 재건했다.

혜화문도 광희문과 함께 1928년 7월에 보존경비의 부족과 보존할 가치가 적다는 이유로 헐리게 되었다. 『중외일보』 1928년 7월 5일자에는 다음과 같은 기사가 있다.

이조사의 반을 말하는 혜화문의 훼철공사. 훼철 이유는 보존무요保存無要 "콩되나 먹을 때는 신작로 나고 쌀되나 먹을 때는 정거장 짓네" 이와 같은 민요가 생긴 지도 이미 수십 년이지만 곡괭이 소리가 들리는 곳마다 옛 자취는 없어지고 새로운 살풍경을 이루는 것이 지금 오늘날 조선의 자연의 얼굴일 것이다. 근일 경성시내로 말하더라도 남대문에서 경복궁에 이르는 큰길

문루가 헐린 혜화문 모습(한국사데이타베이스 사진유리필름자료)

홍토마루에서 창의문 아래 새다리까지 개천 덮는 공사를 위시하여 도처에서 곡굉이 소리를 들을 수가 있고 자갈 다지는 차의 흉악한 꼴을 볼 수가 있다. 그러나 이와 같은 도로나 하수도의 개수공사는 도회의 체면을 위하여서라든지 공중의 위생을 위하여서라든지 필요치 아니한 일도 아니겠지마는 까닭없이 옛것과 묵은 자취를 없이 하기 위하여 헐고 부시는 일도 없지 않다.

그리하여 아까운 옛 자취가 곡굉이 끝에 사라지고 아취있는 풍경이 몰풍취하게 변하는 일도 많을 터인데 최근의 한 가지 예를 들면 흔히 부르기를 동소문이라 하는 시내 혜화동 혜화문은 앞으로 삼선평三仙坪의 넓은 들을 바라보고 옆으로 성북동의 그윽한 골을 껴서 시내에서도 몇 째 아니 가는 좋은 경치로 백화가 요란한 봄날과 명월이 소소한 가을밤에 시인묵객이 모여드는 곳임은 물론이오. 성내성외의 심상행객이라도 이곳에 이르러서는 반드시 다리를 쉬이고 땀을 드리는 곳이다. 그러나 시국이 한 번 변한 이래로 재목은 썩고 단청은 사라질 뿐이오. 누구 하나 문을 위하여 보존을 꾀하는 사람은 없었다. 이러구려 봄바람 가을비가 거듭함에 따라 혜화문의 늙은 몸은 점점 썩고 헐기만 할 뿐으로 무심한 과객들도 오직 옛 회포를 자아내기만 하였을 뿐이다.

혜화문(동소문)은 1928년 7월에 진봉근이란 사람에게 팔리어 훼철 작업을 했으나 문루만 떼어가고 나머지 석축과 홍예는 그대로 남아 있었다.

문루만 헐어버리고 나머지는 그대로 둔 상태에서 관리도 하지 않아 통행은 물론이고 장마철에는 붕괴의 위험이 발생하자 1935년 8월에는 동네 주민들이 철거해 줄 것을 당국에 청원을 했다. 『조선중앙일보』 1935년 8월 14일자에는 다음과 같은 기사가 있다.

동소문 잔해 처분을 혜화동민이 청원

13일 부내 동대문서에는 혜화동민 대표 조정환 외 14명의 연서로 동소문을 처치해 달라는 청원서가 들어왔는데 동서 보안계에서는 자기의 권한 밖이라 하여 경기 토목과로 청원서를 넘기었다하며, 그 내용은 대략 다음과 같다. 동소문의 윗 지붕이 허물어져 버리고 그 잔해만 남아 있으니 이것을 마져 허물어트려 없애 버리고 언덕 진 도로를 평탄하게 하여 달라는 것이 청원 내용의 주지인 바 그 이유로는 동소문의 번창에 따라 이 부근의 통행자가 이미 증가하는 형편에 있는데 문터가 위험하여 그곳을 통행하기 위험하여 통행하기 곤란한 형편에 있으며 또한 7월 23일 폭우시에 돈암리 한 가족이 집에 치어 참사도 성벽 붕괴의 원인에 있는 것이니 국가로서는 위자료를 지불하여야 할 것이며 금후 이 부근에 사는 동민과 문외 문내에 사는 주민의 안심을 위하여 단연히 동소문을 처치해 주고 도로의 비탈을 깎아 달라는 것이다.

이 같은 주민들의 민원은 당국에서 서로 책임을 미루면서 성사되지 않았다. 그러다가 3년 후인 1938년에 시가지 정비와 도로공사를 하면서 혜화문이 포함되어 남아 있던 석축과 홍예도 철거되고 말았다.『동아일보』1938년 5월 25일 자에는 다음과 같은 기사가 있다.

풍우 5백년의 노문 동소문은 헐렸다. 부근 일대 시가지로

외국 문물이 아직 조선에 들어오기 전 서울장안을 보호하기 위하여 쌓은 성곽의 1문을 동소문 일명 혜화문은 지난 24일로 드디어 헐리고 말았다. 쇄국의 시대로부터 시간은 흘러 서울장안의 문물은 엄청난 진보와 변화를 보이고 장안의 발전은 옛날의 고적보다도 교통의 편리를 높이 평가함에 이르러 동소문과 성곽 일부는 경성부의 시가정리구역에 들어가 지난 20일 향기로운 아카시아꽃에 싸인 동소문에는 공부의 사정없는 끌이 닿아 헐리기 시작 24일로써 마지막 아치의 형적조차 장안 사람들의 애석해 하는 가운데 영원히 사라지고 말았다. 이 문이 헐린 곳에는 장차 시내로부터 삼선평三仙坪으로 직통하는 넓이 24미터의 대도로를 부설하게 되어 동소문 안쪽으로는 동성상업운동장 일부와 조선영화회사 녹음스튜디오며 대학의원의 서부 쪽 담장 일부가 모두 헐리는 중이다.

<중략> 최초의 누문 천정에는 이 문밖 부근의 조해鳥害를 막는다는 의미에서 용 대신에 봉황을 그렸으나 이미 10여 년 전에 이것은 무너져 없어졌다.

혜화문 즉 동소문은 1938년 5월 24일에 완전히 철거되고 혜화문정惠化門町 이라는 지명만이 남게 되었다.

1927년부터 황해도 신천군 방면에서 대방군 관계의 연호명을 가진 와전이 출토된다고 알려지면서 일대의 고분이 빈번히 도굴되어 전을 수집하고 있다는 것을 전해 듣고, 1928년 7월 중순에 이마니시 류今西龍가 황해도 신천군에 출장히었다. 이마니시는 신천군 북부면 서호리 전축분의 도굴 상태를 살피고, 신천 공립보통학교의 수집품을 열람하여 건원원년명전建元元年銘塼과 대강사년명전 大康四年銘塼을 확인했다.[390]

용덕사 불상 도난

7월에 용인군 용인면 묵리 용덕사에서 목제금박 길이 한자 여섯치, 폭 한자 세치되는 관음불상을 잃어버렸다.[391]

이마니시 류(今西龍)의 전라북도 여행

1928년 7월 하순 전라북도교육회가 강습회 강사로 이마니시를 초청하게 되어 이 기회에 여행을 하게 되었다.

1928년 7월 28일 목포행 야간열차로 경성을 출발하여 다음날 이리에 도착하

390 朝鮮總督府,「昭和3年度古蹟調査事務概要」,『朝鮮』, 1929년 4월
391 『東亞日報』1928년 7월 21일자.

여 전주로 향함

8월 2일부터 금산사를 답사하여 금산사 유물을 조사하고, 4일에는 금산사를 출발하여 김제를 답사했다(벽골제, 효정리 용아묘 등).

8월 5일에는 김제를 출발하여 정읍을 경유하여 내장사로 향하던 도중 내장리에서 지석총이 산재한 것을 보고, 내장사에 도착하여 내장사 유물을 조사했다.

8월 6일에는 내장사를 출발하여 정읍(옛 고부)에 도착하여 옛 문헌과 대조하여 지명, 성황산성城隍山城, 두승산성斗升山城 등을 조사하고 두승산에서 석부石斧를 발견했다. 영원면 탑입리석탑과 영원면 은선리 고분을 답사하고, 고부의 은성우殷成雨라는 사람의 소장품 금고金鼓 등을 조사했다.

영원면 탑입리 석탑은 동네 밭 중에 있는 장엄하고 우수한 탑으로, 탑은 3층으로 고 4척여, 폭 7척여의 기단 위에 세워져 있으며 제1층은 고7척5촌, 폭 4처5촌 총고 24척으로 2층탑신은 1석으로 이루어져 이곳에 구멍龕을 뚫고 개폐할 수 있는 석비石扉를 만들었는데 지금은 열린 상태로 감실 안에는 소석이 차있다고 한다.

8월 8일에는 내소사에서 1박, 변산 일대 답사하고 위금암고성位金巖古城: 주류성), 주류성 내의 묘암사지를 답사했다.

묘암사지의 서쪽 소계류의 측에 주민들이 물건을 씻는 곳에서 취사용炊事用 도구로 대용하고 있는 탑신(폭1척7촌, 고 1척2촌)을 발견했다. 탑신의 한 면에는 마모가 심하지만 '묘련왕지妙蓮王地'의 4자가 해서 2행으로 음각되어 있었다. 부주의로 탁본 도구를 챙겨가지 못해 탁본은 하지 못했다. 이 탑신의 상면에는 사리를 보관하였을 것으로 보이는 깊이 6촌의 구멍이 있었다.

8월 9일에는 선운사를 답사하여 선운사 소장 책자를 조사했다.

8월 10일에는 전주, 11일에는 익산(금마)을 답사했다. 익산에서는 미륵사지와 왕궁지를 답사하고 용화산성(일명 미륵산성)을 답사했다. 용화산 남면 산정상 부근의 사자사는 메이지 말년에 폭도(의병) 봉기 때 폭도 소굴이라 하여 일본군이 불을 질러 타버렸다고 한다.

8월 12일부터 14일까지 논산에 머물렀다.[392]

1928년 8월 6일

불상 절취범 검거

8월 6일 인천경찰서에서는 불상과 남의 선조 초상을 훔친 도둑 수명을 검거했다.

경기도 광주군 오포면 양벌리 양명식, 이태준, 류근하는 불상을 절취하기로 공모하고, 금년 3월 15일 밤에 광주군 중부면 장경사長慶寺에 가서 법당문을 파괴하고 들어가 석가여래 불상 한 개를 절취했다. 절취한 불상은 이태준의 집에 감추어 두었다가 고양군 숭인면 신설리 류재영에게 부탁하여 경성의 나카하라 교사후로中原淸三郞에게 돈 5원에 팔았다.

그 불상은 고물상에 전전 매매되어 마지막에는 인천의 어떤 고물상이 사서 인천부 화평리 282번지 선종대사 봉은사 인천포교당에 금 30원에 팔리었다.

또 범인 세 사람 중 류근하는 다시 그 동리 황종필과 광주군 초월면 용수리 장원서와 공모하여 용수리 장인수의 집에 있는 장인수의 15대조의 초상을 절취하였다.

392 今西龍, '全羅北道西部地方旅行雜記」, 『百濟史研究』, 1934.

절취한 초상은 역시 고양군 숭인면 류재영에게 의뢰하여 그 팔아먹을 곳을 찾던 중 발각되어 범인이 검거되는 동시에 초상은 증거품으로 인천경찰서에 압수되었다.[393]

1928년 8월 10일

제1관문 동측 수문

조령성지 조사

1928년 8월 10일부터 16일까지 조선총독부 종교과 기수 다나카 쥬조田中十藏가 문경군 문경면 주흘산과 조령에 걸쳐 있는 산성에 대한 조사를 했다. 8월 30일 보고한 복명서에는 산성의 주요 관문인 주흘관主屹關(제1관문), 중성문中城門(제2관문), 북야문北夜門, 동야문東夜門과 동창지東倉址를 비롯한 기타 시설의 위치와 현재 상태 등을 기록하고 있다.[394]

---

393 『中外日報』 1928년 8월 10일자;『東亞日報』 1928년 8월 10일자
394 「1928 문경군 鳥嶺城址 調査 復命書」,『국립중앙박물관 소장 조선총독부박물관 공문서』, 문서번호 : 96-132.

1928년 8월 11일

철거되는 융무당(隆武堂)과 융문당(隆文堂)

구한말에 문무 과거를 실시하던 융무당과 융문당이 보존 경비가 부족하다 하여 총독부에서 철훼하다.

『동아일보』1928년 8월 13일자에는 헐리는 융무당, 융문당의 사진과 함께 다음과 같은 기사가 있다.

유서 깊은 옛 과거터, 융무 융문 양당 철훼, 문무의 과거를 보던 융무당 융문당을 일본 절에 빌려주어 곡괭이에 헐려가 진언종眞言宗에 무상대여 총독부 고적보존회에서 경비가 부족하다하여 최근에 이르러 시내 각처에 있는 유래 깊은 고대건물을 자꾸 헐어버리는 중인데 또 다시 시내 총독부 뒤 춘당대에 있는 융무당과 융문당을 지난 11일부터 시내 입정정笠井町에 있는 융흥사隆興寺에서 다수의 인부를 데리고 와서 헐기에 착수했다. 내용은 전기 융흥사에서 총독부에 출원하여 동 건물을 그대로 보존한다는 조건으로 심지어 주춧돌까지 전부 가져다가 용산 경성출장소 옆에 있는 빈터에다 새로 건축하고 불상을 안치하여 소위 선남선녀들이 출입하여 명복을 빌게 되리라는 바 문무 과거를 보이던 곳이 갑자기 부처님 두는 곳으로 변하여 가는 것은 보는 사람들로 하여금 적지 아니한 감개를 일으키게 하였다.

『신한민보』1928년 9월 20일자에도 다음과 같은 기사가 있다.

헐리는 융무당과 융문당

유서 깊은 옛날 과거터 융무 융무당 철폐하여

총독부고적보존회에서 경비가 부족하다하여 최근에 이르러 경성내 각처에

있는 유래 깊은 고대 건축물을 자꾸 헐어버리는 중인데 또 다시 경성 내 총

독부 뒤 춘당대에 있는 융무당과 융문당을 8월 11일부터 경성 내 입정정에

있는 왜인의 집 진언종 융흥사에 다수의 인부를 데리고 와서 헐기에 착수

하였다 한다. 비용은 전기 융흥사에서 총독부에 출원하여 동 건물을 그대

로 보존한다는 조건으로 심지어 주춧돌까지 전부 가져다가 용산 경성부 출

장소 옆에 있는 비인 터에다가 새로 건축하고 불상을 안치하였다.

여기서 전하는 융흥사隆興寺라는 것은 용광사龍光寺의 오기로 보이는데,[395] 『경기지방의 명승사적』에서는 "한강통 11번지 고야산 용광사에 1929년 5월에 심무문 밖의 융무당(용광사 본당), 융문당(동사 동북 모퉁이의 客殿를 이축했다"[396]고 하고 있어 1928년 8월에 헐리어 용광사로 옮겨진 후 이축 완료된 것이 이듬해 5월이 아닌가 여겨진다.

이 같이 헐어서 옮긴 이유에 대해서는 '보존경비 부족'이라고 내세우고는 있지만, 이면에는 후원 내 총독부 관저의 신축이라는 또 다른 이유가 있었다. 즉 경무대에 남아 있던 융무당 경농재 자리에 총독부관저를 짓고 1929년 조선박람회 때는 융문당 영역을 박람회장으로 사용했다.[397] 따라서 보존경비 부족이라는 것은 총독부관저의 신축과 조선박람회장으로 사용하기 위한 목적을 숨기기 위한 핑계였던 것이다.

해방 후 1946년 용광사의 건물은 전재동포구호사업을 통해 불하우선권을 취득한 원불교로 넘어갔다. 원불교는 돈암동에 있던 서울지부를 이곳으로 옮겨와 구호사업을 지원하였고, 이후 융문당은 원불교의 대법당으로, 융무당은 생활관으로 사용하다가 2006년 전남 영광으로 옮겨져 전남 영광군 백수읍 원불교 영산성지로 이전, 복원했다. 융문당은 영산성지 영산선학대학교 입구 옆에 창립선진관으로, 융무당은 대신리에 있는 옥당박물관 부속건물로 복원되었다.[398]

---

395 박성진, 우동선, 「일제강점기 경복궁 전각의 훼철과 이건」, 『朝鮮建築學界論文集 計劃系』 제23권 5호, 2007년 5월.

396 京畿道 編纂, 『京畿地方の名勝史蹟』, 朝鮮地方行政學會 發行, 1937, p.80.

397 박성진, 우동선, 「일제강점기 경복궁 전각의 훼철과 이건」, 『朝鮮建築學界論文集 計劃系』 제23권 5호, 2007년 5월.

398 『원불교신문』 2008년 12월 26일자; 박성진, 우동선, 「일제강점기 경복궁 전각의 훼철과

융문당(『조선고적도보』)　　　　　　　　융무당(『조선고적도보』)

1928년 8월 19일

1928년 8월 19일 공주의 가루베 지온輕部慈恩이 서혈사지西穴寺址에서 연화문 파와를 채집하다.[399]

『매일신보』 1928년 8월 26일자 기사

1928년 8월 23일

전주 회암사서 불상 도난

8월 23일 오전 2시경에 전북 전주 상한면 대성리 회암사에서 도적이

이건」, 『朝鮮建築學界論文集 計劃系』 제23권 5호, 2007년 5월.
399 輕部慈恩, 「百濟の舊都熊津に於ける西穴寺及び南穴寺址」, 『考古學雜誌』 19-4, 1929년 4월.

본당에 문을 열고 들어가 안치하여 둔 토제도금불상을 절취하여 갔다.

1928년 8월 25일

공주 금남루(錦南樓)를 일본 불교 선종사(禪宗寺)로 이전하다

충청남도청의 누문 안 금남루는 2층 건물로서 오랜 세월을 견디면서 한쪽으로 기울어져 통행에 위험을 느낄 정도였다. 그래서 이를 철거하고자 하나 호남의 유명한 누문의 형적을 아주 없애는 것은 안타까운 일이라 그동안 여러 방법을 모색해 왔다. 일반 여론이 대부분 보존하기를 희망하여 도청에서는 공주군보승회에 양여했다. 이에 보승회는 금남루는 선종사 본전으로 건설하여 보존케 하는 것이 묘안이라고 생각하고, 또한 일본인 불교 본원사 선종사禪宗寺 총대의 희망에 의하여 양도했다.[400]

『매일신보』 기사에는 금남루의 이전이 오래되어 한쪽으로 기운 탓이라고 하는데, 정작 그 이유는 충남도청 신축공사에 있었다. 앞서 『매일신보』 1927년 8월 25일자에는,

충남도청 증축 금년 내 준공
충청남도청은 일시 세간에 선전하던 이전 운운의 문제보다도 조선식 구청사를 변작變作하여 사용하는 관계로 항상 협착狹窄하고 불편이 심하므로 위선 일부라

---

400 『每日申報』 1928년 9월 3일자.

도 증축의 필요를 느끼고 이래 간부 간에서 예산 관계와 기타를 응의疑議한 결과 현재 경찰부 서측 회계과 및 문서과를 훼철하고 목조 총 140 건평의 2층옥을 건축하기로 결정한 후 지난 19일에 공개입찰에 붙여 총 공비 1만 2천790원으로 낙찰되었으므로 불일간 공사를 착수하여 금년내에 준공케할 예정 운운.

이라 하고 있어 도청건물의 신축과 관련이 있음을 알 수 있다. 『매일신보』 1928년 9월 3일자에는 "도청누문자리에는 약 2천원의 공비로서 신식정문을 신축하게 하여 전에 남문조山南組의 청부로 낙찰되어 역시 불원간 기공한다더라" 하고 있어 넓은 신식 정문으로 신축하기 위해 금남루를 철거함을 알 수 있다.

『동아일보』 1928년 8월 30일자에는 다음과 같은 기사가 있다.

충남의 명물 금남루 이전

충남도청 정문을 막아서서 과거 56년간 춘풍추우의 가진 풍상과 많은 피란을 겪고 있던 구명 포정사布政司로서 일한합병 이후로 금남루錦南樓로 변경까지 된 옛 누각은 지난 25일에 그 자리를 떠나 당지 금정 일본인 불교 본원사 손으로 옮기어 갔는데 이 금남루는 지금으로부터 56년 전 계유년 봄에 수륙군 대장인 관찰사 김병시 씨가 도임한 후 건축하여 포정사로 간판을 부치었던바 갑오동란 이후 일청전쟁을 겪으며 본 도내 삼십육관을 다스리던 정객과 씨름을 도웁던 곳으로 충남 명물인 금남루도 이제 다시 볼 수 없으리라더라(공주).

옮기게 될 금남루(『동아일보』1928년 8월 30일자)

1928년 8월 31일

수원역 낙성

수원역 신청사 공사가 끝나사 1928년 8월 31일 낙성식을 가지다.

낙성식을 가진 수원역 모습(『매일신보』1928년 9월 4일자)

1928년 8월

훈민정음 사본 발견

강원도지방 역사유적을 탐방하던 최남선이 오대산 상원사에서 훈민정음訓民正音의 최고最古 사본寫本을 발견하다.

이는 세조 9년 혜각존자慧覺尊者가 상원사 중창을 위하여 만든 권선문과 세조가 상원사 외호를 위하여 자손에게 유촉遺囑한 문적文蹟을 일일이 정음正音으로 써 번역한 것이다.[401]

철훼설이 대두되던 독립문의 개축비 4,100원이 경성부지방비에서 조달되어 개수키로 하다.[402]

후지시마 가이지로(藤島亥治郎)의 흥륜사지 방문

후지시마 가이지로藤島亥治郎가 1922년 8월에 흥륜사지를 방문했을 때에는 금당지의 토단 위에 초석이 엄연히 병렬並列되어 있었는데 학생시절의 견학이

---

401 『東亞日報』 1928년 8월 5일자
402 『東亞日報』 1928년 8월 20일자.

라 미조사未調査로 끝났다고 한다.

그 후 1928년 8월에 조사를 목적으로 왔을 때에는 이미 토단 위는 밭을 만들기 위해 초석을 모두 파헤쳐 토단 아래로 굴러 떨어뜨리고, 또 민가에 운반하여 사용하는 등 당시 토단 위에 남아 있는 것은 겨우 이동한 2개의 초석에 불과하고 전혀 금당의 규모를 보기 어려워 그 참상을 보고 놀랐다고 한다.[403] 후지시마藤島는 "당시 모로가 히데오의 조사를 지목하는 것으로 1910년대)에는 금당의 토단土壇과 석조石槽 1개, 석불 수개가 존存하였으나 지금은 실失하였다"[404]고 한다.

이 석조石槽에 관한 기사는 『동경잡기』[405]에,

길이가 7척2촌, 넓이가 3척5촌이다. 흥륜사의 고물이다. 부윤 이필영李必榮이 사람을 시켜 금학헌琴鶴軒 북쪽 뜰로 끌어들여 백연白蓮을 심고 조각하여 이를 기록하였다.

하는데, 군청 후정에 있던 것을 나중에 경주박물관으로 옮겼다. 또한 이곳에 남아있던 석불은, "동네사람들의 말에 의하면 원래 사지 부근에 수 개의 석불이 있었는데 왕년往年 서천교西川橋 가교架橋 때 석공이 전부 파괴 운반하여 교재橋材로 사용했다"고 한다.

---

403 藤島亥治郞,「朝鮮建築史論(其二)」,『建築雜誌』第44輯 第533號, 1930년 5월, p.117.
404 藤島亥治郞,「朝鮮建築史論(其二)」,『建築雜誌』第44輯 第533號, 1930년 5월, p.116.
405 顯宗10년(1669) 府使 閔周冕이 鄕儒에게 의뢰하여 編纂 刊行했다. 肅宗37년(1711) 府尹 南至熏이 이를 重刊하고 다음해 府尹 權以鎭이 刊誤를 附錄했으며 憲宗11년(1845)에 府尹 成原黙이 내용 일부를 補正하여 改刊하니 이 雜記는 이후 경주 여러 州誌를 편찬하는데 根幹이 되었다.

흥륜사 석조(국립경주박물관)

『도쿄국립박물관 소장품 목록』에는 이곳에서 발굴하여 반출해 간 와가 61점이나 수록되어 있으며,『조선고적도보』제5권에도 흥륜사에서 발굴한 와瓦가 상당수 실려 있는데 도쿄제국대학 공과대학, 문과대학, 도쿄미술학교, 오바 쓰네키치小場恒吉, 모로가 히데오諸鹿央雄, 고히라 료조小平亮三 등의 소장품으로 게재揭載되어 있음을 보아 학자들에 의한 조사와 더불어 도굴이 이루어졌음을 알 수 있다.

흥륜사는 이차돈의 사건을 겪으면서 창건한 신라 최초의 사찰이자 법흥, 진흥왕과 밀접한 관계가 있는 사찰로『삼국유사』에 의하면, 진흥왕 즉위5년 갑자년(544)에 세워 진흥왕이 '대흥륜사大興輪寺'란 사명을 하사하였다. 또 금당에는 아도, 원효, 자장 등을 비롯한 10성十聖의 니소泥塑를 만들어 모셨으며, 해마다 2월이 되면 여드레에서 보름날까지 서울의 남자와 여자들은 흥륜사의 전탑殿塔을 다투어 도는 복회福會를 행했다는 기록이 있음을 보아 대단히 큰 사찰로 짐작된다. 또한「성주사 낭혜화상백월보광탑비문」에 의하면 문성대왕이 낭혜화상이 주석한 사찰의 이름을 바꿔 성주사라 하고 대흥륜사에 예속시킨 사실로 보아 주찰로서의 위세도 대단했던 것으로 보인다. 그러나 고려시대에 와서 거란과 몽고, 왜구의 침입으로 전소되어 세월이 지나면서 그 소재지가 분명치가 않았다. 그러다가 1911년에 모로가 히데오諸鹿央雄에 의해 우연히 밝혀지게 되었다.[406]

흥륜사 발견 와편(도쿄공과대학 소장)

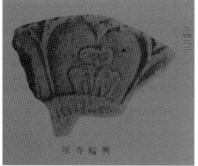

흥륜사 발견 와편(諸鹿 소장)

---

406 藤島亥治郎, 「朝鮮建築史論(其二)」, 『建築雜誌』 第44輯 第533號, 1930년 5월, p.11.

남원군청 신축, 임시 청사는 광한루

남원군청은 지금까지 구건물을 이용하여 오다가 8월에 순국고금 1만 3천7백원으로 구기지에 신축하게 되어 곧 착공하여 오는 11월경에는 준공될 터이라한다. 구건물近民堂은 옛 면사무소에 655원에 매매 낙찰되었고, 임시 군청은 광한루로 결정되어 8월 26일 이전하였다.[407]

1928년 9월 10일

도난당했다 되찾은 영탑사금동삼존불(보물 제409호)

영탑사금동삼존불(보물 제409호)

1928년 8월 12일 충남 당진군 오천면 성하리에 있는 영탑사 범당에 모셔둔 금동삼존불을 도난당했다.[408]

사건은 1개월 후에 해결되었는데, 범인은 충남 예산군 고덕면 몽곡리에 사는 이교영으로 총독부 순사를 지낸 자였다. 이 자는 8월 12일 영탑사에 잠입

---

407 『東亞日報』1928년 8월 28일자.
408 『동아일보』1928년 8월 19일자.

하여 불상을 절취한 다음 인천에 사는 최순석으로 하여금 서울로 운반하였다. 1928년 9월 10일 서울로 운반한 불상을 시내 남정일의 중개로 2천여원에 팔려고 하던 중 종로경찰서 순사에게 발각되어 검거되었다.

『매일신보』 1928년 9월 23일자 기사

이로써 도난당한 불상은 무사히 돌아올 수 있었다.[409]

1928년 9월

9월 초순에 조선총독부 고적조사회는 부여고적보존회에 보조금을 주어 재단법인으로 하는 동시 동지 무량사無量寺 경내에 부여박물관을 건립키로 하다.[410] 『매일신보』 1928년 9월 1일자에는 다음과 같은 기사가 있다.

진귀한 고적유품을 영구히 보존하고자 동지 고적보존회를 재단법인으로 조직하는 동시에 동지의 백제고적박물관을 건설하고자 목하 각방으로 노력 중이라는데 총독부에서는 이에 상당한 국비를 보조할 터이라 하며 박물관은 동지에 유명한 사찰 무량사 경내에 이를 건설하기로 결정되었으므

---

409 『동아일보』 1928년 9월 14일자; 『매일신보』 1928년 9월 23일자.
410 『東亞日報』 1928년 9월 4일자.

로 이 학무국장도 금번 동 지방을 실지 시찰하고 돌아갔다더라.

부여 정림사지 확인

충남 부여 정림사지 정림사명 평와편 탁본

1928년 9월 부여읍내에서 지역민들이 체육촉진을 위한 운동장을 만들기 위해 정림사지 5층석탑 주변의 땅을 고르는 작업을 하다가 석탑 부근에서 고와古瓦가 퇴적된 장소가 일부 드러났다. 그곳에서 고와古瓦에 문자가 새겨진 것이 수 점 발견되었다. 이 소식을 접한 세키노 타다시關野貞와 총독부 종교과의 와타나베 아키라渡邊彰가 공주에 출장하여 여러 사람이 소장한 수편의 재명와在銘瓦를 모아 해독한 결과 '대평8년무진정림사대장당초大平八年戊辰定林寺大藏當草'의 13자를 밝히게 되었다.[411] '대평8년大平八年'은 고려 현종19년顯宗十九年(1028)에 해당

411 渡邊彰, 「夫餘 平濟塔 所在地の寺刹名に就いて」, 『朝鮮佛敎』, 朝鮮佛敎社, 1930, pp.17-18.
    藤島亥治郎은 「湖南地方に於ける 朝鮮建築史料(二)」, 『朝鮮と建築』 第5輯 第7號 1926
    년 7월) '大唐平百濟塔の寺址に就て' 條에서 명문와가 발견되기 전까지는 이 사지가
    백제시대의 王興寺址로 비정되어 왔었다고 한다.
    그러나 진홍섭은 「백제사원의 가람제도」(『백제불교문화의 연구』 1994년 충남대 백제연
    구소)에서, 왕흥사로 추정되고 있는 곳은 부여 규암면 신구리의 왕은리 부락에서 '王興'

하는 것으로 동시대에 정림사로 불리었던 절이 이곳에 있었음을 밝히게 되었다.

1928년 10월 6일

구암사(龜岩寺) 불상 도난

1928년 10월 6일 순창 구암사에서는 불상 1구를 도난당했다. 도난당한 후 극비리에 사방으로 수색을 하였으나 실마리를 찾지 못했다.[412] 『동아일보』 1928년 12월 23일자에는 다음과 같은 기사가 있다.

구암사龜岩寺 금불 도난

귀중한 고물을 절에서 잃어

전북 순창군 복흥면 구암사에서는 10월 6일에 금부처金佛를 돌연 잃어버렸다는데 주지 김종렬 씨는 물론 사내 승려들은 이래 2개월 동안을 당지 경찰과 협력하여 극비밀리에 엄밀한 수색을 한다는 바 혐의자로 원적을 경상도에 둔 한모를 검거하여 엄밀 취조를 하는 등 각 방면으로 활동을 계속하였으

이란 在銘의 瓦片이 발견된 점을 들어 왕은리 부락을 왕흥사로 추정하고 있다.
高裕燮은 「朝鮮塔婆의 樣式變遷」(『東方學志』 제2집 1955년 5월 연희대동방학연구소)에서 이곳(정림사지)를 『三國史記』 百濟本紀 第6 의자왕20년조에 보이는 '白石寺'라는 것이 한번 고려되는 바이나 證徵이 없다고 한다.
412 『매일신보』 1928년 11월 11일자.

나 이 사찰에서 금부처를 잃은 것은 이번이 처음인 만큼 종적은 날이 갈수록 묘연해진다는 바 그 부처는 사내 조실祖室에 가장 정결하게 하기위해 목궤木櫃를 짜서 그 안에 넣어 착실히 간직하던 것을 도난당함은 참으로 알 수 없는 일이라 하며 부처의 연대는 알 수 없이 그 절의 승들의 말이 신라 때에 유전하여온 줄 밖에 모르는 고물이라는 바 중량은 약 4관 쯤 된다하며 특히 그 부처는 사찰의 재산목록에 실리어 있음으로 여간 큰 문제가 아니라더라.

구암사는 전라북도 순창군 복흥면 봉덕리 영구산靈龜山에 있는 절로, 대한불교조계종 제24교구 본사인 선운사禪雲寺의 말사이다. 6·25 때 전소되어 사찰에 보존한 추사가 쓴 '구암사' 라는 현판과 많은 서간이 모두 불타버렸다. 사찰은 그 후 1957년에 복원하였다.

1928년 10월 30일

불상 도적 체포

일정한 주거가 없는 김모 외 2명은 공모하여 지난 7일 시내 한강통의 일본인 집에 침입하여 불상 1체를 훔쳐 시내 공덕리의 고물상에 팔았다가 30일 용산서에 검거되었다.[413]

---

413 『每日申報』 1928년 11월 1일자.

1928년 10월

미신으로 인한 고구려벽화 훼손

『동아일보』 1928년 10월 26일자에는 다음과 같은 기사가 있다.

고구려시대 고분, 귀중한 벽화 파손

벽화의 흙을 뜯어다가 먹고 보면 무슨 병이라도 낫는단 미신으로

순천군 북창에 있는 고구려 시대의 고분 속에 있는 벽화는 1914년도 순천
박 군수의 손으로 발견된 이래 동대 세키노 박사가 그곳까지 가서 실지 연
구를 행한 결과 고분 천정과 벽면에 있는 벽화는 고구려 초기의 유적으로
귀중한 연구 자료인 것이 알게 되어 당국으로서는 그 보존에 노력하여 일
정 다른 사람의 출입을 엄금하여 오던바

부근 동리 사람들은 병이 나면 고분 속에 있는 흙을 파서 먹으면 낫는다는
풍설이 떠돌기 시작하면서 보존하여야 할 고분 속의 벽화는 부근 사람들
의 미신적 행위로 인하여 점차 벽화가 파손된다는 소식을 들은 세키노 박
사는 수일 전 조선으로 건너와서 20일 북창에 도착하여 실지 조사를 행한
결과 첫 번 발견되었을 적보다 벽화가 많이 파손된 것을 발견하고 23일 평
양으로 돌아왔는데 씨는 완전히 보존하기 위하여 당국의 성의 있는 대책
을 세우기를 요망하였다더라.

이 같은 일로 인해 1930년 5월에 후지타 료사쿠藤田亮策, 사와 슌이치澤俊一가

평안남도 강서군, 용강군, 순천군에 출장하여 12일간 벽화고분을 조사하였다. 그 결과 강서군 강서면 삼묘리의 벽화고분 2기는 외책이 파괴되고, 용강군 지운면 안성리에 있는 대총 및 쌍영총도 외책이 파괴되고 고분 입구의 문짝이 모두 부패 내지는 파괴되었다. 용강군 신녕면 성총 및 수총과 매산면 감신총 등은 문짝이 파손되어 자유로이 출입할 수 있도록 되어 있었으며, 벽면의 중요부분을 주민들이 삭거削去해 갔다. 모두가 부근 동리 사람들이 병이 나면 고분 속에 있는 흙을 파서 먹으면 낫는다는 속설 때문에 이렇게 된 것이다.

백률사 동조약사여래입상

경주 백률사 약사전에 안치되어 있던 동조약사여래입상을 1928년 10월에 경주분관으로 이치하다.[414]

평북 태천군 서읍내면 산성동 산성 조사

평북 태천군 서읍내면 산성동 농오리산성은 을종요존림으로 보존해 왔는데 1928년 8월에 이를 태천학교조합에서 학교림으로 양여 받게 됨에 따라, 이마니시 류今西龍와 후지타 료사쿠藤田亮策이 1928년 10월에 농오리산성을 조사

---

414 『博物館陳列品圖鑒』 제11집, 1937.

하여 고구려시대에 축조된 성임을 확인하다.[415]

평남 순천군 고구려벽화 조사

평남 순천군 북창면 초평동고분은 특수한 구조와 벽화를 가지고 있어 세키노 타다시關野貞가 10월에 재조사를 하고 이를 촬영하다.[416]

1928년 11월 12일

안국사 관내 북암사(北菴寺) 소실

11월 12일 평남 순천군 사인면 안국리 안국사 관내 북암사 절간에서 불이 일어나 8칸이 전부 소실되었다.[417]

---

415 朝鮮總督府,「昭和3年度古蹟調査事務槪要」,『朝鮮』, 1929년 4월.
416 朝鮮總督府,「昭和3年度古蹟調査事務槪要」,『朝鮮』, 1929년 4월.
417 『每日申報』 1928년 11월 15일자.

1928년 11월 17일

강원도 고성군 오대면 백련암白蓮庵을 폐지하다.[418]

1928년 11월 29일

고물을 발굴, 경북 안동에서

경북 안동군 임하면 신덕동에서 11월 29일 집 짓는 흙을 파다가 검, 말굴레 등의 구리와 은파편을 발견하여 총독부박물관으로 보냈다.[419]

1928년 12월 1일

총독부박물관에 기부한 야마나카의 '금동수정입칠기합식'

1928년 11월 26일 총독부박물관에서 주식회사 야마나카山中상회 야마나카 사다지로山中定次郎에게 '금동수정입칠기합식金銅水晶入漆器盒飾'을 구입하기 위해 교섭을 하였

---

418 『朝鮮總督府官報』 1928년 11월 17일자.
419 『東亞日報』 1928년 12월 17일자.

다. 그러나 야마나카 사다지로山中定次郎는 12월 1일에 이를 총독부박물관에 기부를 하였으며, 총독부에서는 야마나카에게 포상을 한 건이 『광복이전 박물관자료목록집』에 나타나 있다.

기부원

평안남도 및 황해도 고적조사

1928년 12월1일부터 12월 11일까지 오하라 도시타케大原利武는 평안남도 용강군과 황해도 은율군 소재 고분에 대한 일반 조사 및 신천군 문자전文字塼 출토지에 대한 시찰을 했다.

용강군 용월면 계명리의 고분은 용월면 주재소로부터 고분을 발견했다는 보고를

발굴된 벽돌로 쌓은 벽(평안남도 용강군 용월면 갈현리 주택)

받고 평남도청에서 도리카이鳥飼 평양중학교장에게 조사를 의뢰하여 보고서를 작성하여 이를 총독부에 보고(소화2년 6월 2일부 평남도지사 보고)해 옴에 따라 오하라가 출장을 하여 일반적인 조사를 했다.

의산리 석탑(평안남도 용강군 용강면)

평남 용강군에서 전축고분을 조사하고 황해도 전반에 걸쳐 낙랑 대방시대의 고분이 산포해 있음을 확인했다.[420] 계명리 내동부락의 서부 밭에 산재한 고분 중 무분戊墳에서 벽화의 흔적을 발견했다. 용강군의 일부 고분에 사용된 전은 일반 민가의 가옥을 건축하는데 사용되기도 했다. 그 외 용강군 읍내 부근의 한 석탑을 조사했다.[421]

황해도 은률군 및 신천군 고적조사

1928년 10월 은률군 서부면 신기주재소의 경찰관이 서부면 곡리 및 운성리의 주민이 산중으로부터 전塼을 파내오는 것을 발견하여, '분묘 발굴 및 고적유물보존규

420 「昭和3年度の古蹟調査」, 『朝鮮』, 朝鮮總督府, 1929년 8월.
421 「평안남도 및 황해도 고적조사보고(소화4년 2월 13일, 大原利武)」, 『국립중앙박물관 소장 총독부박물관 공문서』, 목록번호 : 96-277.

칙'을 어긴 유실물횡령사건으로 고발하는 한편 이 사실을 총독부로 보고했다.

이에 따라 고적조사위원 오하라 도시타케大原利武가 1928년 12월 1일부터 11일까지 평안남도 용강군과 황해도 은율군 소재 고분에 대한 일반 조사 및 신천군 문자전文字塼 출토지에 대한 현상을 조사했다.

고분 소재지는 은률읍내로부터 서

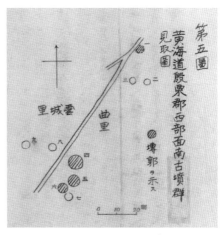

서부면 남고분군 견취도

방 약 2리의 곳으로 서부면의 남부로부터 남북 2군의 고분이 있었다. 남의 고분군은 곡리 및 운성리에 9기, 북의 고분군은 운성리 내에 9기가 분포되어 있었다. 남 고분 중 제1호분은 봉토를 잃고 주위에 전이 흩어져 있었다. 제4호분은 남북 양고분군 중 가장 거대한 고분으로 전부 발굴되어 주변에 전파편이 흩어져 있었다. 제

곡리 제4호분(황해도 은율군 서부면 남 고분군)

5호분~제7호분도 이미 도굴된 상태였다.

북의 고분군도 대부분이 도굴된 상태였다.[422]

1928년 12월

안동군에서 유물을 발굴

안동군 해하면 신덕동 권 모는 부근 소유 밭에서 흙을 파다가 지중에서 동과 은으로 된 검, 마구파편 약 2백여 점을 발견했다.[423]

같은 해

야쓰이 세이이치가 반출한 유물 도쿄박물관에 진열되다

야쓰이 세이이치谷井濟—는 1907년 도쿄제국대학 문과대학 사학과를 졸업하고 도쿄대학 대학원에 입학하지만 1908년 도쿄제실박물관의 소장 자료를 정리하는 일을 맡았다.[424] 1909년부터 세키노, 구리야마 등과 함께 한국 고적조사

422 「황해도 은률군 및 신천군 고적조사보고(大原利武)」, 『국립중앙박물관 소장 조선총독부 박물관 공문서』, 96-132.
423 『每日申報』 1928년 12월 17일자.
424 동북아역사재단, 『일본 소재 고구려 유물 Ⅱ』, 2008.

에 함께 하였다. 1917년부터 행한 가야유적 조사는 그의 주된 조사라 할 수 있다. 특히 야쓰이가 1918년 겨울부터 1919년까지 발굴한 창녕 교동고분의 막대한 출토품은 그대로 박물관에 수장되어 대부분은 지금까지 보고서가 공간되지 못하고 사장되고 있는 상태이다. 이러한 막대한 출토품은 1921년 야쓰이 세이이치谷井濟一가 조선을 떠나게 되어 그대로 박물관에 수장되어[425] 지금까지 보고서가 공간되지 못하고 사장되고 있는 상태이다.[426] 이 같은 상태는 야쓰이谷井가 우리나라를 떠난 1921년부터 계속되었을 것이니 실로 엄청난 세월동안 방치되어 있는 셈이다. 혹 지금에 와서는 새로운 발견으로 말미암아 별로 참고할 것이 없는 것이라 생각할지 모르나 창녕지방의 고분은 모두 도굴되어 이 자료를 참고하지 않고는 창녕지방의 문화를 논의 할 수 없는 실정이다.[427]

야쓰이는 1921년 부친의 병환으로 사직하고 고향으로 돌아갔다. 그가 발굴한 귀중한 유물 중에서 상당수는 몰래 일본으로 빼돌려서 덴리대학도서관과 궁내청,

---

425 하지만 그가 한국을 떠난 후 1928년 東京帝室博物館歷史部에 出品한 막대한 한국유물 중에는 창령 일대에서 발굴한 유물들이 상당 수 포함되어 있을 것으로 추정된다.
야쓰이 세이치(谷井濟一)가 반출한 韓國文化財目錄은 1986년에 文化財管理局 文化財研究所에서 發刊한 『海外所在韓國文化財目錄』(pp.189~174)에 수록되어 있다.

426 문제의 발굴의 사후처리는 발굴담당책임자인 곡정은 1921년 부친의 병세로 인해 박물관 위원직을 사퇴하고 귀국하게 되어 이후 창녕고분에 대한 어떤 발표도 하지 않았다. 1959년 세상을 뜨기 까지 조선휘보의 기사를 제하면 창령발굴에 대한 것은 정식보고서는 물론이고 간단한 개요마저도 발표되지 않았다.
당시 곡정과 함께 野守, 小川, 小場이 참가했으나 이들마저도 그 내용을 발표하지 않아 그 당시의 상세한 사정을 알 도리가 없다(穴澤和光, 馬目順一, 「昌寧校洞古墳群 -「梅原考古資料」를 中心とした谷井濟一氏發掘資料の研究-」, 『考古學雜誌』 제61권 제4호, 日本考古學會, 1975년 3월)

427 秦弘燮, 『新羅. 高麗時代 美術文化』, 一志社, 1997, p.50.

도쿄대학 사학실 등에 비장하고 있으면서 일반에게는 공개하지 않고 있다.[428]

야쓰이가 반출한 유물의 일부는 1986년에 문화재관리국 문화재연구소에서 발간한『해외소재 한국 문화재 목록』에 일부 수록되어 있다.

또한 그가 한국을 떠난 후 1928년 도쿄제실박물관 역사부에 출품한 막대한 한국유물 중에는 창령 일대에서 발굴한 유물들이 상당수 포함되어 있을 것으로 추정된다.

1928년에는 야쓰이 세이이치가 1921년까지 한국에서 고적조사를 하면서 채집하여 개인적으로 소장하고 있던 유물들을 진열하였는데 모두 고분 출토품으로 역사부제7구, 역사부제9구, 역사부제11구에 나누어 진열하였다.[429]

야쓰이 세이이치가 1921년까지 한국에서 고적조사를 하면서 채집하여 개인적으로 소장하고 있던 유물들을 1928년에 도쿄박물관에서 진열하였는데 그 품명은 다음과 같다.

* 도쿄박물관 신진열품(美術研究所, 『日本美術年鑑(1928년)』, 1929)

품명	유물번호	비고
蓬萊鏡 3面	歷史部第7區 129~131	新出品. 谷井濟一
菊花散雙雀鏡	歷史部第7區 132	新出品. 谷井濟一
花菱文長方形鏡	歷史部第7區 133	新出品. 谷井濟一
秋草長方形鏡	歷史部第7區 134	新出品. 谷井濟一
秋花散柄鏡	歷史部第7區 135	新出品. 谷井濟一

---

428 金洗屔, 「昌寧 校洞 古墳群 및 桂城 고분군 출토유물과 기타」, 『경남향토사논총』, 경상
    남도향토사연구협의회, 1997, p.158.
429 美術研究所, 『日本美術年鑑(1928)』, 1929.

품명	유물번호	비고
桐紋鳳凰瓶鏡	歷史部第7區 136	新出品. 谷井濟一
菊花雙鶴鏡 2面	歷史部第7區 137, 138	新出品. 谷井濟一
籬菊花柄鏡	歷史部第7區 139	新出品. 谷井濟一
古錢 1,500개	歷史部第9區 51	新出品. 谷井濟一
常平通寶 49개	歷史部第9區 52	新出品. 谷井濟一
匙 41本	歷史部第11區 45	新出品. 谷井濟一
鏡 169面	歷史部第11區 46	新出品. 谷井濟一
甀	歷史部第11區 47	新出品. 谷井濟一
骨壺	歷史部第11區 48	新出品. 谷井濟一
壺	歷史部第11區 49	新出品. 谷井濟一
蓋付高杯	歷史部第11區 50	新出品. 谷井濟一
臺	歷史部第11區 51	新出品. 谷井濟一
蓋	歷史部第11區 52	新出品. 谷井濟一
瓶	歷史部第11區 53	新出品. 谷井濟一
紡錘車	歷史部第11區 54	新出品. 谷井濟一
瓦殘缺	歷史部第11區 55	新出品. 谷井濟一
壺	歷史部第11區 56	新出品. 谷井濟一
石棺	歷史部第11區 57	新出品. 谷井濟一
片耳付盌	歷史部第11區 58	新出品. 谷井濟一
蓋	歷史部第11區 59	新出品. 谷井濟一
脚付長頸坩	歷史部第11區 60	新出品. 谷井濟一
脚付坩 3개	歷史部第11區 61~63	新出品. 谷井濟一
高杯	歷史部第11區 64	新出品. 谷井濟一
坩	歷史部第11區 65	新出品. 谷井濟一

품명	유물번호	비고
臺	歷史部第11區 66	新出品. 谷井濟一
甕 2개	歷史部第11區 67, 68	新出品. 谷井濟一
脚付坩 3개	歷史部第11區69~71	新出品. 谷井濟一
脚付垸	歷史部第11區 72	新出品. 谷井濟一
甕	歷史部第11區 73	新出品. 谷井濟一
高杯	歷史部第11區 74	新出品. 谷井濟一
坩 4개	歷史部第11區 75~78	新出品. 谷井濟一
脚付坩	歷史部第11區 79	新出品. 谷井濟一
脚付長頸坩	歷史部第11區 80	新出品. 谷井濟一
坩殘缺	歷史部第11區 81	新出品. 谷井濟一
高杯 3개	歷史部第11區 82~84	新出品. 谷井濟一
脚付垸	歷史部第11區 85	新出品. 谷井濟一
蓋	歷史部第11區 86	新出品. 谷井濟一
坩 4개	歷史部第11區 87, 91	新出品. 谷井濟一
長頸坩	歷史部第11區 92	新出品. 谷井濟一
坩	歷史部第11區 93	新出品. 谷井濟一
高杯 6개	歷史部第11區 94~99	新出品. 谷井濟一
瓶 3개	歷史部第11區 100~102	新出品. 谷井濟一
坩 2개	歷史部第11區 103, 104	新出品. 谷井濟一
高杯	歷史部第11區 105	新出品. 谷井濟一
瓶	歷史部第11區 106	新出品. 谷井濟一
坩	歷史部第11區 107	新出品. 谷井濟一
坩形土器 2개	歷史部第11區 108.109	新出品. 谷井濟一
坩	歷史部第11區 110	新出品. 谷井濟一

품명	유물번호	비고
長頸坩	歷史部第11區 111	新出品. 谷井濟一
脚付長頸坩 2개	歷史部第11區 112, 113	新出品. 谷井濟一
蓋付高杯 2개	歷史部第11區 114, 115	新出品. 谷井濟一
高杯 2개	歷史部第11區 116, 117	新出品. 谷井濟一
瓶	歷史部第11區 118	新出品. 谷井濟一
耳付坩	歷史部第11區 119	新出品. 谷井濟一
脚付坩殘缺	歷史部第11區 120	新出品. 谷井濟一
脚付坩	歷史部第11區 121	新出品. 谷井濟一
坩	歷史部第11區 122	新出品. 谷井濟一
蓋付高杯	歷史部第11區 123	新出品. 谷井濟一
高麗時代古墳副葬品	歷史部第11區 124	新出品. 谷井濟一
坩 5개	歷史部第11區 125~129	新出品. 谷井濟一
脚付坩	歷史部第11區 130	新出品. 谷井濟一
坩	歷史部第11區 131	新出品. 谷井濟一
瓶	歷史部第11區 132	新出品. 谷井濟一
高坩	歷史部第11區 133	新出品. 谷井濟一
蓋付高坩	歷史部第11區 134	新出品. 谷井濟一

후지타 료사쿠의 1928년 구미 여행에서 본 한국 유물

후지타 료사쿠藤田亮策는 1928년에 구미의 박물관, 도서관 등에 소장되어 있는 한국과 일본의 문화재를 살피고 그 실태를 잡지 『조선』에 실었는데, 그가 본

몇 가지 대표적인 한국 유물은 다음과 같다.[430]

품명	출토지 및 시대	소장자 및 소장처	비고
고려 및 조선시대 자기 靑磁, 白磁, 繪高麗, 三島手, 靑華, 坩 等		대영박물관	
新羅土器 3개		대영박물관	
象嵌靑磁皿, 碗 류의 破片		대영박물관	
磨製石斧, 石鏃, 石刀		대영박물관	신수품 소개란에 '慶州 諸鹿央雄氏亡兒記念寄贈'이 란 설명표가 있다고 한다.[431]
통일신라시대 壺器 2개		빅토리아미술관	이 미술관에 있는 것은 투부론 씨가 1913년경에 경성에서 수집한 것
高麗靑磁, 白磁, 繪高麗手, 三島手, 天目 各種		빅토리아미술관	투부론 씨가 1913년경에 경성에서 수집
고려의 조각이 있는 石棺		빅토리아미술관	투부론 씨가 1913년경에 경성에서 수집
조선시대 墓誌		빅토리아미술관	투부론 씨가 1913년경에 경성에서 수집
象嵌靑磁深鉢		빅토리아미술관	경성 앙박물관에서도 구하기 어려운 우수품 투부론 씨가 1913년경에 경성에서 수집

---

430 藤田亮策, 「朝鮮과 歐米博物館」, 『朝鮮』 145호-146호, 朝鮮總督府, 1929년 1월-2월.

431 이 물품에 대해 신수품이란 표시가 있다는 것은 후지타가 실견한 1928년경에 경주의 모로가 히데오(諸鹿央雄)가 그의 죽은 자식을 생각해서 기증했다는 것인데, 모로가는 일본 학계나 박물관에 수많은 유물을 기증한 사실이 있다. 그런데 영국에 까지 한국 유 물을 기증 했다는 사실은 놀라운 일로서, 그가 경주고적보존회 활동과 경주박물관장을 지낸 자이면서 한국 유물을 얼마나 사유화하고 함부로 취급했는지를 엿볼 수 있다.

품명	출토지 및 시대	소장자 및 소장처	비고
沈文青磁瓶 2개		빅토리아미술관	경성 양박물관에서도 구하기 어려운 우수품 투부론 씨가 1913년경에 경성에서 수집
青磁器(내면에 진사화문)	강화도	런던의 유몰로소 (개인)	
青磁象嵌瓶, 鉢, Ⅲ, 青磁沈文鉢, 三島手, 天目사발		유몰로소	
朝鮮妓生裳 2매		파리식물원 내 인류학진열관	
조선도서		파리외국어학교	
江華島史庫本 掠奪圖書		파리국립도서관	1866년 프랑스 군대 약탈 도서[456]
青磁器(내면에 진사화문)	강화도	런던의 유몰로소 (개인)	
青磁象嵌瓶, 鉢, Ⅲ, 青磁沈文鉢, 三島手, 天目사발		유몰로소	
朝鮮妓生裳 2매		파리식물원 내 인류학진열관	
조선도서		파리외국어학교	
江華島史庫本 掠奪圖書		파리국립도서관	1866년 프랑스 군대 약탈 도서[432]
조선신부와 상복 입은 남자상		네덜란드 라이덴대학 관하 국립토속박물관	한국에 주재한 외교관이 기증한 것으로 추정
조선 도자기, 침구, 탁자, 수저, 신발		국립토속박물관	
新羅土器		독일 계룬박물관	조선공예품은 1실을 점유
高麗大形鍍金文盤		독일 계룬박물관	
高麗鏡		독일 계룬박물관	
古銅印		독일 계룬박물관	

품명	출토지 및 시대	소장자 및 소장처	비고
銀象嵌鏡架		독일 계룬박물관	
우수한 고려청자 다수		독일 계룬박물관	
회고려, 백자, 天目, 三島手		독일 계룬박물관	
식기류, 의복, 악기, 농기구,		베를린토속박물관 창고	
신라 및 고려자기 다구		베를린토속박물관 창고	
喪祭服, 扇, 기타 다수		스톳트칼트토속박물관	
조선공예품		뮌헨토속박물관	1실을 마련
경회루 모조품, 吉凶禮裝		이태리 라데란궁전 내의 토속박물관	
靑磁器		스웨덴궁전	구스타프 황태자가 도한했을 때 총독 齋藤實이 贈呈
新羅鍍金裝身具		스웨덴궁전	총독 齋藤實 부인이 증정
高麗靑磁雲龍文瓶	고려	미국 보스톤미술관 도자기실	조선에는 없는 일품
靑磁象嵌蓮花文盒子 등 다수	고려	미국 보스톤미술관 도자기실	
高麗時代 銅鏡, 銅器 등 다수	고려	미국 보스톤미술관 동기실	

432 藤田亮策은「조선과 구미박물관(상)」에서 외규장각도서에 대해 다음과 같이 기술하고 있다.
이태왕10년 추 불국 동양함대 사령관「로-쓰」제독이 인솔한 함대가 강화도를 점령하고 府
庫의 장서 일체를 약탈한 후 도성에 방화하고 퇴각한 사실이 있다. 이 장서는 전부 현재 파
리국립도서관에 보존하였으나 그 후 60년간 일차 정돈하지도 않고 장치되어 있다. 파리외
국어학교에도 다소 조선도서가 장치되어 있으니 특별히 귀중한 자료는 없는 모양이다.

품명	출토지 및 시대	소장자 및 소장처	비고
四溟堂松雲大師肖像畫를 비롯한 다수의 肖像畫	조선시대	미국 보스톤미술관 지하실창고	
金銅釋迦如來立像	신라시대	미국 보스톤미술관	
청자, 백자, 히고려자기 등 100여 점		미국 비엔 호잇트	이 중 象嵌靑磁 3점과 鐵釉白花卵瓶 등은 아주 희소한 것
白衣黑笠의 풍속인형		미국 세람시립미술관	기증. 俞吉濬[433]
기타 유물 다소		세람시립미술관	
「亞米利加合衆國華盛頓府留朝鮮國留學生徒俞吉濬閣下, 朝鮮國農務試驗所 崔景錫」이란 書簡		세람시립미술관	
신라토기		미국 메트로폴리탄박물관	
會高麗牡丹文瓶		미국 메트로폴리탄박물관	
고려자기		미국 메트로폴리탄박물관	
朝鮮鐵砂白壺를 비롯한 백자		미국 메트로폴리탄박물관	
新羅金佛, 銅佛		미국 메트로폴리탄박물관	
高麗銅瓶, 銅鏡, 匙		미국 메트로폴리탄박물관	
조선의 經書, 史集, 繪畫, 古文書, 地圖 등 수백점		합중국도서관 書庫	
조선에 관한 歐米人의 報告, 紀行, 宣敎師의 記錄		합중국도서관 書庫	
靑磁鐵釉竹文花瓶을 비롯한 다수의 도자기		시카고시의 미술연구소	
강화도 고려청자기, 청자상감병, 鉢, 三島手, 天目의 사발		개인, 런던의 유-몰홉로스	강화도 고려청자기는 내면에 진사의 화문을 그려서 고려 고종시의 작품

이 조사는 비록 1928년에 한 것이지만 이것들이 구미로 흘러간 것은 대부분 구한말부터 1910년을 전후라고 하고 있다.[434]

후지타는 바쁜 일정 속에 대략적으로 살펴보고 기록한 것이기 때문에 대표적인 것만 대략 소개한 것이다.

도쿄국립박물관의 구입 및 기증 유물

1928년도의 도쿄국립박물관의 구입 및 기증 받은 유물을 보면, 고려시대의 흑칠나전수상黑漆螺鈿手箱과 조삼도다완彫三島茶碗을 구입하여 미술공예부에 진열한 건이 보이고,[435] 도오야마 유키치遠山佑吉[436]로부터 기증 받은 토기 2점이 보인다.[437]

---

433 이 미술관은 미국인 모고스의 수집품을 주로 하고 있는데, 白衣黑笠은 조선의 청년 兪吉濬이 유학 중에 모고스를 방문하여 지도를 받고 着用하고 있던 服裝을 그내로 壽附하고 간 것이라고 한다.

434 藤田亮策는 초기 유럽 등지에 유출된 것에 대해, "明治38, 39년경부터 45년경까지에 발굴된 고려자기의 태반은 분명히 외국인의 수중에 들어간 것이 분명하고 또 대부분은 파리에 이반된 것이다. 파리에서는 겨우 골동상점에서 한 두 개를 발견할 뿐이니 필경 모 영사의 수집품과 같이 일 개인이 비장한 까닭인 듯하다" 라고 하고 있다(「朝鮮과 歐米博物館(上)」,『朝鮮』145호, 朝鮮總督府, 1929년 1월).

435 帝室博物館,『帝室博物館年譜(昭和3년 1월~12월)』, 1929.

436 1911년부터 경상북도 성주우편소장으로 근무

437 京國立博物館所藏朝鮮産土器·綠釉陶器の收集經緯」, 東京國立博物館,『東京國立博物館圖版目錄』朝鮮陶磁篇(土器,綠釉陶器), 2004.

색인